Walter Z

KU-225-822

Die Literaturtheorie Heinrich Bölls

PETER LANG

Bern · Frankfurt am Main · Las Vegas

CIP-Kurztitelaufnahme der Deutschen Bibliothek

Ziltener, Walter:
Die Literaturtheorie Heinrich Bölls / Walter Ziltener. –
Bern, Frankfurt am Main, Las Vegas : Lang, 1980.
(Europäische Hochschulschriften : Reihe 1,
Dt. Sprache u. Literatur ; Bd. 369)
ISBN 3-261-04802-6

© Verlag Peter Lang AG, Bern 1980
Nachfolger des Verlages
der Herbert Lang & Cie AG, Bern

Alle Rechte vorbehalten. Nachdruck oder Vervielfältigung, auch
auszugsweise, in allen Formen wie Mikrofilm, Xerographie,
Mikrofiche, Mikrocard, Offset verboten.

DIE LITERATURTHEORIE HEINRICH BÖLLS

Inhaltsverzeichnis

Vorbemerkungen

Die vorliegende Untersuchung war im wesentlichen Ende Februar 1978 beendet. Da ich seither beruflich intensiv beansprucht war, konnte ich spätere Publikationen leider nicht berücksichtigen. Für vielfältige Anregungen und Verbesserungsvorschläge spreche ich Herrn Prof.Dr. R.Tarot meinen Dank aus. Ich danke auch meinen Schwiegereltern, Herrn und Frau A. und H. Keller-Schmid, die grosszügigerweise die Publikation finanzierten. Frau Esther Schwarz schrieb die Arbeit ins reine, und die Genossenschaft b+i in Hausen/Albis stellte mir die bis zum 1. Quartal 1978 erschienenen Nummern von L76 (deren Mitherausgeber Böll ist) kostenlos zur Verfügung. Ihnen allen schulde ich Dank.

Widmen möchte ich die Dissertation meiner Frau, die durch ihre moralische Unterstützung und mit ihren intellektuellen Anregungen den Raum schuf, in dem ich diese Arbeit schreiben konnte. Sie hat zudem nahezu zwei Jahre lang auf einen grossen Teil der - bei meiner Unterrichtstätigkeit ohnehin spärlichen - Freizeit sowie auf Ferien verzichtet und stattdessen die Pflege und Erziehung unserer drei kleinen Kinder in stärkerem Masse als geplant allein übernommen.

Obfelden, im Februar 1980   W.Z.

AKR I, II   : H.B., Aufsätze – Kritiken – Reden (Bd. I und II),
                 München 1969 u.ö. (= dtv 616 und 617)

Drei Tage   : H.B./Christian Linder, Drei Tage im März, Ein
                 Gespräch, Köln 1975

Einm. erw.   : H.B., Einmischung erwünscht, Schriften zur Zeit,
                 Köln 1977

Hierzulande : H.B., Hierzulande, Aufsätze zur Heit, München
                 1963 u.ö. (= dtv sr 11)

Im Gespräch : Im Gespräch: Böll mit Heinz Ludwig Arnold,
                 München 1971

NplS   : H.B., Neue politische und literarische Schriften,
                 Zürich 1975 (= ungekürzte Lizenzausgabe für den
                 Buchclub Ex Libris)

Querschnitte: Viktor Böll und Renate Matthaei (Hrsg.), Quer-
                 schnitte, Aus Interviews, Aufsätzen und Reden
                 von Heinrich Böll, Köln 1977

EINLEITUNG

1. Bölls Theoriedefizite

Norbert Schachtsiek-Freitag weist in seiner Besprechung des neuesten Schriftenbandes mit Nachdruck auf die Theoriedefizite Bölls hin.[1] Jedem, der mit Bölls Aufsätzen, Reden, Interviews etc. einigermassen vertraut ist, dürfte bewusst sein, dass eine systematische Darstellung seiner Ansichten ebenso fehlt wie eine exakte, konsequent durchgeführte Terminologie. Und schliesslich meint Böll selbst: "Zu viel Theorie entwickeln oder Studien, bevor man mit Schreiben anfängt, halte ich tatsächlich für ein Verhängnis."[2]
Dennoch wird hier der Versuch unternommen, die Literaturtheorie Heinrich Bölls vorzustellen. Bevor ich näher bestimme, was ich darunter verstehe, sei ein Blick gestattet auf die bisher vorliegenden Arbeiten, die sich mit Bölls ausserliterarischem Werk befassen.

2. Die Geschichte der Beschäftigung mit den "Nebenbeis" des Böllschen Gesamtwerks

R. Nägele beklagte 1976 den Umstand, dass die Essays Bölls bisher "viel zu wenig Beachtung" gefunden haben.[3] Das Gleiche hatte Hanno Beth schon ein Jahr zuvor festgestellt, dem es mit seinem Sammelband neben einer "Rezeptionskorrektur" darum geht, die "Nebenbeis", die doch "Hauptsachen" sind, in den Unterricht einzubringen.[4]
Wenn auch Nägeles Liste der Aufsätze, die sich mit dem nichtliterarischen Werk beschäftigen, unvollständig ist[5] - möglicherweise liegen auch mir nicht alle Arbeiten vor -, die Tatsache bleibt bestehen, dass die theoretischen Schriften unter den Literaturwissenschaftlern ein Mauerblümchendasein fristen und - wenn überhaupt - hauptsächlich herangezogen werden, um eigene Ansichten zu stützen.[6]
Aufschlussreich ist hier eine chronologische Betrachtung der

zaghaften Beschäftigung mit diesem Teil des Gesamtwerks. Fragt
man nämlich, unter welchem Aspekt sich die einzelnen Autoren damit befassen, so zeigt sich eine hartnäckige Weigerung, den ganzen, ungeteilten Böll zur Kenntnis zu nehmen, und dies sowohl
bei "Wohlgesinnten" als auch bei "Gegnern".
1964 schiebt Karlheinz Deschner in einen längeren Verriss des Romans 'Billard um halbzehn' eine halbseitige ebenso radikale wie
pauschale Kritik an Bölls Essays ein: "Man lese sie nur aufmerk-
sam: vom Bekenntnis zur Trümmerliteratur (1952) bis zum Deutschen Snob (1961) fast lauter Brei. ... Bölls Analekten sind
Kollektionen platter Allerweltsgedanken, ephemerer als alles,
was er geschrieben hat."[7]
Eine ganzheitliche Sicht fasst als erster P. Spycher ins Auge in
seinem 'Porträt Heinrich Bölls im Spiegel seiner Essays', das
1967 in 'Reformatio, Evangelische Zeitschrift für Kultur und Politik' erschien: "Bölls Essays (ein etwas ungenauer Allgemeinaus-
druck für Skizzen, Berichte, Besprechungen, Aufsätze, Betrach-
tungen in Brief- oder Erzählungsform, Reden usw.) haben mit denen zum Beispiel Friedrich Dürrenmatts dies gemeinsam, dass sie
überwiegend kurz sind und auf den ersten Blick mit leichter Hand
hingeschrieben zu sein scheinen. Liest man sie jedoch aufmerksa-
mer und behält man dabei des Verfassers Dichtungen im Auge, so
entdeckt man, dass sie sorgfältig formuliert und komponiert sind,
dass sie auf knappem Raum vieles sagen, dass sie Licht auf die
Dichtungen werfen und von ihnen Licht empfangen."[8]
Nicht den Essays selbst, nicht den eben zitierten, den Aufsatz
einleitenden Fragen der Wechselwirdung von literarischem und
ausserliterarischem Werk gilt jedoch Spychers Hauptinteresse,
sondern einem Porträt des Autors: "Gerade weil Böll von den Kri-
tikern oft einseitig oder schief beurteilt worden ist, dürfte es
sich lohnen, ein Porträt von ihm im Spiegel seiner Essays vorzustellen." In welcher Beziehung Böll ungerecht beurteilt wurde,
verrät der übernächste Satz: "Heinrich Böll ist, seinem eigenen
klaren Zeugnis nach, gläubiger, praktizierender Katholik."[9]
Der Umstand, dass diese Feststellung mehrmals wiederholt wird[10],

sowie die ausführliche Beschäftigung mit der Frage, wie so etwas möglich sei, obwohl Böll den Titel "katholischer Schriftsteller" zurückweist, und obwohl er der Kirche - wie Spycher erwägt - Hass oder zumindest Hassliebe entgegenbringt[11], lässt den Schluss zu, Spychers Anliegen reduziere sich darauf, feststellen zu können: Gott sei Dank, er ist trotz allem einer von uns. Diese Folgerung karikiert, das sei zugegeben, die Tendenz des Aufsatzes, die aber immerhin vorhanden ist. Dagegen ist positiv zu vermerken, dass Spycher nicht einen Teil des Werkes gegen einen andern ausspielt, also nicht etwa Böll als Stilisten lobt, seine Gesinnung oder gar seine Einmischung in die Politik aber verurteilt.

Gewogen, nun aber für zu leicht befunden, wird Böll auch von Joachim Fest, der in seiner Rezension der 'Aufsätze, Kritiken, Reden' offensichtlich bedauert, dass Böll ein "Sänger" und kein "Widersacher der Gesellschaft" ist: "... es ist Klage und nicht Kritik, Hölderlin und nicht Heinrich Mann."[12] Und da Böll schon die Hoffnung auf einen neuen Heinrich Mann nicht erfüllt, ist es nicht verwunderlich, dass er nicht nur stilistisch unzulänglich schreibt, sondern auch die "antipolitische Tradition der deutschen Literatur fortsetzt": "Heinrich Böll indes nimmt den Vorwurf, er verstehe nichts von Politik, ernst. Er begegnet ihm mit einem Einwand, der (wiederum) nicht nur das Stilgefühl brüskiert, sondern die eigene Kompetenz kurzerhand beseitigt: 'Wer versteht schon etwas von Politik? Von Politik versteht nur der etwas, der jeweils die Möglichkeit hat, seine Vorstellung von der zu machenden Politik zu realisieren, also der, der an der Macht ist.' Es liesse sich denken, dass so viel Naivität auch Gegner versöhnt und in den Preis der lauteren Gesinnung des Autors einstimmen lässt."[13]

Die Charakaterisierung als "unpolitisch und antipolitisch" trifft - wenn auch nicht in dem geradlinigen Sinne Fests - auf den frühen Böll zu. Und wenn auch Sätze wie "Doch wer hörte je scharf und schwer auf Heinrich Böll schiessen?" und "Das bürgerliche Milieu jedenfalls hat ihn nie als Gegner akzeptiert" heute er-

staunlich klingen, darf nicht vergessen werden, dass der Fall
Defregger erst mehr als anderthalb Jahre später aufgerollt wurde,
und dass Böll damals - im Januar 1968 - noch nicht die umstrit-
tene moralische Instanz, ja Institution darstellte, zu der er
später gemacht wurde.[14]

Immerhin standen die Studentenunruhen und die Diskussionen um
die Notstandsgesetze ins Haus, und ein unbefangener Leser hätte
vielleicht ahnen können, dass Bölls Verhältnis zur Politik sich
änderte, dass er auf die direkte und entschiedene politische
Einmischung zusteuerte. Ganz bestimmt jedoch hätte er, der un-
voreingenommene Leser, die Stelle nicht im Sinne Fests interpretiert, der Ironie von Seiten Bölls explizit ausschliesst.[15] Der
Passus lautet - ausführlicher zitiert: "Im übrigen ist eine solche Publikation[16] auf eine demagogische Weise sinnlos, denn:
wer v e r s t e h t schon etwas von Politik? Von Politik versteht nur der etwas, der jeweils die Möglichkeit hat, seine Vorstellung von der zu machenden Politik zu realisieren, also der,
der an der Macht ist. Politik ist weder eine Wissenschaft noch
eine Kunst, sie ist nicht einmal ein Handwerk, sie ist ein von
Tag zu Tag sich neu orientierender Pragmatismus, der bemüht sein
muss, die Macht und deren Möglichkeiten übereinanderzubringen.
Natürlich gibt es ausserdem Politiker mit politischen I d e e n:
Bismarck, de Gaulle - aber solche Politiker, die G e s c h i c h-
t e machen, sind selten, fast schon keine Politiker mehr. Jeder,
der seine jeweilige politische Vorstellung nicht via Macht um-
setzen kann, ist also Theoretiker, ist unrealistisch, ist
schlimmstenfalls Biertischpolitiker, und in diesem Zustand befinden sich ausser der jeweiligen Bundesregierung die Herren Er-
ler und Augstein, befinden sich alle Schriftsteller, befindet
sich die Redaktion der Kölner Kirchenzeitung, s o g a r die
Herren Dr. Adenauer und Dr. Strauss, jedenfalls in dem Augenblick, da ihre Gegner im Amt sind und ihre eigene Konzeption
realisieren können. In diesem Sinne verstand von Politik im Jahre 1933 nur Hitler etwas, während etwa Karl Marx nie etwas von
Politik verstanden hat. Ausserdem bleibt jede gemachte Politik

4

bis in alle Ewigkeit hinein umstritten, strittig, bestreitbar ...
Soweit ich Herrn Dr. Buchheims Vortrag nach dem Abdruck in der
Kölner Kirchenzeitung beurteilen kann, vertritt er eine rein ma-
terialistische These: Was geschieht und geschah, ist richtig,
weil es real ist, alles andere ist 'unrealistisch'. Nun ist
nicht einmal die kommunistische Geschichtsschreibung so konsequent materialistisch ..."[17)
Zugegeben, Böll macht es einem Mann wie Fest nicht leicht zu erkennen, dass sich seine "apolitische" Haltung abschwächt,
schreibt er doch unmittelbar vor der zitierten Stelle: "Wenn eine K i r c h e n zeitung so erhebliche Anstrengungen macht,
nachzuweisen, dass drei Schriftsteller nichts von P o l i t i k
verstehen, ist eine solche Ausgangsposition schon pornographisch:
die Zeitung, deren gutes Recht es wäre, religiös, theologisch zu
argumentieren, reduziert sich selbst, reduziert gleichzeitig alle drei behandelten Autoren." Immerhin differenziert er Politik
im folgenden (s.oben) bereits und verurteilt ausschliesslich den
politischen Pragmatismus oder genauer: die Auffassung, die darin
die einzige Möglichkeit sieht, etwas von Politik zu <u>verstehen</u>.
Aber nicht, dass er das und die anschliessende Entwicklung zum
direkten politischen Engagement nicht erkennt, kann Fest vorgeworfen werden, wohl aber, dass er aufgrund vorgefasster Meinungen und einer eingeschränkten Erwartungshaltung den Sinn einer
Aussage ins Gegenteil verkehrt und zu einem Pfeiler seiner Argumentation macht. Da diese Art, mit Bölls Essays oder Teilen davon umzugehen, typisch - wenn auch hier besonders ausgeprägt -
ist, wurde dem Aufsatz soviel Platz eingeräumt.
Ludwig Marcuse interessiert - wie Peter Spycher, wenn auch von
diametral entgegengesetztem Standort aus - bei der Beschäftigung
mit den "Nebenbeis"[18) (dem essayistischen Werk), in hohem Masse
die Person des Autors. Geht es ihm zunächst um die Verwandt-
schaft der beiden Dichter Joseph Roth und Heinrich Böll, so konstatiert er bald darauf: "Böll ist ein Feind jeder Böll-Intro-
spektion".[19) Trotz dieser Erkenntnis, trotz Sätzen wie: "Die
zwergenhafte 'Selbstkritik' trägt eins der köstlich-treffendsten

Mottos - und so sieht sie auch aus:
> Gott sei Dank, dass niemand weiss,
> dass ich Rumpelstilzchen heiss."[20]

Trotz alledem lässt Marcuse nicht ab von dem Versuch, des Zwergleins, zumindest an einem Zipfel seines Bartes, habhaft zu werden, und beinahe eine ganze Seite seiner kurzen Abhandlung widmet er der Frage, warum Böll trotz seiner Schwierigkeiten mit der Kirche nicht austreten will. Die Antwort: "Religion ist sehr oft Pietät: Die Eltern leben weiter in den Riten, welche die Kinder zelebrieren."[21]

Das Postulat Marcuses, dem ausserliterarischen Werk den gebührenden Platz zuzuweisen, findet sich vier Jahre später bei Jochen Vogt wieder. Freilich zielt er auf ein anderes Betätigungsfeld: "Bölls Publizistik im Literaturunterricht (nicht nur der gymnasialen Oberstufe!), das könnte ein Kursus in ernsthafter Gesellschaftskritik, ein Stück Erziehung zur Mündigkeit sein; und keineswegs würde dabei (wie ein verbreitetes Vorurteil es will) die Reflexion auf Formalia, auf die Darstellungsleistung und -mittel von Sprache und Literatur überflüssig. Im Gegenteil: da wären literarische Formen bekannt und durchschaubar zu machen, die längst wichtiger sind als Epos, Lyrik und Drama: die R e d e ... und der B r i e f ('An einen jungen Nichtkatholiken', 1966, zu lesen mit den Sozialreportagen des Adressaten Günther Wallraff); das I n t e r v i e w als Medium von Befragung, Selbstdarstellung und Selbstreflexion; die R e z e n s i o n ... die souverän Stilkritik in Ideologiekritik überführt; die P o l e m i k ...; der E s s a y ... porträtierend ..., räsonierend ... oder zugleich beschreibend und reflektierend ... .
- All dies Möglichkeiten für ein Alternativprogramm Böll, leicht zu erstellen und zu ergänzen aus den zwei Taschenbuchbänden 'Aufsätze-Kritiken-Reden', die manch kultusministeriell zugelassenes 'Lesewerk' ersetzen könnten."[22]

Die Texte, mindestens zum Teil leicht zugänglich, liegen vor, die Appelle, sich mit ihnen zu beschäftigen, ebenfalls, es fehlt nur die Verwirklichung. Oder doch etwas mehr? In der dritten,

erweiterten Auflage seines Buches, erschienen 1973, hält Wilhelm Johannes Schwarz fest: "In dem Sammelband 'Aufsätze, Kritiken, Reden' (1967), mit Arbeiten aus den Jahren zwischen 1952 und 1967, findet sich substantiell nichts Neues. In den Aufsätzen, literarisch anspruchslosen Versuchen, sich nach allen Seiten zu orientieren und zu festigen, zeigt Böll eine gewisse Gewandtheit im Umgehen einer politischen Stellungnahme, wenn man von der üblichen Kritik der Bundesrepublik absieht."[23] Dass er, der sich offenbar nach allen Seiten orientiert und festigt, andern Leuten die Orientierung erschwert, ist ihm zu verargen: "Seine Geschicklichkeit im Ausweichen heikler Fragen, Brecht nicht unwürdig, beweist sich auch in dem Interview mit Marcel Reich-Ranicki (1967). Immerhin lässt sich Böll in diesem Interview dazu hinreissen, den Kommunismus unverbindlich allgemein als eine 'Hoffnung' zu bezeichnen, eine Möglichkeit des Menschen, sich diese Erde untertan zu machen. Im übrigen wehrt sich Böll mehrfach in diesem Buch gegen das, was er als 'Schnüffeln' bezeichnet. Die Schnüffler aber verweist er auf sein literarisches Werk, auf das er sich zurückzieht, ohne sich politisch zu erklären und damit klassifizieren und festlegen zu lassen."[24] Da die Versuche doch "literarisch anspruchslos" sind, warum sollten sie dann den Ansprüchen eines literarischen Masstabes (welchen Masstabes übrigens?) zu genügen haben?
Dass da Jochen Vogt für die Schulstube etwas postuliert, was die Literaturwissenschaft bei weitem noch nicht verwirklicht hat, erscheint beinahe als Hybris.
Marcel Reich-Ranicki ("Gegen die linken Eiferer") kommt offensichtlich Bölls Absage an die falsche Alternative Kunst oder Information so gelegen, dass er die Nobelpreisrede "den clownesken Zügen zum Trotz" als "ein sehr vernünftiges Prosastück" bezeichnet, ohne auch nur ein Wort darüber zu verlieren, wie radikal Böll in eben dieser Rede genau diese Vernunft problematisiert und kritisiert.[25]
In dieser Situation, in der eine offene und umfassende Auseinandersetzung mit Bölls ausserliterarischem Werk zwar postuliert,

jedoch nirgends geleistet ist, erscheint Rolf Michaelis' Aufsatz
'Erste Schritte auf dem Dritten Weg' als strahlender Lichtblick.
Er wendet sich gegen die "wenig angemessen[en], bestenfalls bemüht wirken[den] Versuche, Böll und sein Werk in die Schubladen
der Literaturwissenschaft oder -geschichte zu zwängen", sowie
gegen ein "Beliebtes Gesellschaftsspiel: Heinrich den Grossen
teilen: den guten ins Kröpfchen, den schlechten ins Töpfchen.
Ja, Böll als Erzähler, der ist natürlich Klasse, wenn er nur den
Mund halten wollte, sobald es um politische Tagesfragen geht.
Oder umgekehrt: Der Romancier Böll? Geschenkt; kleinbürgerlich,
katholisch, nicht experimentell - aber als Moralist, als Provo-
kateur willkommen."
Michaelis sagt von Böll, einem tiefer dringenden Blick zeigten
sich die Erscheinungen der Welt in ihren der Wirklichkeit des
Lebens entsprechenden Mischfarben. "Das heisst: wenn sich dieser
Autor nicht in einem Leitartikel oder Kommentar politisch äussert, sondern in Form einer Erzählung, dann darf weder der politisch argumentierende noch der poetisch erfindende Heinrich
Böll aus dem Text herausdividiert werden." Das gelte für die
eben erschienene Erzählung 'Berichte zur Gesinnungslage der Nation'. "Für Bölls literarische Entwicklung wenig bedeutsam" mar-
kierten die "Berichte" eine "Etappe auf dem Weg, der Böll, den
Erzähler, und Böll, den zeitkritischen Polemiker zueinander-
bringt."
Erstaunlich, dass gerade auch Michaelis trotz dieses offenen Ansatzes glaubt, Böll hebe sich nunmehr deutlich von früheren Vorstellungen ab. Zwar formuliert er es einleitend noch vorsichtig:
"Vielleicht gab es ihn einmal, den Schwarz-Weiss-Böll", weiter
unten lässt er jedoch keinen Zweifel mehr offen: "In solchen
Äusserungen wird Bölls Wendung nicht nur zu einem Realismus des
Erzählens ('Ich habe nie begriffen, was Realismus sein könnte'),
sondern zur Realität des Lebens deutlich, zu dem, was man Bölls
dritten Weg nennen kann. Jetzt gibt es nicht mehr hie 'Lämmer',
da 'Büffel', sondern Menschen, in ihrem Widerspruch."[26]
Den Roman 'Billard um halbzehn' als Paradepferd vorzuführen,

wenn es darum geht, Bölls dualistisches Weltbild zu belegen, ist ebenfalls beliebtes Gesellschaftsspiel. Auch Christian Linder spielt es im Drei-Tage-Gespräch. Böll widerspricht nicht.[27] Dabei wird geflissentlich übersehen, dass es dort neben den Lämmern (etwa Edith Schrella oder dem Hotelboy Hugo) und neben den Büffeln die Hirten gibt, oder vielmehr Leute, die Hirten hätten sein sollen, diese Aufgabe jedoch nicht wahrgenommen, zumindest für eine bedeutende Periode ihres Lebens nicht wahrgenommen haben, sondern sich mit den Verhältnissen, zumindest äusserlich arrangiert haben, so etwa Robert Fähmel, eine der Hauptfiguren des Romans.

Oder um ein weiteres Beispiel heranzuziehen, das aus noch früherer Zeit stammt: Wer im Roman 'Und sagte kein einziges Wort' (1953) pauschale Kritik an der katholischen Kirche findet, übersieht den "Bauernpriester" und den Umstand, dass die Hauptfiguren zu den Sakramenten gehen.

Und ist Rolf Michaelis, um zu ihm zurückzukehren, der die "vorgefassten Meinungen, mit denen Bölls Werk gelesen" werde, "ärgerlich" findet, nicht gerade über ein solches Ärgernis gestolpert, wenn er den Böllschen Ausspruch ("Ich habe nie begriffen, was Realismus sein könnte") nicht als das erkennt, was er ist: eine Absage an das, was er, Michaelis selbst, "Schubladen der Literaturwissenschaft" nennt, zu sehen etwa neben Bölls Ablehnung der Unterscheidung von "engagierter Literatur" und "littérature pure", die er später als Ausdruck des Prinzips 'divide et impera' entlarvt. Trotz dieser Einwände ist und bleibt der Ansatz von Rolf Michaelis der bisher offenste und umfassendste.

Was etwa Marcel Reich-Ranicki an Bölls Gespräch mit Linder beschäftigt, ist ausser dem "schludrigen" Stil nur Bölls Auseinandersetzung mit seinem Image als moralischer Instanz und die "Theologie der Zärtlichkeit", der er zwei kritische Abschnitte widmet. Reich-Ranicki meint: "Gewiss, auch früher gehörte das methodische und diskursive Denken nicht gerade zu Bölls stärksten Seiten."[28] Den Versuch Bölls, die Dialektik zu überwinden, würdigt er keiner Zeile.

Formfragen sind Hermann Glaser wichtig, der findet: "Will man
die Welt verändern, muss man ihr entgegenkommen; auch als Stilist. Böll braucht sich nicht für den Markt verstellen. Er ist
ein Meister zweitklassiger Prosa."[29] Der "Dichter Böll vermag
als Essayist die Sprache nicht zu revolutionieren".[30] Daneben
fehlt aber die inhaltliche Kritik nicht: "Der Vergleich mit Thomas Mann macht deutlich, wo das Defizit der Böllschen Essayistik
liegt: es fehlt ihr an Gedanklichkeit, Böll reiht Impressionen
und Expressionen aneinander; Folgerichtigkeit liegt ihm nicht.
Seine Prosa ist die des gesunden Menschenverstandes; nicht sorg-
fältigen Be- und Nachdenkens. Böll saugt alles aus sich selbst
heraus; Vorarbeiten und Studien zu einem Thema sind ihm (wahrscheinlich) fremd."[31] Oder: "Böll befreit sich aus der Verwirrung, wie sie Nachdenken und Nachgrübeln mit sich bringen mögen,
indem er sich das Recht herausnimmt, Geschichte in Bildern zu
sehen."[32]

Diese Kritik fügt sich nahtlos ein in die zu Beginn des Aufsatzes beschriebene Impression, die Bölls Essayistik auf Glaser
bewirkt: "Eine Analyse der Böllschen Essays ist nicht einfach;
die Zufälligkeiten seiner Prosa lassen es nicht zu, dass man
Stringenz bzw. ein Strukturmuster nachträglich unterlegt, etwa
so tut, als ob diese Prosa Ausdruck eines geschlossenen Welt-
bildes und einer klar formulierten Weltanschauung sei. Böll ist
ein Schnappschuss-Essayist; was ihm vor die Kamera kommt, und er
achtet ziemlich viel der Momentaufnahme wert, wird festgehalten.
W i e er dies tut, die Haltung, der Blickwinkel, die Belichtung
die 'Technik', ist freilich recht typisch und gleichartig, vielfach auch gleichförmig. Der Kritiker von Bölls Schriften verhält
sich wohl adäquat, wenn er ebenfalls impressionistisch vorgeht
- die Böllschen Topoi durch 'Kernstellen' markiert und so zu
einem Gesamturteil zu kommen sucht."[33]

Aber es kommt noch schöner - Glaser fährt fort: "Einzelstellen,
Einzelheiten, Einzelbeobachtungen sollen zu einem Mosaik zusam-
mengesetzt werden; die Biographie und Zeitgeschichte kann weitgehend unberücksichtigt bleiben; eine Entwicklung der Böllschen

10

Prosa ist nämlich kaum festzustellen. Ob ein Essay 1957 entstanden ist oder 1972, tut wenig zur Sache."[34]
Zwar attestiert er Böll "Integrität" und "sokratische" Qualitäten[35], beschliesst seinen Aufsatz jedoch, indem er einen Satz aus der Rede 'Ende der Bescheidenheit' zitiert und meint, darin sei "in nuce präsent, was Heinrich Böll als Essayisten prägt: Die Masslosigkeit der Kritik, die freilich durch ihre Spontaneität ihre 'Berechtigung' erhält - expressiver Ausdruck von Unbehagen, das durchs subjektive Engagement sympathisch erscheint. Zugleich aber auch die Banalität der Aussageform, die der gehaltlichen Provokation die Schärfe nimmt, das Unangepasste anpasst.
Heinrich Bölls Prosa: feuilletonistisch vermarktete Ärgernisse; anregende Provokationen, die jedoch nur selten unter die Haut gehen."[36]
Dass bei Böll beides zu finden ist, das Weltbild und - trotz Kontinuität in hohen Massen - eine offensichtliche Entwicklung, versucht die vorliegende Arbeit zu beweisen.
Den neuesten Sammelband Bölls bespricht Léopold Hoffmann, wobei er einen tapferen Kämpen vor Augen zu haben scheint, der immer wieder "kräftig und mutig" in das kulturelle und politische Zeitgeschehen eingreift, "den Schlagabtausch auch nicht mitten im hitzigsten Kampfgedränge fürchtet. Wobei er seinen Freunden und seinen Feinden unentwegt die Treue hält."[37]
Nach Hoffmann müsste Böll - etwas überspitzt formuliert - seine Aufgabe darin sehen, dass er Unrecht "wittert" und dafür "auf die Barrikaden" steigt. Was wunder, wenn sich der Ton, "wenn es um seine Feindbilder aus CDU-CSU geht", gelegentlich "zu einer Schärfe und Leidenschaftlichkeit" steigert, "dass keine Differenzierung mehr möglich ist." Nicht ganz frei von schulmeisterlichem Gehabe fügt Hoffmann hinzu: "Böll, der sich in anderen Fällen gegen kategorische ideologische Antipositionen verwahrt, grenzt hier ab durch Gräben, die unüberbrückbar sind. In seiner Nobelpreisrede warnte er 'vor der Zerstörung der Poesie, vor der Dürre des Manichäismus, vor der Bilderstürmerei eines blinden

Eiferertums'."

Zu dieser Vorstellung vom ungehobelten Helden passt folgende Feststellung: "Einen Charme und Liebenswürdigkeit ausstrahlenden Heinrich Böll könnte man sich auch nicht so recht vorstellen. Er würde bald langweilen, und Deutschland und die Welt wären um eine Charaktergestalt ärmer."[38] Gerade diesen Charme fand Joachim Kaiser bei Böll schon einige Jahre früher, als der Autor noch im Rufe eines moralischen Rigoristen stand und nach weitverbreiteter Auffassung in einem dualistischen Weltbild befangen war.[39] Und C.H. Casdorff und Rudolf Rohlinger formulieren nach ihren Erfahrungen mit vielen Leuten, "die es zur Nachlektüre der Gürzenich-Rede[40] drängte" und die "mit Böll selbst reden" wollten: "Es liegt wohl an seinem Ton, an der unpompösen Sprechweise, dass Heinrich Böll, erfolgreichster deutscher Schriftsteller seiner Zeit, von jedermann als Nachbar empfunden wird."[41]

Was die Hoffmannschen "Feindbilder aus CDU-CSU" angeht: ist es so schwer zu verstehen, dass Böll dieses Lager so heftig attackiert, _gerade_ _weil_ ihm das C, das die Parteien in seinen Augen zu einem blossen Aushängeschild degradiert haben, so wichtig ist? Als Böll zum erstenmal in einem Wahlkampf für und gegen Parteien ausdrücklich Stellung nahm, schrieb er, was seine Gültigkeit hat, auch wenn es scherzhaft gesagt ist: "Nun mag es ja sein, dass die CDU sich wandelt; dass sie in acht bis zwölf Jahren, durch das harte Brot der Opposition gereinigt, durch Askese geläutert, eine Partei werden könnte, von der ich Ihnen nicht mehr so dringend abraten würde (bei der CSU würde ich den Reinigungsprozess auf 24 Jahre ansetzen!), aber gerade diese wunderbare Reinigung, bei der sogar c h r i s t l i c h e Gedanken wieder auftauchen könnten, diese Reinigung können Sie nur bewirken, indem Sie sie nicht wählen."[42]

Und wenn L. Hoffmann schreibt: "Seinem Nonkonformismus ist er treu geblieben: er bekennt sich weiterhin zum Katholizismus und liegt in Dauerfehde (!) mit dem Episkopat und verschiedenen Aspekten der krichlichen Lehre"[43], so sollte doch zu denken geben, dass Böll ein Jahr zuvor, 1976, aus der Kirche ausgetreten war, zu einem Zeitpunkt, als die aufgeschlossensten Beobachter

zu erkennen glaubten, dass Böll allmählich eine Wendung weg vom
Schwarz-Weiss-Denken hin zur Realität vollzog.

Den neuen Schriftenband bespricht auch Peter Demetz - und wärmt,
ungeachtet des im gleichen Zeitraum publizierten Gesprächs mit
Linder, die alte Vorstellung vom Schwarz-Weiss-Böll auf, nun allerdings eingeschränkt auf den politischen Bereich: Böll, "der
eigentliche russische Schriftsteller des 19. Jahrhunderts unter
den deutschen Autoren der Gegenwart" mit seinem "Sturm-und-Drang-
Sozialismus" ist "ein Manichäer, der (als ob es keine Geschichte
gäbe) die Welt ein für allemal in reaktionäre Teufel und radikale Engel zerspaltet und die vielen Menschen in der Mitte, die ja
auch gern in einer besseren Welt lebten (und wenn's nur durch
nüchterne Reformen wäre) ignoriert.

Wie die überraschenden und kühnen Erinnerungen an seine Ernst-
Jünger-Lektüre beweisen, hat der Leser und Kritiker Böll gerin-
gere Schwierigkeiten als der Bürger, sachlich zu urteilen, ja
und nein zu sagen, das Gute und das höchst Problematische ausein-
anderzuhalten oder, mit anderen Worten, liberal zu sein. Im Politischen gerät ihm die Apokalypse in die Quere."[44]

Demetz meint, in 'Einmischung erwünscht' habe sich Böll noch
nicht endgültig entschieden, welchen der möglichen Wege er gehen
wolle. Er schreibt: "... ich wünschte mir, er wollte es mit unserem Zeitalter der gesteigerten Polarisierungen als ein deutscher George Orwell aufnehmen, selbstkritisch, denkend, gerecht
gegen Freund und Widersacher, und nicht nur als einer, der erbau-
liche Kapuzinerpredigten, termingerecht, für das APO-Feuilleton
schreibt."[45]

Mir schiene es wünschenswert, man wollte den ganzen Böll zur
Kenntnis nehmen, also auch seine Gedanken über das Dritte und
die Beschränkungen der Dialektik, sowie etwa den Umstand, dass
er sich nicht darauf beschränkt, Helmut Schelsky mit Hilfe der
Dialektik zu widerlegen, sondern seine Unruhe teilt und ihm dank-
bar ist, dass er sein Image als Kardinal und Märtyrer zerstört
- alles nachzulesen im Gespräch mit Linder, das in dem Zeitraum
publiziert wurde, den der besprochene Sammelband abdeckt.

Norbert Schachtsiek-Freitag meint in seiner eingangs zitierten
Rezension: "Böll, der linksliberale Intellektuelle ohne Parteibuch, zielt mit seinen Einmischungen im Grunde genommen auf ein
einverständiges Publikum, denn er artikuliert seine Überzeugun-
gen lediglich, Begründungen seiner Ansichten, die einen Diskurs
eröffnen könnten, fehlen in diesem Buch fast ganz. Und wenn man
die Beiträge nacheinander liest, gewahrt man erst ganz deren
Schwächen: es fehlt Böll an analytischer Reflexion, und auf Vor-
studien zu den Themen, zu denen er sich äussert, verzichtet er
ganz. ... So sind aber die Urteile, die Böll fällt, nur durch
die anerkannte moralische Integrität gedeckt, nicht aber durch
Argumentation legitimiert."[46]

Mehr als in den früheren theoretischen Schriften suche Böll seit
einiger Zeit "offensichtlich nur noch den Ausdruck für sein sub-
jektives Empfinden und Meinen". Für diese Ansicht gilt ein ähnlicher Einwand wie für Demetz' Auffassung: So etwas kann nur behaupten, wer beispielsweise den 'Versuch über die Vernunft der
Poesie', der in diesem Sammelband abgedruckt ist, sowie das Drei-
Tage-Gespräch ignoriert.[47] Abgesehen davon fällt auf, dass der
Ansatz, der von "Theoriedefiziten"[48] sprechen lässt, nicht hin-
terfragt wird, dass nicht nach seiner Berechtigung gefragt wird,
die ich grundsätzlich ganz bestimmt nicht, in speziellen Fällen
aber sehr wohl leugne. Dies ist umso erstaunlicher, als Schachtsiek-Freitag "die grosse Wirkung, die Bölls Einmischungen gelegentlich haben", nicht nur nicht leugnet, sondern geradezu her-
vorhebt.[49] Sollte es Böll hier tatsächlich mehr um schnelle Hilfe für östliche Dissidenten oder wenig bekannte Autoren gegangen
sein als um jedesmal mitgelieferte Theorie?

Kein eingeschränkter Blickwinkel ist bei Heinz Ludwig Arnold und
Jürgen P. Wallmann zu erkennen. Andererseits gehen ihre sehr kurzen Arbeiten nur wenig über eine Inhaltsangabe hinaus.[50]
Die letztere Einschränkung gilt auch für James H. Reid und Léopold Hoffmann.[51] Geht Reid über die Inhaltswiedergabe hinaus,
verfällt er etwa der Vorstellung vom dualistischen Weltbild
Bölls: "Böll's world is largely divided into two groups of

people, those who administer and those who are administered, the 'bureaucrats' in the widest possible sense and those who are trying to preserve some semblance of individuality."[52]

Eine Reihe von Arbeiten beschränken sich explizit auf einen bestimmten Aspekt - zumeist den politischen.[53] Eine solche Beschränkung ist natürlich legitim. Viele Leute sind allerdings von einer ganzheitlichen Sicht noch weit entfernt, auch wenn es nur um einen Aspekt Bölls, eben etwa das politische Engagement geht. Das belegt Jürgen P. Wallmanns kurze Rezension von 'Einmischung erwünscht', denn er fühlt sich (1977!) genötigt zu betonen: "Doch die vorliegende Sammlung zeigt, dass das Engagement für Demokratie, Freiheit und Menschenwürde unteilbar ist."[54] Denn: "Den Böll, der sich für Dissidente im sozialistischen Lager stark macht, hat man hierzulande gern. Wenn er aber bei uns gegen Radikalenerlass, Berufsverbote und Bespitzelungen Front macht, wird er ... nicht selten selbst als Verfassungsfeind verdächtigt."[55] Wie lange (und in welcher Weise!) manche Kritiker sein Engagement für östliche Dissidente nicht nur verschwiegen, sondern ihm im Gegenteil aus seiner angeblichen Untätigkeit und "Blindheit auf dem linken Auge" einen Strick gedreht haben, zeigt etwa die Auseinandersetzung um den Spiegel-Artikel zu Ulrike Meinhof.

Ein explizit beschränkter Ansatz kann auch zur Falle werden: Mag etwa Dorothea Rapp in der Zeitschrift 'Die Drei'[56] von ihrem Standpunkt aus die "esoterische" Seite Bölls subtil, wenn auch z.T. mit schwer nachzuvollziehender Terminologie[57], interpretieren, das gesellschaftspolitische Bewusstsein und Engagement ignoriert sie vollständig. Dabei ist gerade der Versuch, das Esoterische, die Kunst als Geheimnis mit aktuellem, gesellschaftlichem Engagement in Einklang zu bringen, ein Fascinosum in Bölls Entwicklung. Symptomatisch hier, dass D. Rapp die Aussage "... ich glaube, dass ich angelegt bin auf einen sehr esoterischen Dichter ..." nicht weiterzitiert. Böll fährt nämlich fort: "... der in seinem Stübchen sitzt und Gedichte oder Kurzgeschichten oder Romane schreibt, ganz so, wie ich es mit 20, 21, auch später noch gemacht habe; dass aber die Biographie mich politiert hat, notgedrungen, fast - manchmal - gegen meinen Willen."[58]

Von Rapps Ansatz her ergeben sich dann Folgerungen wie etwa: "Kunst verändert die Welt nicht moralisch, auch nicht politisch. Sie verändert sie menschlich: die künstlerische Substanz, die sich im Schmelzofen des individuellen Künstlers in zweifacher Verwandlung zugetragen hat, baut die Welt von innen weiter - auf eine durchaus menschliche Weise. Keine vom Menschen abgetrennt gedachten Ideologien - seien sie religiös oder sozial intendiert -, keine Forderungen, Aufrufe, Offenen Briefe werden etwas weiter entwickeln, weil sie sich immer mit einem Teil ihres Gedankengutes u n v e r d a u t ausserhalb des Menschlichen ansiedeln, in lediglich modern - von aussen hereingebildeten Formen. Vor diesem künstlichen Reich von Forderungen und Vorwürfen zieht sich der empfindsame Mensch erschreckt zusammen, wird enger und geringer."[59]

Was an der bisherigen Beschäftigung mit Bölls ausserliterarischem Werk auffällt, ist, wie gesagt, eine hartnäckige Weigerung den ganzen, ungeteilten Böll zur Kenntnis zu nehmen. Der Umstand dass drei, vier Arbeiten (v.a. die von Rolf Michaelis und als Postulate jene von Jochen Vogt, Heinz Ludwig Arnold und Jürgen P. Wallmann) eine Ausnahme bilden, unterstreicht nur die Hartnäckigkeit des Ansatzes, der auswählt, was eben ins Konzept passt, das eine gegen das andere ausspielt, und der sich trotz dieser Gegenstimmen immer wieder zu Wort meldet.

Nun könnte man einwenden, ein Ansatz sei auch nicht gerade offen zu nennen, dem es nur darum gehe zu zeigen, wie andere durch einen eingeschränkten Blickwinkel zu falschen Ergebnissen gelangten. Der Einwand träfe, wenn die Ergebnisse, die ich für richtig halte, unterschlagen würden. Diese werden jedoch an gegebener Stelle zitiert. Hier ging es nur darum, eine Tendenz aufzuzeigen, die bei der Beschäftigung mit den Böllschen "Nebenbeis" vermutlich stärker hervortritt als anderswo.

Dass die Tendenz stärker ist, hängt mit dem zweiten Charakteristikum zusammen, dem grossen Interesse, das der <u>Person</u> Böll entgegengebracht wird: siehe die Arbeiten von Peter Spycher, Ludwig Marcuse und Jean Améry. Ist es nicht immer wieder der mehr oder weniger verhüllte Wunsch, den Mann, der sich - seit 1963 explizit - von jeder Gruppe und Truppe entfernt hat[60], wieder unter eine Fahne zu rufen oder aber als zu einem andern Lager gehörig festzulegen oder ihn in eine Schublade oder Unterschublade zu versorgen (s. etwa "der linksliberale Intellektuelle ohne Parteibuch" bei Schachtsiek-Freitag).[61] Dass dieser Wunsch von keinerlei Erfolg gekrönt ist, glaubt Hanno Beth zu erkennen: "Gegen Vereinnahmung wehrt sich mithin Heinrich Böll, weshalb denn auch jeder Versuch in dieser Richgung als untauglicher auf den Versuchenden zurückfällt ... Böll, so scheint es, entfernt sich von jeder Truppe."[62]

Wäre vielleicht auch der bei Böll beobachtete Defekt der Schwarz-Weiss-Malerei nicht Bölls, sondern des Beobachters Sehfehler? Und rührt die Wut, die Böll gelegentlich zuteil wird, vielleicht auch daher, dass es ihm - im Gegensatz zu seinem Vorbild aus dem Märchen - immer wieder gelingt, seinen wirklichen Namen geheimzuhalten? Rührt sie vielleicht daher, dass doch ist, was nicht sein darf, dass es einen gibt, der kein Marxist ist, auch wenn er sich immer für die Linke geschlagen hat (Böll über Böll)[63], oder dass es gläubige Ungläubige gibt (Böll über Ludwig Marcuse)?[64]

Die Wut und der Wunsch, einen Namen für Böll zu finden, sind verständlich. Denn: Ausgerüstet mit festen, vorgegebenen Kategorien und den dazu gehörigen Etiketten kann man die Erinnyen zu unschädlichen Eumeniden und Brecht zu einem Klassiker von durchschlagender Wirkungslosigkeit machen.[65]

Benjamin Lee Whorf dagegen, der die Welt auch aus der Sicht eines Versicherungsmannes erlebt hat, weist daraufhin, dass eine falsche oder falsch gedeutete Etikette verhängnisvoll sein kann. Im Unterkapitel seines Buches mit dem Titel 'Wie der Name einer Sache unser Verhalten beeinflusst' beschreibt er, dass man sich in der Nähe eines Lagers von sogenannten 'Benzintonnen' meist sehr vorsichtig verhalte. In der Nähe eines Lagers von 'leeren

Benzintonnen' jedoch werde man durch das Adjektiv möglicherweise dazu verleitet, zu rauchen oder sogar Zigarettenstummel wegzuwerfen. Nun sind aber 'leere' Tonnen vielleicht noch gefährlicher, weil sie explosive Dämpfe enthalten.[66]

Man wird jetzt verstehen, warum der historische Abriss hier eingeschoben wurde: Ich hoffe, dass sein kann, was möglicherweise nicht sein darf: Dass es eine Literaturtheorie Heinrich Bölls geben kann.

3. Die Literaturtheorie Heinrich Bölls

Es ist nun an der Zeit, sich mit den eingangs erwähnten Einwänden und Einschränkungen zu befassen und darzustellen, worin Bölls literaturtheoretischer Ansatz besteht.

Wir haben bereits gesagt, dass die "Theoriedefizite" keinen grundlegenden Mangel, sondern eine in Einzelfällen wohlbegründete, jedenfalls nicht zu beanstandende Abstinenz darstellen. Was die fehlende systematische Darstellung und das Nichtvorhandensein einer konsequent durchgeführten Terminologie betrifft, die – vom legitimen Standpunkt der Übersichtlichkeit und Handlichkeit aus gesehen – einen wirklichen Mangel darstellen, so sollte gerade dem an Theorie Interessierten selbstverständlich sein, dass beides, Systematisierung und Terminologie zwar wichtig, aber nicht so wichtig sind, dass sie über Vorhandensein bzw. Nichtvorhandensein einer Theorie entscheiden. Ein aufwendiger begrifflicher Apparat kann unter Umständen mehr verdecken als er erhellt. In den Frankfurter Vorlesungen meint Böll: "Im Titel zu meinen Vorträgen habe ich das Wort 'Gesellschaft' vermieden. Es ist ein sehr gebräuchliches Wort geworden – das bedeutet noch nicht, dass es vertraut wäre –, es ist modisch, fast schon verschlissen, bevor man anfängt, es zu verstehen. Die Worte 'sozial', 'human' dagegen werden in unserer Gesellschaft vermieden, unterdrückt, lächerlich gemacht: sie sind gesellschaftsunfähig, asozial, wenn sie ohne Anhängsel auftreten, ohne wissenschaftliche Deckung, wie sie in Worten wie Soziologie und Humanismus vorhanden ist, ohne politische Deckung, wie sie in einem Wort

wie Sozialismus geboten wird. Wird ausserhalb der genehmigten,
durchorganisierten Wohltätigkeit irgendein humaner Zusammenhang
zwischen dem Religiösen und Sozialen gesucht und gefunden - ich
würde mich nicht wundern, wenn die Kirchen sich mit einer atheistischen Gesellschaft verbünden würden, um eine Person oder eine
Gruppe zu tilgen, die in blossem Gottvertrauen sich nicht in Gesellschaft, sondern ins Humane begäben. Mag sein, dass ich übertreibe, doch die Begrenztheit meiner Phantasie verweist meine
Übertreibung in den Bereich des Möglichen."[67]

Die Böllsche Absage schliesslich an "zu viel Theorie" und Studien, "bevor man mit dem Schreiben anfängt", bedeutet nicht, dass
er sich dem Versuch, die Welt denkerisch zu erfassen, ver-
schliesst, sondern lediglich, dass er ein bestimmtes - wenn auch
heutzutage weitverbreitetes, so doch kaum alleinseligmachendes -
Vorgehen bei der literarischen Produktion ablehnt. Horst Bienek
gegenüber betont er: "Es ist ein Irrtum zu glauben, jeder Autor
mache Milieustudien. Ich glaube, er muss nur die Elemente des
menschlichen Lebens kennen, und die muss er, so scheint mir, bis
spätestens zu seinem 21. Lebensjahr kennen, im Zustande verhältnismässiger Unschuld und Naivität. Was er später lernt, hat zu
sehr Bildungscharakter, und ich glaube, Bildung in bürgerlichem
Sinne schadet jedem Künstler oder zwingt ihn zu völlig überflüssigen Umwegen".[68]

Den Unterschied zwischen einer Absage an die Theorie überhaupt
und einer bestimmten - nennen wir sie einmal "deduktiven" - literarischen Produktionsweise realisiert Peter Spycher, während
ihn etwa Joachim Fest und Fritz J. Raddatz übersehen.
Spycher schreibt: "Der individualistische, die gebrechliche und
vergängliche Welt etwas schwermütig-skeptisch-ironisch betrach-
tende Böll hat nie irgendwelche politischen, wirtschaftlichen,
sozialen Theorie-Systeme aufgestellt."[69] Und "Bölls überaus harte Kritik an den bundesrepublikanischen Zuständen ist, wie angedeutet, nicht das Ergebnis einer sorgfältig durchgeführten soziologischen Untersuchung ..."[70] Gleichwohl nennt er Böll jedoch "Denker" und "Dichter".[71]

Fest dagegen behauptet: "Dieser Sammelband, mühsam zu lesen, verschafft am Ende Gewissheit darüber, dass die Übereinstimmungen zwischen Böll und seinem vermeintlichen Gegenbild mit dem Mangel des Dichters an Rationalität zusammenhängen. Nur deren Wortführer, gleich welcher Richtung, sind von der Gesellschaft je als Widersacher angenommen und dann tatsächlich jenem 'schweren Beschuss' ausgesetzt worden, den Böll für sich reklamiert. Er denkt in ganz einfachen, schlichten, undialektischen Schritten, seine Assoziationen folgen nicht so sehr einer gedanklichen Konzeption als vielmehr Bildern, Klängen, verbalen Reizen und den Zufallsbedeutungen, die sich daraus ergeben. Die naive Bewegung seines Denkens befähigt ihn, die Gefühlslage vor allem kleiner Leute zu artikulieren und deren Welt authentisch zu schildern; ihr Interpret ist er nicht."[72] Ähnlich Raddatz:"Auch die inzwischen berühmte Kritik der Adenauer-Memoiren ist typischerweise ehestens Sprachkritik. ... das alles dient Böll zu einer nahezu vergnüglichen Analyse des Prozentgehaltes dieser Demokratie. Nur: Zusammenhänge werden, mit dieser Methode, allenfalls schemenhaft deutlich. Sprachkritik bleibt, so gehandhabt, Phänomenkritik. Die historisch-politischen Ursachen, die Mann und Typ Adenauer ermöglichten, damit seine Politik ermöglichten, bleiben unerkannt, zumindest unbenannt."[73] Und weiter unten: "Heil(los), Irrtum, Wahrheit - das sind die Wortraster, die Böll für Marx zur Verfügung stehen, wie ihm bei Oppenheimer, dem Vater der Atombombe, das Wort Sünde zur Verfügung steht oder bei Franz von Assisi das Wort Geheimnis. Das ist, man begreift, das Material des Biographen, des Boten - nicht des Diagnostikers von Zeit und Zeitgesetz."[74] Diese Aussagen stehen, nebenbei bemerkt, in klarem Gegensatz zur elften und letzten These des offenbar sehr auf die im Untertitel anvisierte "Paraphrase der Feuerbachthesen von Karl Marx" bedachten Kritikers: "Heinrich Böll hat unsere Welt verschieden interpretiert, nachdem es anderen vor ihm gelang, sie zu verändern."[75]

Was ich unter Heinrich Bölls Literaturtheorie verstehe, ist der denkerische Versuch, sich über Bedingungen, Zusammenhänge und

Wirkungen nicht nur des eigenen Schreibens, sondern der Literatur allgemein, Klarheit zu verschaffen. Es steht kein fertiges Denkgebäude da. Böll baut weiter, reisst gelegentlich einen Erker wieder ab, stellt innerhalb der Wohnung die Möbel um. Das Fundament jedoch - früh angelegt - ist unangetastet geblieben. Dazu gehört etwa das Bestreben, das Dialektische zu überwinden, sowie das, was er von einem bestimmten Zeitpunkt an "Ästhetik des Humanen" nennt. In einigen Räumen hingegen, etwa in der Frage des direkten politischen Engagements, sind die Veränderungen sehr ausgeprägt. Beide Aspekte, der beharrende und der dynamische[76], sind im Begriff der "Fortschreibung", den Böll auf sein Gesamtwerk anwendet, enthalten. Es sei hier - was schon angedeutet wurde - vorweggenommen: Dem Böllschen Denken eignet neben aller Veränderung ein sehr hoher Grad an Kontinuität und Konsistenz. Das Dynamische reflektiert sich auch in Bölls Erkenntnismethode. Ich formuliere hier als - aus methodischen Gründen vereinfachtes - Modell: Bölls Erkenntnisse stammen aus der in jedem einzelnen Fall neu vollzogenen Verbindung zweier entgegengesetzter Vorgänge, eines induktiven und eines deduktiven. Der wichtigste Strom des induktiven Vorgangs ist Bölls "Sprachempfindlichkeit", seine Sprachkritik, der auch ein Kritiker wie Raddatz bescheinigt, sie sei "so seismographisch", dass Böll an einer Stelle in "Ton wie Inhalt dieser Selbstwehr an Thomas Manns 'Brief an den Dekan der Universität Bonn'" erinnere.[77] Das Ausgehen vom Einzelfall haben Raddatz ("Die gegenständliche Wahrheit")[78] und Ludwig Marcuse ("Er ist ungewöhnlich konkret")[79] im Auge. Beim deduktiven Vorgang besteht die Schwierigkeit, dass die Axiome, von denen die Aussagen hergeleitet sind, nicht expressis verbis formuliert sind, ja dass es im strengen Sinne gar keine Axiome sind: Es handelt sich um das, was Peter Spycher meint, wenn er sagt, Bölls Kritik sei "der Ausdruck einer persönlich erlittenen Sicht oder Einsicht".[80] Mit andern Worten: es sind die Wertvorstellungen, die Böll im Laufe der Zeit bewusst oder unbewusst annahm. Dabei spielt die Biographie, das Erlebnis des Zerfalls der bürgerlichen Gesellschaft und die Erfahrung mit dem

Faschismus, eine eminente Rolle. Hier liegt ein Grund dafür,
dass Böll in den Nebenbeis - wie schon P. Spycher bemerkt hat -
so oft von (eigenen) Erlebnissen ausgeht. Das wiederum ist u.a.
verantwortlich dafür, dass es so schwierig ist, Bölls Gedankengang verkürzt wiederzugeben.
Dass diese Werte so schwer zu fassen sind - die Ästhetik des Humanen in den Frankfurter Vorlesungen erschöpft sich, pointiert
gesagt, in Andeutungen, Fragen und in einem Aufbruch ("Suche
nach einer bewohnbaren Sprache in einem bewohnbaren Land") -
liegt entweder in der Natur der Sache oder in der vorläufigen
Unzulänglichkeit unseres Denkens. Peter Demetz sagt zu Recht:
"Seine Vorstellung von der Funktion des Schriftstellers und der
Literatur ist ja nicht zu trennen von seiner Vorstellung, wie
die Menschen essen, trinken und lieben sollten."[81] Wer aber
könnte nun in genau definierten Begriffen, die in jedem Fall
treffen, beschreiben, worin das Humane beispielsweise einer Mahl-
zeit genau bestehe? "Ästhetisch gesprochen" - so Böll -: "es
geht um ein so heikles, so vergängliches Gebilde wie die Schnee-
flocke auf Zerlines Wange", die nicht weggewischt werden darf,
denn es ist verboten, sich zu bewegen, solange die "Helden" da
sind (Das Beispiel stammt aus 'Eine Reise' von H.G. Adler)[82].
Die Analyse des literarischen Werkes müsste helleres Licht auf
die Böllschen Werthaltungen werfen.
Bei diesem deduktiven Vorgang spielen Emotionen, für die Böll
immer wieder eintritt, eine wichtige Rolle. Wer findet, das hätte nun allerdings nichts mehr mit Denken und Theorie zu tun, der
möge doch Bölls Ansicht erwägen, der meint, "dass die Alternative rational/irrational auch eine falsche war"[83] und glaubt, die
"Anti-Emotionalitäts-Philosophie" sei eigentlich "eine Todesan-
zeige. Jemand,der keine Emotionen mehr hat, ist tot. Denn Emo-
tion haben heisst ja wohl : bewegbar sein, bewegt sein, erregt
sein, und das alles gilt schon als Krankheit. In diesem Zusammenhang ist natürlich ein emotioneller Mensch oder einer, der
Emotionen hat, auch äusserst abfällig." Zudem werde Rationalität auch erst durch Emotionalität ermöglicht: "... das ist klar,
dass man gar nicht denken kann, wenn man gar nicht bewegt und

bewegbar ist."[84]

In der Tat: auch wissenschaftliches Forschen, das ganz frei von
Emotionalität und Phantasie (die damit zusammenhängt) wäre, ist
nicht denkbar. Zwar wird ein Wissenschaftler versuchen, Subjek-
tivität und damit auch Emotionen auszuschalten, wenn er seine
Arbeitshypothesen überprüft oder wenn er Resultate formuliert.
Die Hypothesen selbst könnte er aber ohne Emotionen, ohne Phantasie und Intuition gar nicht aufstellen. Genau um diesen Aspekt
des Prozesses, der im übrigen kein wissenschaftlicher ist, geht
es jedoch hier: um die Theoriebildung.

4. Das Vorgehen

"Dass ... in allem Geschriebenen Verwandlungen stattfinden, Zusammensetzung (Komposition) stattfindet, dass ausgewählt, weggelassen ... wird - solche Binsenwahrheiten scheinen fast unbekannt zu sein."
(Heinrich Böll)

Um die Fülle des nicht systematisch geordneten Materials über-
sichtlicher darstellen zu können, habe ich das folgende Inter-
aktionsmodell zu Hilfe genommen:

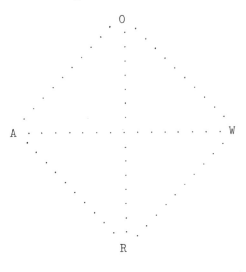

Die Pole des Modells bilden der Autor, sein Werk, der Rezipient
und das Objekt. Der Autor ist in unserem Falle der Schriftsteller Heinrich Böll als erkennendes, handelndes und Literatur pro-
duzierendes Subjekt. Das Werk umfasst die publizierten Texte.
Unter dem Begriff Rezipient werden alle Leser und Zuhörer Böll-
scher Texte subsumiert, vom professionellen Literaturkritiker
bis zu jenem Leser, der ein Werk rezipiert, weil er gerade nichts
anderes zur Hand hat. Ausserdem gehört dazu jeder potentielle Leser, wie auch der Idealleser, von dem es etwa heisst, er sollte
diese oder jene Voraussetzung erfüllen[85] oder er solle eine bestimmte Haltung einnehmen.[86] Als Objekt schliesslich wird die
gesellschaftliche Wirklichkeit bezeichnet.

Zwischen diesen Polen vollzieht sich in beiden Richtungen ein
Austausch von Informationen, Handlungsimpulsen, Emotionen usw.
Unser Modell impliziert, dass zur Kunst nebst der Produktion notwendigerweise auch die Rezeption gehört. Somit wird Kunst als
gesellschaftlicher Prozess verstanden. "Kunst ist eine der wenigen Möglichkeiten, Leben zu haben und Leben zu halten, für den
der sie macht und für den, der sie empfängt", heisst es bei
Böll.[87]

Die Unterscheidung der vier Pole ist methodischer Art, denn sie
schliessen sich gegenseitig nicht kategorisch aus: Da jeder Autor, jedes Werk und jeder Rezipient auch zur gesellschaftlichen
Wirklichkeit gehören, sind die drei Pole A, W und R in O enthalten. Ein Autor jedoch, der gesellschaftlich wirken will (und als
solcher - das sei hier vorweggenommen - versteht sich Heinrich
Böll), nimmt auf die gesellschaftliche Wirklichkeit Bezug und erwartet vom Rezipienten, dass er zwischen Werk und Wirklichkeit
eine Verbindung herstellt. Aus diesen Gründen ist es gerechtfertigt, die gesellschaftliche Wirklichkeit als vierten Pol neben
A, W und R zu stellen.

Böll arbeitet in seinen theoretischen Schriften - wie gesagt -
unsystematisch. Was im folgenden über seine Literaturtheorie
steht, ist zusammengetragen aus einer grossen Zahl von - zum
grösseren Teil - kurzen Schriften. Es scheint mir gerechtfertigt

zu sein, die Literaturtheorie Bölls, der glaubt, Öffentlichkeit gehöre zu jeder Erscheinungsform von Kunst, und so etwas wie l'art pour l'art existiere gar nicht, mit Hilfe des vorgeschlagenen Interaktionsmodells zu systematisieren. Obwohl er gesellschaftlich wirken will, bleibt für Heinrich Böll die primäre Gegenüberstellung die von A und W, der Hauptakzent liegt auf dem Bemühen des Autors um die dem Stoff angemessene Form. Daher ziehe ich die gewählte Anordnung des Interaktionsvierecks(A $\overset{O}{\underset{R}{\vdots}}$ W) anderen (etwa A $\overset{O}{\underset{W}{\vdots}}$ R) vor.

Zugegeben, dieses allgemeine Modell ist ein grobmaschiges Netz. Mögen einige feststellen, dass nicht nur, wenn es um die Auswahl und Darstellung der Einzelheiten ging, sondern auch in grundsätzlichen Fragen, das Herz links schlug – und andere genau das bestreiten: wichtiger scheint mir hier, dass versucht wurde, nicht einfach vorgefasste Meinungen an den Gegenstand heranzutragen und dann alles daran zu messen. Dass also das vermieden wurde, wovor auch Karin Huffzky, die zwar findet, Böll sei in seinen Romanen Frauenfeind, im letzten Augenblick doch noch zurückschreckt. Sie schreibt in einem – wie Rolf Michaelis findet – kühnen Bild: "An den Schriftsteller Heinrich Böll nun das gesamte Patriarchat als Hobel anzusetzen, um ihn zurechtzuschreinern ... wäre eine feministische Naivität."[88] Statt Böll im Lichte irgendeiner Doktrin zu sehen und ganze Bereiche seiner Theorie auszuklammern, wie das bei der bisherigen Auseinandersetzung die Regel war, wurde von möglichst allgemeinen Fragestellungen ausgegangen, wie etwa: Was versteht Heinrich Böll unter Kunst? oder: Wie gewinnt er Erkenntnisse? Selbstverständlich wurden dann im Laufe der Arbeit verschiedene allgemeine und konkretere Arbeitshypothesen aufgestellt und laufend revidiert.

5. Beschränkungen und Schwierigkeiten

Einige Einschränkungen waren leider unumgänglich. Ursprünglich beabsichtigte ich, die Entwicklung in den theoretischen Ansichten und im literarischen Werk parallel zu verfolgen. Dies hätte den Rahmen dieser Arbeit jedoch gesprengt. Zudem liegt bereits eine grosse Anzahl von Arbeiten vor, die sich mit dem literarischen Werk Bölls beschäftigen, während mit dem Versuch, seine kunsttheoretischen Überlegungen systematisch in ihrer ganzen Entwicklung darzustellen und zu erörtern, meines Wissens literaturwissenschaftliches Neuland betreten wird. Trotzdem bleibt eine Zusammenschau der beiden Teile des Werks ein wichtiges - für meine Person im Moment leider unerfüllbares - Postulat. Mich würde u.a. sehr interessieren, ob zutrifft, was Rolf Michaelis vermutet, dass nämlich "Böll, der Erzähler", und "Böll, der zeitkritische Polemiker" erst in neuerer Zeit sich annähern. Hier muss ich mich mit knappen Hinweisen auf das literarische Werk begnügen.

Eine umfassendere Untersuchung müsste auch klären, wo genau die Grenze zwischen literarischem und ausserliterarischem Werk verläuft und welcher Art sie ist.

Selbst für die Untersuchung des essayistischen Werks allein bringt die Beschränkung auf inhaltliche Fragen nicht unerhebliche Einbussen mit sich, wie mir bei der Lektüre des Aufsatzes von Harry Pross bewusst wurde.[89]

Ebenfalls ausserhalb des Rahmens läge eine Diskussion der Böllschen Ansichten unter Einbezug auch nur der wichtigsten der heutigen Literatur-Theorien, mit denen sich Böll, von wenigen Ausnahmen abgesehen, nicht auseinandersetzt, sowie eine Beurteilung jener Periode der deutschen Geschichte, über die Böll schreibt, oder eine Erörterung seiner religiösen Vorstellungen unter einem erweiterten theologischen oder kirchengeschichtlichen Aspekt.

Die folgenden zwei Teile der Arbeit sind notwendigerweise sehr reich an ausführlichen Zitaten. Zunächst sind die Möglichkeiten der Verfälschung schon in der Darstellung nicht zu unterschätzen. Um diese Gefahr einzudämmen, ist Bölls eigenen Formulierungen viel Platz eingeräumt worden, was zusätzlich dadurch gerechtfertigt ist, dass ein Grossteil der theoretischen Schriften noch nicht in Buchform erschienen und nicht ohne weiteres zugänglich

sind. (Die Bände 6-10 der Werkausgabe, die im Herbst 1978 geliefert werden sollen, dürften hier eine Lücke schliessen - nur zum
Teil allerdings: Laut Prospekt des Verlags Kiepenheuer und
Witsch werden nur Interviews zum ersten Mal in Buchform erscheinen). Die Absicht, nur den Inhalt der nicht in Buchform greifba-
ren Schriften ausführlich nachzuzeichnen, wurde fallengelassen,
weil dadurch eine unangemessene Gewichtsverteilung entstanden
wäre. Zudem ist der Umfang des ausserliterarischen Werks derart
angewachsen, dass es auch für Kenner nicht leicht ist, die Über-
sicht zu behalten, geschweige denn alle Details ständig präsent
zu haben. Auf die Schwierigkeiten beim Versuch, den Gedankengang
Bölls verkürzt wiederzugeben, habe ich schon hingewiesen.
Der auffälligste Wandel in Bölls Auffassungen findet sich auf
politischem Gebiet, und das Umdenken wird durch die Frankfurter
Vorlesungen eingeleitet. Daher scheint es mir gerechtfertigt,
zwischen die Jahre 1963 und 1964 eine Zäsur zu legen.
Die Arbeit stützt sich auf sämtliche zur Zeit vorliegenden Sam-
melbände, die Frankfurter Vorlesungen, die zwei umfangreicheren,
in Buchform erschienenen Gespräche mit H.L. Arnold und Christian
Linder, sowie zusätzlich auf rund 200 Aufsätze, Interviews, Reden, etc. aus Zeitschriften, Zeitungen und - gelegentlich - Büchern.[90] Die Sammeltätigkeit, die einigen Zeit- und Energieauf-
wand nötig machte, wurde erleichtert, ja erst ermöglicht durch
die beiden Bibliographien von Werner Martin (1975) und Werner
Lengning (Die Arbeit, die im wesentlichen Ende Februar 1978 beendet war, berücksichtigt die Schriften bis Ende 1977, wie sie
in der 5., überarbeiteten Auflage dieser Bibliographie vom Dezember 1977 verzeichnet sind).
Trotz vielfältiger Bemühungen - der Verfasser arbeitete u.a. im
März 1977 einige Zeit im Böll-Archiv des Verlags Kiepenheuer und
Witsch in Köln und studierte alle dort vorhandenen Schriften -
kann ich nicht den Anspruch erheben, restlos alle ausserliterarischen Schriften eingesehen zu haben. Dennoch dürfte das Corpus
genügend gross sein. Nachforschungen in Bölls privatem Archiv
wären vermutlich sehr ergiebig gewesen. Es war jedoch - aus ver-
ständlichen Gründen[91] - nicht zugänglich.

ERSTER TEIL : VON DEN ANFÄNGEN BIS 1963

1. Kunst, eine der wenigen Möglichkeiten, Leben zu haben

1.1. Der Schwindel mit Inhalten

Der Stil sei es, was den Autor ausmache, bemerkt Böll eher bei-
läufig in einem Aufsatz aus dem Jahre 1952.[1] Diese früheste
Antwort auf die Frage, was den Künstler vom Nichtkünstler unterscheidet, ist zugleich auch Bölls erste Aussage über das Wesen
der Kunst überhaupt.

Im Nachwort zu Borcherts 'Draussen vor der Tür' tritt der zweite
der beiden Pole, um die Bölls Gedanken in diesem Zusammenhang
immer wieder kreisen, ins Blickfeld: Der Stoff. Die Dichter,
heisst es dort, "kennen den Punkt, wo die grösste Reibung zwischen dem einzelnen und der Geschichte stattfindet, sie können
'nicht gelassen sein'. Sie sind immer betroffen, und niemand
nimmt ihnen die Last ab, ... diese Betroffenheit in einer Form
auszudrücken, die wie Gelassenheit erscheinen mag. Zwischen dieser Betroffenheit und der Gelassenheit der Darstellung liegt der
Punkt, wo der Dichter seine grösste Reibung zwischen Stoff und
Form erlebt."[2]

Aber nicht nur im Spannungsfeld von Betroffenheit und Gelassenheit entsteht Reibung zwischen Stoff und Form,sondern das Ringen
um die dem Stoff angemessene Form macht das Wesen der Kunst aus.
Diese und ähnliche Formulierungen finden sich allerdings erst in
späteren Schriften.[3] Zunächst beschränkt sich Böll auf negative
Umschreibungen, so etwa die "banale" und "ermüdende, immer und
immer wiederholte Feststellung, dass Form ohne Inhalt nur schwer
wahrnehmbar, Inhalt ohne Form nicht zumutbar sei."[4] Diese Zurückhaltung hat ihren Grund in der Tatsache, dass "wir nicht erklären können, was Form nur sei."[5]

Trotz der Unmöglichkeit, Form zu definieren, wehrt sich Böll immer wieder vehement dagegen, dass ein Künstler oder sein Werk an
etwas anderem als an den Masstäben der Kunst gemessen werde: "Es

ist eine rührende, doch leider unzulässige Vorstellung, es gäbe so etwas wie einen christlichen Roman. Die Christen erwarten herkömmlicherweise von einem Roman, den ein Christ geschrieben hat, die literarische Bestätigung der Glaubenswahrheiten, den Beweis dafür, dass das Glück in der Ordnung liege. ... Es ist ein merkwürdiger Irrtum, dass die Christen von i h r e r Literatur erwarten, was der Religionslehrer ihrer Kinder auf völlig unmissverständliche Weise ausdrückt: Du sollst nicht töten! ... Du sollst nicht - wie es in den Heiligen Schriften zu finden. Die Literatur, die von Christen gemacht wird, ist einzig und allein den Massstäben der Literatur unterworfen; es gibt keinen christlichen Stil, gibt keine christlichen Romane; es gibt nur Christen, die schreiben, und je mehr sich ein Christ als Künstler auf Stil und Ausdruck konzentriert, desto christlicher wird sein Werk. Die Sprache ist ein Geschenk Gottes, eines der grössten, denn Gott hat sich, wenn er sich offenbarte, immer der Sprache bedient; ..."[6]

Im Vortrag 'Kunst und Religion', ein Jahr später, beschäftigt Böll die gleiche Frage. Argumentierte er in 'Rose und Dynamit' theologisch, so geht er nun von der Geschichte der Kunst aus[7] - und gelangt zum gleichen Ergebnis: "Als freier Künstler unter freien Künstlern unterliegt ein Christ den Massstäben der Kunst, der er sich verschrieben hat; mögen die Gremien, die ihm seinen Rang erteilen oder verweigern, umstritten sein und bleiben, ...; alle Eitelkeiten und Schwächen vorausgesetzt, sind diese Instanzen zuständiger als die, die es gar nicht gibt: die Theologie der Kunst."[8]

Solange es diese Theologie der Kunstformen[9] nicht gibt, mögen die Kirchen zwar berechtigt sein, festzustellen, "ob jemand[10] ein Christ sei (der Engel des Gerichts wird das Urteil bestätigen oder widerrufen); festzustellen, ob jemand ein Künstler sei, sind die Kirchen nicht berechtigt. Die Kirchen können festzustellen versuchen, ob ein Kunstwerk Glauben und Sittlichkeit gefährdende Elemente in sich trage, ob ein anderes Kunstwerk Glauben und Sittlichkeit fördere; sie mögen als Hüter des Glaubens und der Sittlichkeit dazu berechtigt sein; je deutlicher die Absicht eines solchen Lobes oder Bannspruchs ausgesprochen wird, desto erfreulicher.[11] Über Kunst ist mit einem solchen Lob oder Bannspruch nicht das geringste gesagt. Der endlose Streit über Formen und Inhalte wird immer sinnloser und ermüdender, solange die Kirchen nicht berücksichtigen, dass man mit Inhalten leichter schwindeln kann als mit Formen; ..."[12]

Solange sich die Theologen auf die Bewertung von Inhalten beschränken müssten, werde jenes Handwerkszeug am meisten gefördert, das am wenigsten in die Werkstatt eines Künstlers gehöre: die Schablone.[13]

Eine Bezeichnung wie "christliche Literatur" bleibe rührend und unzulässig, mindestens solange sie sich Differenzierungen erspart. Wenn man die Schriften der Teresa von Avila und jene der Therese von Lisieux einfach als "christliche Literatur" bezeichne, dann sei man dem Problem der Klassifizierung genauso ausgewichen, wie wenn man den Mount Everest und die sanften Hügel nordwestlich von Bonn als "Bodenerhebungen" bezeichne.[14]

Im Briefwechsel mit HAP Grieshaber differenziert Böll seine Ansicht über Kunst und Religion: das Verhältnis der Kirche zur Kunst interessiere ihn gar nicht, interessant sei vielmehr das Verhältnis der Kirche zur Theologie und das Verhältnis der Theologie zur Politik. Böll wiederholt die Auffassung, die "Kirche (unsere)" sei in Fragen der Kunst gar nicht kompetent: "alles, was sie darüber äussert, für oder dagegen tut, ist mehr oder weniger 'Hobby', und es ist höchst erfreulich, dass sie (im ganzen gesehen) diesem Hobby mit so viel Geschmack, so viel Instinkt, 'Aufgeschlossenheit' und Freundlichkeit nachkommt; das ist sehr hübsch (wie es sehr hübsch ist, dass sie sich hin und wieder ihres guten alten Index erinnert und ihm ein, zwei, drei Brocken Futter gibt, auf dass er nicht sterbe...)". Die Tatsache, dass eine "Heilige Messe in einer Nissenhütte" keineswegs geringer sei als eine in der Kathedrale von Chartres, das Gebet einer Frau vor einer Kitschmadonna nicht geringer als das der anderen vor Fra Angelico, mache "das Verhältnis eines Körpers wie der Kirche zur Kunst doch zweitrangig". Die katholische Kirche habe die Kunst gewiss 'gefördert', aber nicht erfunden; "die Frage wäre, wie weit die katholische Theologie sich Gedanken über eine Art Moral des Ästhetischen gemacht hat; ich weiss nichts von Versuchen dieser Art, aber dieses Nichtwissen kann Ignoranz sein."[15]

Auf jeden Fall "kontrollieren" die Kirchen "die Kunst nicht mehr, sie ist ihnen entglitten, und die Hilflosigkeit, mit der sie ihr gegenüberstehen, ist zugleich rührend und erschreckend, da sie das Mass an Freiheit, das dem einzelnen Künstler dadurch auferlegt wird, ins fast Unerträgliche steigert." Der Künstler fühle sich durch kirchliche Urteile einfach nicht mehr betroffen, da ihnen im positiven wie im negativen Fall notwendigerweise die Differenzierung fehle und die Kompetenz in keinem Fall nachgewiesen werde. "Er ist allein ..." und muss mit der "Last der Freiheit" fertigwerden.[16]

Die Forderung, wer Kunst beurteilen wolle, brauche eine Ästhetik, weitet Böll später aus und stellt sie an alle Doktrinen: "Alle Doktrinen, auch die Religionen, die sich meist auf ein paar doktrinäre Formeln reduzieren, müssten ihre eigene Ästhetik entwickeln und vorlegen, öffentlich bekanntgeben. Das wäre eine verhältnismässig klare Sache, weil sich zeigen würde, dass es freie Kritik gar nicht gibt."[17] Böll findet, "lange genug" seien die Schriftsteller "von Doktrinären gepiesackt worden, die ihre jeweilige Doktrin gegen eine beliebig zu wählende Ästhetik, diese gegen eine (jeweils) für böse gehaltene Gesinnung ausspielen. Gepiesackt worden sind wir auch von solchen, die wissen, wie schwer es ist, Form zu finden; ..."[18]

In seiner 'Verteidigung der Waschküchen' apostrophiert Böll die "geistige Unklarheit", die sich darin zeigt, dass eine Waschkücke als ein der Literatur nicht würdiger Ort bezeichnet wird. "Es gab eine Zeit, in der alles, was nicht adlig war, überhaupt nicht als literaturfähig galt; dass man einen Kaufmann als der Feder eines Dichters für würdig befand, galt als eine Revolution, war eine; dann kamen jene Verbrecher, die sogar den Arbeiter literaturfähig machten, kunstfähig; inzwischen gibt es Kunsttheorien,

die alles, was n i c h t arbeitende Klasse ist, für literatur-
unwürdig erklären."[19)]

Ob ein literarisches Werk Kunst ist oder nicht, entscheidet sich
nicht am Inhalt, auch nicht am "Ort", an dem es "angesiedelt"
ist,[20)] sondern einzig und allein an der Frage nach der "Kongruenz von Form und Inhalt". Was aber Form ist, kann nicht gesagt
werden. So bleibt nur die negative Umschreibung und die hypothe-
tische Formulierung: "Ich weiss nur, dass Betrug stattfindet,
wenn ein Autor um seiner (jeweilig) guten Gesinnung wegen gelobt,
ihm die Form, in der er diese bietet, verziehen wird; wenn einer
um seiner (jeweilig) bösen Gesinnung wegen getadelt wird, die
möglicherweise gute Form in einem Nebensatz abgetan wird.
Wenn es wahr wäre, dass gute Literatur und gute Gesinnung einander bedingen, brauchte ja über die (jeweilig) gute Gesinnung
kein Wort mehr verloren zu werden, dann müsste ja gute und
schlechte Gesinnung an ihrer Form allein erkannt werden können."[21)]

Zur problematischen Notwendigkeit, sich auf die Kongruenz von
Form und Inhalt zu berufen, ohne angeben zu können, was Form ist,
kommt ein weiteres Dilemma hinzu, das damit zusammenhängt.

1.2. Rose und Dynamit oder die Wirkung

In einem offenen Brief aus dem Jahre 1953 bezeichnet Böll sich
selbst als "Schriftsteller, dem es durchaus nicht bloss um die
Kunst geht"[22)], d.h. mit andern Worten: Es geht ihm um Wirkung.
Dennoch bleibt für ihn die Form,die dem Inhalt angemessen ist,
das Primäre.

Diese Position einzunehmen, sieht sich Böll aus zwei Gründen gezwungen: zum einen hält er es für eine unumstössliche Tatsache,
dass jedes Buch die Welt verändert, ein Autor eine Wirkung folglich gar nicht verhindern kann. Zum andern ist er Christ und davon überzeugt, dass das "Bekenntnis 'Christ' ... in jedem Fall
Verbindlichkeit" hat.

Die Überzeugung, jedes Buch verändere die Welt, ist bei Böll
nicht von Anfang an belegbar. Im 'Bekenntnis zur Trümmerlitera-

tur' erwähnt er den Erfolg der Bücher Dickens': "... die Gefängnisse wurden reformiert, die Armenhäuser und Schulen einer gründlichen Betrachtung gewürdigt und: sie änderten sich." Allerdings wird dies ausdrücklich als Erfolg bezeichnet, "wie er selten einem Schriftsteller beschieden ist".[23]

Die Sprache - heisst es sechs Jahre später - sei dem, der schreibt, wie eine Geliebte, die zahllose Gaben bereit halte: "Regen und Sonne, Rose und Dynamit, Waffe und Bruder ist sie, und in jedem Wort ist etwas immer enthalten, wenn auch unsichtbar: Tod - denn alles Geschriebene ist gegen den Tod angeschrieben."[24] Streckenweise wörtlich das Gleiche[25] steht in 'Vorsicht! Bücher!', allerdings liegt hier der Akzent stärker auf der Gefährlichkeit der Bücher: "Sprache wird Welt, wird mehr als sie, weil die Welt in der Sprache aller Imponderabilien entkleidet wird; Worte bringen Unendlichkeiten hervor, und das kleine Buch ... wird zu etwas Gewaltigem, Gefährlichem: es nimmt den Leser gefangen ...

Es ist kein Zufall, dass immer da, wo der Geist als eine Gefahr angesehen wird, als erstes die Bücher verboten, die Zeitungen und Zeitschriften der Zensur ausgeliefert werden: zwischen zwei Zeilen, auf dieser winzigen, weissen Schusslinie, kann man Dynamit anhäufen, genug, um Welten in die Luft zu sprengen. In Polen wurden vor dem Oktoberaufstand manche Zeitungsnummern wie Reliquien herumgereicht, wurden Leitartikel wie Glaubensartikel vorgelesen, Bücher wurden so kostbar wie jenes Brot, nach dem die Aufständischen verlangten."[26]

Nicht nur Bücher, deren Wirkung nachweisbar wird (wie etwa Dickens' Romane), verändern die Welt, sondern alle ohne Ausnahme, "ob sie es sollten oder nicht, ihre Urheber es wollten oder nicht", heisst es dann in einem Aufsatz aus dem Jahre 1960.[27] "Jeder Künstler ist ein Täter, der nicht genau weiss, was er anrichtet", schreibt Böll wenig später an HAP Grieshaber.[28] Mit dieser Feststellung ist ein Autor allerdings nicht etwa der Antwort enthoben, ob er die Welt verändern will oder nicht, "nur ist sein Nein, sein Ja ohne jeden Einfluss auf die Verwirklichung seiner wahren Absichten; wenn sich einer der Sprache bedient, oder sie sich seiner, begibt er sich in Räume, wo Kontrolle über Wirkungen nicht mehr möglich ist."[29]

Als zweiten Grund für Bölls Position als Wirkungsästhet[30] haben wir sein Selbstverständnis als Christ angeführt. "Ein Nichtchrist kann sich der geschichtlichen und gesellschaftlichen Verpflichtung für ledig erklären, die Kunst kann ihm alles sein, auch Gott, Familie, Welt - er kann jene totale Konzentration erreichen, die oft grosse Kunst schafft", wohingegen das "Bekenntnis 'Christ' ... in jedem Falle Verbindlichkeit" hat.[31]

Aus dem bisher Gesagten ergibt sich die Ablehnung des Formalismus, mit dessen verschiedengearteten Ausprägungen in den beiden "Hälften Deutschlands" sich Böll im Aufsatz 'Zwischen Gefängnis und Museum' befasst.

Die westliche Hälfte dulde die Wahrheit über sich selbst nur in ästhetisch einwandfreiem Gewand. "Nichts ist verboten und verbietbar, solange es als Kunst deklariert ist, seine Wahrheit nicht expressis verbis bietet. ... Was schön ist, oder für schön erklärt wird, ist unantastbar." Man könnte in einem Roman vielleicht sogar einen direkten Seitenhieb auf den Bundesverteidigungsminister riskieren, was dem Autor zwar einen möglicherweise lästigen Briefwechsel mit dem harmlosen Wächter der Ehre des Herrn Verteidigungsministers einbringen würde, ihn jedoch nicht in Gefahr brächte. "Er würde Verteidiger finden, die nicht seine Ausdrücklichkeit, sondern deren ästhetischen Rang verteidigen würden.

In solche einem Klima gedeiht - oder sagen wir bescheidener: vegetiert - in der westlichen Hälfte Deutschlands, was in der östlichen wie die Pest gefürchtet wird: der Formalismus."[32]

Dort müsse alles expressis verbis gesagt werden, "nur darf nicht das gesagt werden, was einen wirklich drücken könnte. Wo die Kritik an der eigenen Lage unmöglich ist, der Formalismus als Möglichkeit der Verstellung zur Todsünde erklärt wird, stürzt man sich natürlich begierig auf die Kritik an der Lage der anderen, die hinwiederum nur auf formalistische Weise möglich ist. In der

Sackgasse dieses hemdärmeligen Realismus könnte dann jederzeit natürlich der 'rosenzüchtende Alte' sogar in eine rosenzüchtende Mumie verwandelt werden und wäre genauso fehl am Platz wie in der westdeutschen Literatur der sächsisch näselnde Spitzbart. Jede Kritik an Adenauer in der ostdeutschen Literatur ist ein Ausweichen vor der eigenen Wirklichkeit."[33]

Den "reinen Formalismus" gibt es nach Böll allerdings gar nicht; gäbe es ihn, er käme für Böll auf keinen Fall in Betracht: Von den "Bewohnern des elfenbeinernen Turms in der östlichen Hälfte Deutschlands" schreibt er: "... eingesperrt in dieses schöne Gefängnis, hoch dotiert, veröffentlichen sie nicht mehr, leben unangetastet, oft isolierter als ihre unvorsichtigen Kollegen im Gefängnis und sind eigentlich der lebende Beweis dafür, dass es den reinen Formalismus, den landläufig als littérature pure bezeichneten, gar nicht gibt".[34]

In einem Aufsatz aus dem Jahre 1960 entwickelt Böll die Vorstellung vom 'automatischen' Roman, "der sozusagen die letzten Zukkungen der Menschheit, die sich über Jahre und Jahrzehnte hinziehen können, registriert; als Modell grossartig, ein Kunstwerk von hohen Graden und in sich notwendigerweise verzweifelt, konsequent und böse; seitenlang wird ... nichts anderes beschrieben, als wie ein Kind sich ein Butterbrot schmiert oder eine Kuh wiederkäut; die Satelliten ["die, mit Atombomben geladen, die Erde umkreisen, an jeder gewünschten Stelle ihre Fracht abladen können"] werden nicht genannt, aber jeder weiss, dass sie da sind". Dieser 'automatische' Roman wäre die Konsequenz für alle Romanciers, die keine andere Verantwortung als nur die ihrer Kunst gegenüber anerkennen. Was Böll allerdings daran zweifeln lässt, "dass dieser automatische Roman der absoluten Humorlosigkeit zustande kommt, ist die Tatsache, dass einer, der Romane schreibt, auf recht lange Strecken mit seiner Kunst zusammenlebt. Beim Schreiben eines Romans werden Liebe und Dauer auf eine Weise vereint, die jeden Ehetheoretiker neidisch machen müsste. Und wie könnte man verheiratet sein, ohne zeitweise zu vergessen, dass man es ist?"[35]

"Ein konsequent gegenstandsloser Maler müsste auch auf die Gegenstände Pinsel, Leinwand, Farbe verzichten und in die Luft malen", gibt Böll an anderer Stelle zu bedenken, "so wie ein konsequent gegenstandsloser Schreiber verstummen oder nur noch Kommas, Punkte, Bindestriche veröffentlichen müsste." Dass einer diese Konsequenz zieht, "angesichts einer Welt, in der wir täglich von Staaten, Kirchen, Institutionen verraten werden", könne er verstehen. "Ich kann diese Konsequenz nicht ziehen, weil ich glaube, dass es noch Mitteilbares gibt und weil ich an die Dauer der Sprache glaube. Die Sprache ist für mich zugleich das Abstrakte und das Verbindende."[36]

Im gleichen Gespräch meint Böll, auf den 'automatischen' Roman angesprochen, dass über den "nouveau roman" (auf dessen Tendenzen der polemische Seitenhieb gemünzt war) zuviel theoretisiert werde. "So wie es Dogmen der Engagiertheit gibt, scheint mir da ein Dogma des Nicht-Engagiertseins zu entstehen, das der Sache als solcher, die ich für gut halte, nur schaden kann. Konsequenz ist eine gute Sache, aber die Konsequenz des völlig entpersonalisierten Romans würde für mich bedeuten, aufzuhören mit Schreiben."[37]

Noch ein letzter Beleg zu Bölls Verhältnis zur littérature pure: Es gehöre zur Ironie des Schreibens, dass oft Bücher von Autoren, "die absichtslos schreiben, mehr zur Veränderung der Welt beitragen als die Bücher jener, die sich auf ihre Absichten berufen". Der Streit über die "'littérature engagée' und die reine" sei notwendigerweise ein endloser, "solange das eine wie das andere per se als Qualitätsmerkmal genommen wird und die Mischungsgrade, die zwischen beiden möglich sind, nicht in ein Koordinatensystem, das zu erfinden wäre, eingeordnet werden; in diesem System müsste ein gutgeschriebenes Buch über Bienenzucht wie ein Fixstern über einem schlecht geschriebenen stehen, das das Leben des heiligen Paulus zum Gegenstand hat. Mit dem guten Buch über Bienenzucht wäre sogar dem heiligen Paulus besser gedient, als mit einem schlechten über ihn selbst."[38]

Dieses letzte Zitat erinnert uns auch daran, dass für Böll das wichtigste Kriterium der Kunst die Übereinstimmung von Form und Inhalt ist. Andererseits bekennt er sich aber auch zu Wirkungsabsichten. Dies führt unweigerlich zu einem Dilemma, und Böll ist sich dessen bewusst. "Eines scheut sie [die Sprache] am meisten", schreibt Böll in 'Rose und Dynamit', "wenn der Partner sie in das Korsett seiner Gedanken zwingt; sie rächt sich, indem sie ihm hölzerne Kinder gebärt: christliche Literatur (oder solche, der die Uniform des sozialistischen Realismus passen würde)."[39] Diese Literatur ist nur in ihrer Funktion als Erbauungsliteratur teilweise existenzberechtigt[40]; mit Kunst hat sie nichts zu tun. Da hilft kein Sich-berufen auf die gute Absicht, noch deren Bescheinigung durch irgendeine Interessengruppe. Kunst aber ist es, was Böll schaffen will.

Am pointiertesten ist dieses Dilemma wohl im Aufsatz 'Kunst und Religion' umrissen. Der Künstler, von kirchlichen Urteilen nicht mehr betroffen, ist "allein und hat doch mit Dämonen zu tun, mit guten und bösen Geistern, die das Geheimnis bewachen; wird er seine Kunst verraten oder den Gott, zu dem er sich bekennt, und wird er nicht, wenn er die Kunst verrät, wenn er weniger zurückgibt, als ihm gegeben ist, Gott verraten? ... Solange das Geheimnis der Kunst nicht entziffert ist, bleibt dem Christen nur ein Instrument: sein Gewissen; aber er hat ein Gewissen als Christ und eins als Künstler, und diese beiden Gewissen sind nicht immer in Übereinstimmung."[41] Diese Problematik betrifft - so Böll - nicht nur die Christen, sie betrifft alle Künstler, die eine Verbindlichkeit ausserhalb ihrer Kunst anerkennen. "Schaffen sie die Kongruenz der beiden Gewissen gewaltsam, so leidet die Kunst Schaden. Ein Beispiel ist die Literatur und Malerei des sozialistischen Realismus, und wenn diese Kongruenz gewaltsam hergestellt wird, stellt sich heraus, dass sie, indem sie Kunst verletzten, auch den Inhalt verletzten, dem zuliebe sie die Form vernachlässigten. Es bleibt ein Geheimnis, wie beides zu verbinden sei; man kann nicht halbwahr sein, kann nicht die Form an den Inhalt preisgeben, ohne zugleich den Inhalt zu verraten. So bleibt das Dilemma, Christ zu sein und zugleich Künstler und doch nicht christlicher Künstler."[42]

Das Dilemma und die damit verbundene Unsicherheit scheinen durch wenn Böll anzugeben versucht, wie er wirken will: Er gibt unentschiedene Antworten, seine Aussagen bleiben sehr allgemein oder sind in Bilder gekleidet. Ich stelle im folgenden einige dieser Aussagen - chronologisch geordnet - zusammen.

Von den Autoren der "Trümmerliteratur" sagt Böll: "Es ist unsere Aufgabe, daran zu erinnern, dass der Mensch nicht nur existiert, um verwaltet zu werden - und dass die Zerstörungen in unserer Welt nicht nur äusserer Art sind und nicht so geringfügiger Natur, dass man sich anmassen kann, sie in wenigen Jahren zu heilen."[43]

Im Aufsatz über Wolfgang Borchert spricht er mit Emphase von der "Reibung, die der einzelne zu ertragen hat, indem er Geschichte macht und sie erlebt". Die einzelnen, die sonst hinter Wörtern wie 'Versorgungskrise' oder 'Stalingrad' verschwinden, "ruhen nur im Gedächtnis des Dichters"[44]; "Keiner darf verlorengehen ..."[45]

"Kunst ist eine der wenigen Möglichkeiten, Leben zu haben und Leben zu halten, für den, der sie macht und für den, der sie empfängt."[46]

Die Sprache kann der letzte Hort der Freiheit sein. Böll versteht den freien Schriftsteller als eine Institution, "die, dem ungeschriebenen Gesetz verpflichtet, keinen irdischen Herrn über sich anerkennt und die Würde des Menschen im Wort bewacht und verteidigt".[47]

"Das Bekenntnis 'Christ' hat in jedem Falle Verbindlichkeit, und wer sich als Christ u n d Schriftsteller ausgibt, müsste wissen, wohin ihn diese Verbindlichkeit führt; er weiss es nicht, und niemand kann es ihm sagen, ob er auf die Wiesen zuschreitet, wo die Blumen des Bösen wachsen, oder die Gefilde, die den unschuldigen Lilien des Feldes reserviert sind."[48]

"... die Kunst ist dazu da, der Gesellschaft übergeben zu werden, doch wer sie ihr übergibt, weiss so wenig, was er tut, wie der,

38

der sie gesellschaftsfähig, zum Bestandteil der Kultur macht",
bekennt Böll in der 'Zweiten Wuppertaler Rede', in der es um das
Verhältnis von Kunstträger und Kulturträger (s. unten) geht.[49]
In einem Interview von Studenten gefragt, ob moralische Qualität
ein notwendiger Bestandteil eines literarischen Kunstwerks sei,
antwortet Böll: "Ich würde diese Frage gern mit einem eindeuti-
gen Ja beantworten, doch ich fürchte, meine Antwort muss ein eindeutiges Nein sein. Aber wenn Sie mich fragen würden, ob Unmoral
ein notwendiger Bestandteil eines literarischen Kunstwerkes zu
sein habe, wäre meine Antwort ein ebenso eindeutiges Nein. Ein
Künstler ist immer bis zu einem gewissen Grade unschuldig - und
schuldig, er ist wie ein Kind, das gescholten wird wegen einer
Sache, in der es sich nicht schuldig fühlt - und das gelobt wird
wegen einer Sache, die es gar nicht lobenswert findet.
Frage: Sind Sie der Meinung, dass ein Autor in seinem Werk zu
politischen oder sozialen Fragen Stellung nehmen soll?
Antwort: Es ist gewiss nicht die Pflicht jedes Autors, zu solchen Fragen Stellung zu nehmen. Es gibt keine verbindlichen Re-
geln, die einen Autor zwingen, einer bestimmten, meist ober-
flächlichen Vorstellung von Aktualität zu folgen. Es gibt verschiedene Stufen von Aktualität, wie es verschiedene Stufen des
Schreibens gibt, und ich glaube, es ist die schwierigste Frage,
die ein Autor für sich selbst zu beantworten hat: w e l c h e
Stufe der Aktualität die seine ist. Es gibt die Stufe der Aktualität, die etwa Sartre hat, eine andere, die etwa Ezra Pound hat.
Ich glaube, beide nehmen Stellung zu politischen und sozialen
Fragen, aber so unterschiedlich, dass man sie nicht miteinander
vergleichen kann. Es gibt zweifellos auch die Möglichkeit, nicht
die geringste sichtbare Aktualität zu haben, und wenn ich sage
sichtbar, so meine ich, dass es nicht immer so einfach ist, wie
man glaubt, die Aktualität im Werk eines Autors festzustellen."[50]
   Im Brief an HAP Grieshaber spricht Böll von der "Diskongruenz
zwischen Wirkung (dem, was man 'anrichtet') und dem Verantwor-
tungsgefühl".[51]
Bieneks Frage: "Glauben Sie ... dass ein Intellektueller heute

sich auch politisch engagieren muss?", beantwortet Böll z.T.
ähnlich wie die Frage der Studenten: "Ich halte das fast für
selbstverständlich, besonders für einen Schriftsteller. Ich glau
be, dass der Schriftsteller, der sogenannte freie Schriftstelle
eine der letzten Positionen der Freiheit ist. Wo die Freiheit be
droht ist, ist die Sprache bedroht und umgekehrt. Die Bedrohung
fängt immer mit Sprachregelungen an, und als zweite kommen dann
die bildenden Künste an die Reihe. Es gibt verschiedene Stufen
der Aktualität, des Eingreifens, des Engagements. Und es ist
wohl die schwierigste Frage für einen Autor herauszufinden, wel
che Stufe seine ist. Seine Aktualität braucht nicht sichtbar,
sie braucht nicht wie eine Gebrauchsanweisung zu sein; es ist
nicht immer so einfach, die Aktualität eines Autors zu entdecke
Dass er engagiert sein sollte, halte ich für selbstverständlich
Für mich ist das Engagement die Voraussetzung, es ist sozusagen
die Grundierung, und was ich auf dieser Grundierung anstelle,
ist das, was ich unter Kunst verstehe. Ich könnte nicht sagen,
für oder gegen was ich engagiert bin - das sind so Dinge, die
ich in Romanen verstecke, wahrscheinlich mit geringem Erfolg.
Dass ich es bin, weiss ich. Es ist, wie gesagt, nur die Grundie
rung." Es folgt die Absage ans konsequent gegenstandslose Schre
ben, das nur noch aus Kommas, Punkten und Bindestrichen bestünd
und das Credo von der Dauer der Sprache, das ich bereits zitie
habe.
Auf Bieneks Frage, ob "ein Schriftsteller, ein Künstler, zu politischen Ereignissen Stellung nehmen soll, etwa in Protesten,
Resolutionen oder Manifesten", antwortet Böll: "Ich glaube nich
dass er die Pflicht dazu hat. Es ist nicht jedermanns Sache, ei
Manifest zu unterschreiben, und es ist vor allen Dingen, glaube
ich, eine Frage der Qualität von Manifesten. Unterschriften kön
nen auch verschlissen werden. Man kann die Frage nur beantworte
wenn man wüsste, wieviel Manifeste einer n i c h t unterschrie
ben hat, und es ist nicht meine Sache, jemandes Papierkorb zu
durchsuchen. Ich glaube schon, dass man sich in bestimmten Dingen engagieren und unterschreiben sollte. Da, wo man überschaut

worum es geht, ist es einfach auch eine Frage der Solidarität.
Es kann auch eine irrende Solidarität sein. Das schadet nichts.
Interviewer: Glauben Sie, dass in unserer so durchorganisierten
Gesellschaftsform einzelne, individuelle Manifeste noch Wirkun-
gen haben?
Böll: Ich glaube schon. Wirkungen sind nicht so leicht zu kon-
trollieren. Dadurch, dass eine Sache schwarz auf weiss existiert,
ist sie zunächst einmal da. Und die Wirkung eines Manifestes
bzw. die Nichtwirkung kann man kaum eindeutig feststellen ..."[52]
    1962 nennt Böll als notwendiges Ingredienz der Kunst "die
Leidenschaft, das Vergängliche unvergänglich zu machen".[53]
Dass die Aussagen vage bleiben, hängt mit dem bereits geschil-
derten Dilemma zusammen. Im Laufe der Zeit wird Böll auch die
Instanz problematisch, auf die er sich zunächst noch berufen
konnte: das Gewissen.[54] An HAP Grieshaber schreibt er: "Ich
glaube an die Verantwortung des Künstlers, aber mein Gewissen
allein ist mir ein zu schwaches Instrument. - So bleibt ein Rest,
den mir weder die sogenannte Gesellschaft noch meine Kirche,
noch Freunde erklären können.[55]
Was aber allen Ungewissheiten zum Trotz bestehen bleibt, ist der
Primat der Form. 1963 fordert Böll: "Wer glaubt, dass er 'was zu
sagen hat', beuge sich der Form, suche sie sich. Lassen wir die
anderen, die behaupten, sie hätten 'nichts zu sagen', in Frieden
spielen."[56] Dieses letzte Zitat macht aber zugleich noch einmal
deutlich, dass eine Position des "l'art pour l'art" für Böll
selbst nicht in Betracht kommt.

1.3. Worte sind gespaltene Wesen

Jeder Künstler ist nach Böll ein Täter. Hat er jedoch sein Werk
der Öffentlichkeit übergeben, so ist ihm - wie wir gesehen haben - jeder weitere Einfluss verbaut, auch weiss er nicht, was
er anrichtet. Aber selbst einige Zeit nach der Publikation kann
er nicht erfahren, was genau er bewirkt hat, denn die Wirkung
von Geschriebenem ist kaum kontrollierbar.
Dies alles enthebt ihn jedoch nicht der Verantwortung für sein

Tun. Auch bei diesem Problem ist Bölls erster Zugang ein theologischer. Die Sprache als Mittel der Verständigung sei einem tödlichen Verschleiss unterworfen, schreibt Böll in einem Artikel zu Pfingsten. "Je grösser die Worte, desto geringer die Möglichkeit der Verständigung: Freiheit, Abendland, Zukunft, Vergangenheit, beliebte Worte, die so gross sind wie der Mond, und doch wird mit diesen Worten leichtfertig Ball gespielt, und wir wundern uns, dass wir beim Ballspiel mit Monden zerquetscht werden."

Ein so rundes und klares Wort wie Brot genüge schon, "um eine Diskussion in ein Schlachtfeld zu verwandeln; es bleibt nicht Brot, wird Waschmaschine, Auto, Urlaubsreise nach Mallorca, wird zu einem ungeheuren Mond mit zahlreichen Planeten, wird schwer wie Blei, explosiv wie Dynamit – und es ist doch das vom Bäcker gebackene Brot, das unzähligen Menschen auf dieser Erde durchaus nicht sicher ist, nicht einmal um den Preis ihrer Arbeit sicher.

Am Anfang der Bibel stehe jedoch "noch der lapidare Satz: Die ganze Erde hatte nur eine Sprache und einerlei Worte". Nach Babel, nach der Verwirrung der Sprachen, seien die Worte schwer wie Blei geworden und hätten sich dem Verständnis entzogen. Diese "babylonische Spaltung wurde Pfingsten geheilt".

Zur Ausstattung für die Aufgabe, 'das Antlitz der Erde zu erneuern' gehörte die Sprache als ein Mittel menschlicher Verständigung, "allerdings wurde das Brot immer nur für h e u t e erbeten – und das Morgen, die Zukunft, hatte nicht die magische Kraft, die in unserem Jahrhundert Unzählige für sie sterben lässt. Die Bitte 'unser tägliches Brot gib uns h e u t e' war zu keiner dialektischen Spaltung geeignet, ...

Die Zeit war nur Gegenwart, jeder Tag hatte seine eigenen Sorgen, für Utopien war kein Raum, die Schultern waren nicht mit Säcken voll Tradition beladen. Reisende ohne Gepäck waren die Christen, und es spricht sich leicht miteinander, wenn man nicht beladen ist: Brot ist dann immer das vom Bäcker gebackene, Wahrheit kein Mond, Freiheit kein Erstickungsmittel; niemand richtete sich auf dieser Erde ein und die Worte trugen keine Hypotheken für die Zukunft."

Inzwischen hätten sich "auch die Christen auf dieser Erde eingerichtet, auch die Kirchen, und die Reisenden ohne Gepäck, ohne
Besitz sind die Verdächtigen dieser Erde geworden ..." Damit ist
der eingangs geschilderte Zustand eingetreten. Bei einem unmittelbar politischen Gespräch könne es vorkommen, dass dem in die
Diskussion hineingeratenen Zeitgenossen "erst auf der Heimfahrt,
wenn er müde in der Strassenbahn sitzt", klar werde, dass er ja
im Grunde der Gegenstand der Politik sei, "Objekt von Taktiken,
Praktiken, die zu begreifen er nie im Stande sein wird. Worte
können tödlich werden, wenn sie zu Begriffen werden: Unzählige
sind für Begriffe gestorben, während sie glaubten, für das Brot
- das vom Bäcker für ihre Kinder gebackene - zu sterben".
Aber auch andere Diskussionen, Gespräche, Gesellschaften ("auch
von Christen"), verlasse der Zeitgenosse "mit dem bedrückenden
Gefühl, nichts verstanden zu haben oder nicht verstanden worden
zu sein: die Worte sind gespalten, ..., und wer Worte gebraucht,
setzt Welten in Bewegung: Freiheit: da knallen die Köpfe gegeneinander; Brot: da wälzt sich die Waschmaschine über das Früh-
stücksbrot des Lehrlings.".
Wenig Möglichkeit bleibe uns, einander zu verstehen: "das Gepäck
ist zu umfangreich, die Säcke sind zu schwer, und die Zukunft
wird uns in Gestalt von Angst eingeflösst..."[57]
In seiner Rede 'Die Sprache als Hort der Freiheit' aus dem folgenden Jahr beschäftigt Böll das gleiche Problem. Dabei geht es
ihm vor allem um das Verhältnis des Schriftstellers zu den "ge-
spaltenen Wesen", ohne dass er sich nochmals auf den biblischen
und kirchengeschichtlichen Kontext bezieht.
"Wer mit Worten Umgang pflegt, auf eine leidenschaftliche Weise,
wie ich es von mir bekennen möchte, wird, je länger er diesen
Umgang pflegt, immer nachdenklicher, weil nichts ihn vor der Erkenntnis rettet, welch gespaltene Wesen Worte in unserer Welt
sind. Kaum ausgesprochen oder hingeschrieben, verwandeln sie sich
und laden dem, der sie aussprach oder schrieb, eine Verantwortung
auf, deren volle Last er nur selten tragen kann: wer das Wort
B r o t hinschreibt oder ausspricht, weiss nicht, was er damit

angerichtet, Kriege sind um dieses Wortes willen geführt worden, Morde geschehen, es trägt eine gewaltige Erbschaft auf sich, und wer es hinschreibt, sollte wissen, welche Erbschaft es trägt und welcher Verwandlungen es fähig ist. Würden wir uns, dieser Erbschaft, die auf jedem Wort ruht, bewusst, unsere Wörterbücher vornehmen, diesen Katalog unseres Reichtums studieren, wir würden entdecken, dass hinter jedem Wort eine Welt steht, und wer mit Worten umgeht, wie es jeder tut, der eine Zeitungsnachricht verfasst oder eine Gedichtzeile zu Papier bringt, sollte wissen, dass er Welten in Bewegung setzt, gespaltene Wesen loslässt: was den einen trösten mag, kann den anderen zu Tode verletzen."[58]
"Worte wirken, wir wissen es, haben es am eigenen Leib erfahren, Worte können Krieg vorbereiten, ihn herbeiführen, nicht immer sind es Worte, die Frieden stiften." Das Wort, dem gewissenlosen Demagogen ausgeliefert, könne zur Todesursache für Millionen werden. Die meinungsbildenden Maschinen könnten das Wort "ausspucken wie ein Maschinengewehr seine Geschosse: vierhundert, sechshundert, achthundert in der Minute; eine beliebig zu klassifizierende Gruppe von Mitbürgern kann durch Worte dem Verderben ausgeliefert werden. Ich brauche nur ein Wort zu nennen: Jude. Es kann morgen ein anderes sein: das Wort Atheist oder das Wort Christ oder das Wort Kommunist, ... Der Spruch: Wenn Worte töten könnten, ist längst aus dem Irrealis in den Indikativ geholt worden: Worte können töten, und es ist einzig und allein eine Gewissensfrage, ob man die Sprache in Bereiche entgleiten lässt, wo sie mörderisch wird."[59]
Böll erwähnt dann "Oder-Neisse, eine Wortverbindung, die,einem Demagogen ausgeliefert, den meinungsbildenden Maschinen anheimgegeben, eine schlimmere Wirkung haben könnte als viele Lastzüge Nitroglyzerin."
Dass seine Rede nur düstere politische Prognosen zu enthalten scheine, komme aus dem Wissen, "dass Politik mit Worten gemacht wird, dass es Worte sind, die den Menschen zum Gegenstand der Politik machen und ihn Geschichte erleiden lassen, Worte, die geredet, gedruckt werden, und es kommt aus dem Wissen, dass Mei-

nungsbildung, Stimmungsmache sich immer des Wortes bedienen."
Die Maschinen, die Massenmedien seien da, böten uns Harmloses
an, beschränkten sich aufs Kommerzielle, Werbung, Unterhaltung.
Aber "nur eine geringe Drehung am Schalter der Macht, und wir
würden erkennen, dass die Harmlosigkeit der Maschinen nur eine
scheinbare ist. Sie preisen uns heute ein Waschmittel an oder
eine Zigarette, was würde geschehen, wenn sie mit gleicher Intensität uns Atheisten oder Christen, Konformisten oder Kommunisten anbieten oder uns einhämmern würden: Oder-Neisse - n u r
W o r t e ?"[60]
Wer einen Schriftsteller ehre[61], der ehre unter anderem auch
die Freiheit und die möglichen Irrtümer und Torheiten, die dieser Freiheit entspringen könnten. Es "werden nie mörderische
Irrtümer und Torheiten sein, solange Sprache und Gewissen sich
noch nicht getrennt haben und jene Schizophrenie zustande kommt,
wo einer, dem die Sprache, ein ungeheurer Reichtum, zur Verfügung steht, sich mit der ärmlichen Münze begnügt, die die Mächtigen als Honorar zu zahlen pflegen, jedem, der sich bereit erklärt, die Worte ihrer Erbschaft zu berauben, jedem, der zwischen
den Zeilen, auf der winzigen weissen Schusslinie, die der Druk-
ker dem Schriftsteller lässt, nicht alles das auszahlt, was die
Sprache, unser höchster natürlicher Besitz, sein kann: Regen und
Wind, Waffe und Geliebte, ... alle die Welten, die das Wörterbuch, ..., uns anbietet."
"Der Schriftsteller, der sich dem Mächtigen beugt, sich gar ihm
anbietet, wird auf eine fürchterliche Weise kriminell, er begeht
mehr als Diebstahl, mehr als Mord." Für Mord und Diebstahl gebe
es Gesetze, "doch ein Schriftsteller, der Verrat begeht, verrät
alle die, die seine Sprache sprechen, und ist nicht einmal straf-
bar, da er nur ungeschriebenen Gesetzen unterworfen ist; unge-
schrieben sind diese Gesetze, was seine Kunst betrifft und was
sein Gewissen betrifft; er hat nur eine Wahl: entweder alles zu
geben, was er im Augenblick geben kann - oder nichts - also zu
schweigen. Er kann irren, aber in dem Augenblick, wo er, was sich
später als Irrtum herausstellen mag, ausspricht, muss er glauben,

dass es die reine Wahrheit ist."[62)]

"Es gibt schreckliche Möglichkeiten, den Menschen seiner Würde zu berauben: Prügel und Folter, den Weg in die Todesmühlen – abe als die schlimmste stelle ich mir jene vor, die sich wie eine schleichende Krankheit meines Geistes bemächtigen und mich zwingen würde, einen Satz zu sagen oder zu schreiben, der nicht vor jener Instanz bestehen könnte, die ich Ihnen nannte: dem Gewissen eines freien Schriftstellers ..."[63)]

1.4. Ich habe keine andere Wahl

Wenn Böll zu literarischen Fragen Stellung nimmt, argumentiert er sehr oft nicht nur literaturimmanent, sondern zugleich auch von seinem christlich-humanen Engagement her.

So weist er etwa das Lob, er habe nun das Armeleutemilieu verlassen, seine Bücher seien jetzt von Waschküchengeruch frei und der sozialen Anklage bar, mit einem literaturgeschichtlichen Exkurs[64)], sowie mit der Frage zurück: "Wenn eine Waschküche kein der Literatur würdiger Ort ist – wo sind die der Literatur würdi gen Orte ...?" Gleichzeitig schreibt Böll aber auch: "Dieses Lob wurde mir gespendet zu einer Zeit, da eben bekannt zu werden begann, dass zwei Drittel der Menschheit hungern, dass in Brasilien Kinder sterben, die niemals erfahren haben, wie Milch schmeckt; geschah in einer Welt, die nach Ausbeutung stinkt; ... Und: "Das Gespenst, vor dem solche Geistigkeit Angst hat, trägt einen hässlichen Namen, es heisst: Kleinbürger."[65)]

Im Aufsatz 'Zwischen Gefängnis und Museum', in dem sich Böll gegen den Formalismus wendet, vertritt er die Ansicht, es sei kein Zufall, dass Abgestorbenes sich grosser Beliebtheit zu erfreuen beginne: "imprägnierte Maiskolben, leblos gemachte Paprika, petrifizierte Früchte aller Art sind grosse Mode. ... Für eine übersättigte Welt ist die Nusschale wichtiger als der Kern; den wirft man weg, kratzt aus der Schale alles heraus, das an einen Inhalt, einen Zweck erinnern könnte, poliert die Schale, legt si auf den Schreibtisch, denn sie ist so schön, man kann sich an ihrer Struktur, an ihren herrlichen Linien erfreuen, die einmalig sind wie ein Fingerabdruck. Für das ausgekratzte Kunstgewerbe ist die ausgekratzte Kunst die Voraussetzung, beider Partner der ausgekratzte Mensch."

Bölls Ablehnung der "ausgekratzten Kunst" gründet zunächst darin, dass Kunst für ihn Übereinstimmung von Form und Inhalt ist. Sodann widerspricht die Voraussetzung dieser Kunst, der "ausgekratzte Mensch", seinem Menschenbild radikal. Und schliesslich argumentiert er ganz ähnlich wie in der 'Verteidigung der Waschküchen': "Die Vorstellung, ein Gast aus den hungernden Ländern dieser Erde würde in einen unserer Kunstgewerbeläden einbrechen und seinen Hunger an diesen imprägnierten Maiskolben zu stillen versuchen, könnte erklären, welch ein makabrer Snobismus in diesen Schaufenstern zelebriert wird."[66]

Obwohl Böll kein "christlicher Autor" sein, nicht Glaubenswahrheiten bestätigen will, sieht er in der Literatur eine Möglichkeit, das Christsein zu verwirklichen: "... je mehr sich ein Christ als Künstler auf Stil und Ausdruck konzentriert, desto christlicher wird sein Werk."[67] Für ihn selbst ist Schreiben nicht nur eine unter anderen, sondern die Möglichkeit überhaupt. Bei einem seiner frühen Versuche, Kurzgeschichten zu publizieren, wurde Böll vom Herausgeber einer Zeitschrift gefragt, warum er das Bedürfnis habe, "mit zerknautschten, schlecht getippten Manuskripten durch die Gegend zu reisen oder sie der Post anzuvertrauen, und wenn sie auch alle zurückkommen, immer neue zu schreiben". "... ich habe keine andere Wahl", gab Böll zur Antwort.[68]

Es gebe vielerlei Möglichkeiten für einen Künstler, nur die eine nicht: "sich zur Ruhe zu setzen, und das Wort Feierabend - ein grosses und menschliches Wort, wert, Gegenstand des Neides zu sein - dieses Wort kennt er nicht; es sei denn, er sei mit 'seiner Kunst am Ende', für immer oder für eine gewisse Zeit, und entschlösse sich, dieses Faktum zu akzeptieren; dann hörte er auf, ein Künstler zu sein, freilich eine Vorstellung, die ich nicht vollziehen kann; ich las einmal in einer Buchbesprechung..: Mann kann nicht ein b i s s c h e n schwanger sein, und mir scheint, man kann nicht ein b i s s c h e n Künstler sein, ganz gleich, welchen Beruf man ausüben mag."[69]

Aus dem bisher gesagten erhellt, dass Bölls künstlerische Bemühungen und Ansichten nicht losgelöst von seiner christlichen Grundhaltung und von seinen Vorstellungen von der Gesellschaft betrachtet werden können.

"Für mich ist das Engagement die Voraussetzung, es ist sozusagen die Grundierung, und was ich auf dieser Grundierung anstelle, ist das, was ich unter Kunst verstehe", hatte Böll zu Horst Bienek gesagt. Im zweiten Kapitel soll nun versucht werden, dieses Engagement im Rahmen seines religiösen und gesellschaftlichen Bewusstseins nachzuzeichnen.

2. Ein Schriftsteller, dem es durchaus nicht bloss um die Kunst geht

Mit der Frage, was Böll unter Kunst versteht bzw. nicht versteht, befasste sich das erste Kapitel. Im zweiten steht zur Diskussion, worum es Böll neben und mit seiner Kunst geht.

2.1. Die Leidenschaft, schreiben und wieder schreiben zu wollen

2.1.1. Wo warst du, Adam?

Im Vorwort zu'Die subversive Madonna' vertritt Renate Matthaei die Ansicht, mit dem Jahr 1945 beginne nicht nur eine neue Phase der deutschen Geschichte, sondern auch das Bewusstsein des Autors Heinrich Böll: "Das hat Konsequenzen gehabt. Kein anderer Autor ist so fixiert an diesen Anfang, kein anderer kann und will weniger vergessen."[70]
Dass Böll nicht vergessen kann und will, trifft zweifellos zu. Die Rede 'Wo ist dein Bruder?' zeigt dies wohl am eindringlichsten. Die Behauptung aber, das Bewusstsein Bölls beginne mit dem Kriegsende, ist unhaltbar. 1945 war Böll 28 Jahre alt, und es ist von grundsätzlicher Problematik, einem Menschen erst von diesem Alter an Bewusstsein zuzugestehen. Aber auch wenn man Bewusstsein in eingeschränktem Sinne versteht, etwa als bestimmte gesellschaftskritische Einstellung, trifft Matthaeis Ansicht für Böll nicht zu. Der passive Widerstand des Schülers und später des Soldaten Böll gegen die HJ und die Wehrmacht spricht dagegen, wie auch der schon früh empfundene leidenschaftliche Wunsch zu schreiben. Wir werden später sehen, welche Bedeutung dem Krieg, den mitzuerleben er gezwungen wurde, für Bölls Beurteilung der Entwicklung Deutschlands nach dem Krieg zukommt. Dazu kommt, dass Böll in Aufsätzen oft an Erinnerungen aus Kindheit und Jugend anknüpft. Schliesslich ist seine Religiosität wohl nur gewaltsam von seinem Werdegang bis 1945 zu trennen.
Daher soll nun Bölls Biographie bis zu den ersten Publikationen nachgezeichnet werden.[71]

49

"Geburt noch bescheinigt von einem kaiserlichen Standesbeamten, eingeschult, wie man's hier so hübsch nennt, während die Inflation ihre 'Blüten' trieb, Gymnasiast zwischen 1928 und 1937, Schulweg durch knallrote Kölner Stadtteile - daher vielleicht, obwohl aus halbwegs stabilem bürgerlichen Milieu, meine Sympathie für diejenigen, die, wenn sie 'Arbeit' und 'Brot' an die Wände schrieben, irgendwo in der Welt es wirklich so meinen: Arbeit und Brot - nicht in die Hitlerjugend (und was gehörte an Rückhalt zu Hause, an Glück und Wohlwollen der Mitschüler und Lehrerschaft zu einem so harmlosen Nein), Krieg, verheiratet, als dieser aus war, und wieder trieb eine Inflation ihre Blüten."[72] Dieser knappe Abriss lässt sich durch eine grosse Anzahl weiterer Äusserungen Bölls zu seinem eigenen Werdegang ergänzen.

Heinrich Böll wurde am 21. Dezember 1917 in Köln geboren, während sein Vater "als Landsturmmann Brückenwache schob; im schlimmsten Hungerjahr des Weltkrieges wurde ihm das achte Kind geboren; ..."[73] Der Vater verfluchte den Krieg und den "kaiserlichen Narren", den er dem Sohn später als "Denkmal" zeigte. "'Dort oben', sagte er, 'reitet er immer noch auf seinem Bronzegaul westwärts, während er doch schon so lange in Doorn Holz hackt'".[74] An anderer Stelle bezeichnet Böll den Vater als "Zentrumsmann, SCHWARZ BIS INS MARK".[75] Die frühesten Erinnerungen sind: Hindenburgs heimkehrende Armee, "grau, ordentlich, trostlos"[76]; die Werkstatt des Vaters: "Holzgeruch, der Geruch von Leim, Schellack und Beize; der Anblick frisch gehobelter Bretter"; die Mietskaserne, in der die Werkstatt lag: "mehr Menschen, als in manchem Dorf leben, lebten dort, sangen, schimpften, hängten ihre Wäsche auf die Recks"; die Umzüge von einer Wohnung in die andere, die sein Vater liebte, und über die seine Mutter den Kopf schüttelte.[77] Acht Jahre lang wohnten die Bölls an der Raderberger Strasse, die "von zwei 'Lagern' bestimmt war, dem bürgerlichen und dem sozialistischen (das waren damals noch wirkliche Gegensätze!), oder von den 'Roten' und den 'besseren Leuten'. Ich habe nie, bis heute nicht begriffen, was an den

besseren Leuten besser gewesen wäre oder hätte sein können. Mich zog's immer in die Siedlung, ... in der Arbeiter, Partei- und Gewerkschaftssekretäre wohnten; dort gab es die meisten Kinder und die besten Spielgenossen ..."[78]
Seine Eltern störte dies nicht, im Gegensatz zu den "Professoren, Prokuristen, Architekten, Bankdirektoren... : die verboten ihren Kindern, mit den'Roten' zu spielen."[79] Dennoch gab es "schmerzliche Trennungen" zwischen Heinrich Böll und den 'roten Kindern': er kam mit sechs Jahren in die katholische, die meisten von ihnen in die 'freie' Schule, danach trat er ins Gymnasium ein. "Ich ging gern hin, sah aber nicht ein, warum die anderen, die 'Roten' und die 'nicht besseren katholischen' nicht mit dorthin gingen. Ich sehe es bis heute nicht ein."[80]
An die Kindheit in der Raderberger Strasse wurde der spätere Soldat überall durch die Aufschriften der Eisenbahnwaggons erinnert: "6 Pferde oder 40 Mann" stand da "mit sauberen, exakten Schablonen schneeweiss auf Ochsenblutrot gemalt" und daneben: Theodor Kotthof, Lackfabrik, Köln-Raderthal, ..." 6 Pferde oder 40 Mann, Symbol für die Soldaten, "die sinnlos geopfert, Juden, die ermordet werden sollen, und als Rückfracht, damit kein Transportleerlauf entsteht, Sklaven für die Fabriken: Männer, Frauen, Kinder irgendeines Volkes, das man geschwinde zu einem Untermenschen-Volk erklärt."[81]
Die Familie wohntenie weit vom Rhein entfernt, die Kinder spielten auf Flössen, in alten Festungsgräben, in Parks, deren Gärtner streikten.[82] Manchmal schwänzte der Schüler Heinrich Böll die Schule aus Stolz: "ich ertrug die Demütigung nicht, mich wegen Zuspätkommens entschuldigen zu müssen, gab lieber sechs Stunden preis, als dass ich mich wegen vier Minuten gedemütigt hätte."[83]
Für sein erstes Geld, eine Billion Mark, bekam er eine Zuckerstange, wenige Jahre später waren die Pfennige der stabilisierten Mark schon knapp, Schulkameraden, deren Väter arbeitslos waren, bettelten ihn in der Pause um ein Stück Brot an: "Unruhen, Streiks, rote Fahnen, wenn ich durch die am dichtesten besiedel-

ten Viertel Kölns mit dem Fahrrad in die Schule fuhr; wieder einige Jahre später waren die Arbeitslosen untergebracht, sie wurden Polizisten, Soldaten, Henker, Rüstungsarbeiter - der Rest zog in die Konzentrationslager."[84]

Ein Schulkamerad forderte Böll - "wohlwollend, fast schon gütig" - auf, "nun doch endlich, so kurz vor dem Abitur, in die Hitlerjugend einzutreten; ich tat's nicht, nicht nur aus moralischen Gründen (weil ich zu wissen glaubte, wohin die Entwicklung führte), nicht nur aus politischen Gründen, auch aus ästhetischen: ich mochte diese Uniform nicht, und die Marschierlust hat mir immer gefehlt; fünf Jahre vorher war ich, weil dort plötzlich Gleichschritt geübt wurde, nach einem kurzen, rasch vorübergehenden Anfall von Organisationsfreudigkeit aus einem katholischen Jugendklub ausgetreten."[85]

Die meisten seiner Schulkameraden hingegen wechselten von den verschiedenen Jugendgruppen zur HJ oder zum Jungvolk hinüber: "ich begegnete ihnen manchmal, wenn sie an der Spitze ihrer Gruppen durch die Stadt marschierten; sie lächelten mir entschuldigend zu, wenn ihre Gruppe gerade sang: Wenn das Judenblut vom Messer spritzt ..., ich erwiderte das entschuldigende Lächeln nicht."[86]

Zu denen, die Böll entschuldigend zulächelten, gehörte auch der spätere Major Sch.[87] Er "war oppositionell, d.h. er sang mit seiner Gruppe in abgelegenen Parkecken Lieder, die verboten waren, zum Beispiel: 'Jenseits des Tales standen ihre Zelte'... . So etwas galt damals als ein Akt ausserordentlicher Tapferkeit..."[88] Nach Bölls Ansicht jedoch wurde durch solche Akte nur der jugendliche Drang zur Opposition kanalisiert - in die gewünschte Richtung: "... man muss dem jugendlichen Drang zur Opposition nur ein Ventil geben, verbotene Lieder, die man heimlich singen kann, auf dass das andere, das Wichtigere unwidersprochen geschehe: die Fussübung, der Geländedienst."[89]

Böll will sich nicht die moralische Überlegenheit anmassen, an Major Sch. eine verspätete Entnazifizierung vorzunehmen: "ich zähle nur Phänomene auf, und es steht mir nicht zu, über jene zu richten, die agierend den Weg des geringsten Widerstandes gingen und ihre Lippen zum 'Wenn das Judenblut ...' öffneten, während ich mich passiv verhielt und solches n i c h t tat; ich kann nicht dafür garantieren, dass ich die Konsequenzen, die mir nie abgefordert wurden, gezogen hätte; so bin ich, ... , persönlich jeden Kredites bar, weiss nur den einen, fast mechanischen Kredit anzuführen, dass ich fünfzehn Jahre alt war, als der Vatikanstaat als erster diplomatische Beziehungen mit Hitler aufnahm; dass ich achtundzwanzig Jahre alt war, als ich aus einem amerikanischen Gefangenenlager nach Hause kam."[90] Den Krieg erlebte Böll als "absolut sinnlos".[91] "Werkzeug der Zerstörung sein, wie sinnlos; da hilft kein tragisches Bewusstsein mehr ..."[92] Böll lehnte jedoch die Auswege aus der Verzweiflung ab, die sich anboten: sich durch Bildung geistig oder durch Korruptheit materiell am Krieg bereichern, Zynismus ("die Situation rücksichtslos geniessen, sich von der Geschichte tragen lassen: aus dem Badezimmer im französischen Quartier in die mörderische Realität, wie sie der Krieg in Russland hatte. Den Schmerz von sich abgleiten lassen, ..."), Selbstmord.[93] Böll glaubt jedoch nicht an die deutsche Kollektivschuld, sonst wäre er desertiert und hätte einen Weg in die Emigration gefunden, schreibt er 1958.[94] Eine Episode, die sich ein halbes Jahr nach Stalingrad in einem Lazarett in Polen ereignete, ist für seine humane Einstellung bezeichnend: Böll - obwohl immer ein entschiedener Gegner des Nationalsozialismus - beteiligte sich nicht am Spott gegenüber einem Schweizer SS-Mann, spendete ihm stattdessen Blut. Er tat es, weil der Schweizer "einen u n e r t r ä g l i c h e n, u n - m e n s c h l i c h e n Spott zu erdulden hatte, gegen den er, da er ja reuig war, gar nichts machen konnte." Allerdings nicht nur "aus reiner Nächstenliebe" spendete er das Blut: "ich tat's - und ich bitte wehmütig und demütig um Verzeihung - tat's a u c h, weil ich Hunger hatte und Blutspender ein hübsches Paketchen bekamen; und a u s s e r d e m tat ich's, weil es hinzu noch Zigaretten gab." Von den spottenden deutschen Kameraden

wollte nicht einer an die Front zurück, und den Schweizer, der
die Grenze nach Deutschland freiwillig, unter Gefahr für Leib
und Leben überschritten hatte, konnten und wollten sie nicht
verstehen. Ausserdem "masste er sich auch noch an, STEHLEN UN-
MORALISCH ZU FINDEN, denn die Spötter ... stahlen, was das Zeug
hielt, alles, was ihnen unter die Hände geriet ... . Natürlich
stahlen nicht a l l e, aber ich zum Beispiel, und das war der
einzige Punkt, in dem ich mit dem Schweizer Buben nicht einig
werden konnte."[95]

Zwei Wohnungen mieteten Böll und seine Frau während des Krieges:
die erste wurde nach sechs Wochen zerstört, von der zweiten sagt
er: "ich glaube, wir hatten sie drei Jahre 'inne', und es mag
sein, dass ich eineinhalb bis zwei dutzendmal dort geschlafen
habe."[96]

In den (für ihn) letzten Kriegstagen (im März 1945) wurde Böll
fahnenflüchtig, fanatische Nazis setzten ihm jedoch eine gela-
dene und entsicherte Pistole auf die Brust und verleibten ihn
auf diese Weise am 8. April 1945 in die Kampfkommandantur Brü-
chermühle ein. Nachdem er einige Stunden Todesangst unter syste-
matischem amerikanischem Artillerie-Beschuss ausgestanden hatte,
"hob [er] am Mittag des folgenden Tages die Hände." Am 15.9.1945
wurde Böll aus der - wie er selbst sagt - <u>deutschen</u> Gefangenschaft entlassen.[97] Damit war er "nicht nur dem Tod, auch der
Todessehnsucht entronnen".[98]

Als er aus dem Krieg heimkehrte, besass er "nicht viel mehr ...
als die Hände in der Tasche", unterschied sich von den anderen
"nur durch die Leidenschaft, schreiben und wieder schreiben zu
wollen".[99]

2.1.2. Für eine Welt mit Christus

Es gibt keine Anzeichen dafür, dass Bölls religiöse Grundhaltung
nicht von jung auf vorauszusetzen ist; im Gegenteil, die Schil-
derungen des Elternhauses lassen darauf schliessen, dass seine
Religiosität ein Erbe aus Kindheit und Jugend darstellt (was
einen Wandel in der Auffassung ganz und gar nicht ausschliesst).

Daher finden sich in diesem Abschnitt die grundsätzlichen Aussagen über seine religiöse Einstellung.[100]
Im Briefwechsel zum 'Brief an einen jungen Katholiken' stellt Walter Weymann-Weyhe Böll indirekt die Frage - "die Sie", so Böll, "mir möglicherweise aus Gründen des Taktes nicht stellen wollten, die Frage -: "Sind Sie nun katholisch oder nicht? Meine Antwort: Ich bin's,gedenke, es zu bleiben. Ich erziehe meine Kinder katholisch, gehöre - wie meine Frau - der katholischen Kirchengemeinde St.Vitalis in Köln-Müngersdorf an".[101]
Im Aufsatz 'Kunst und Religion' aus dem folgenden Jahr betont Böll: "Der Situationen des Christseins gibt es unzählige; wer auf seiner Steuererklärung unter der Rubrik 'Religionszugehörigkeit' eine der Abkürzungen einträgt, die ihn als einer christlichen Kirche zugehörig bezeichnet, ..., legt ein Bekenntnis ab, das seine Folgen haben müsste. Festzustellen, ob dieses Bekenntnis echt ist oder nicht, steht niemandem zu; das menschliche Gewissen steht zur Besichtigung nicht offen."[102] Dies trifft in besonderem Masse auf den Künstler zu: "Die Instanz, die berufen wäre, einem Kraftfahrer, Drogisten, Dekorateur seine Christlichkeit als solche zu bescheinigen, ist nicht vorhanden, aber denkbar. Die Instanz, die berufen wäre, einem Künstler seine Christlichkeit als solche zu bescheinigen, ist nicht einmal denkbar."[103] Die Öffentlichkeit bekommt vorgelegt, was ein Schriftsteller publiziert. Mag sie sich Instrumente schaffen, ihn danach zu beurteilen.[104]
Da wir hier keine Analyse des Böllschen Werkes leisten können, müssten wir uns mit diesen spärlichen Äusserungen begnügen, wenn Böll nicht doch - bereits 1957 - auf eine Umfrage ("Was halten Sie vom Christentum?") geantwortet hätte[105]: "Was ich vom 'Christentum' h a l t e? Nichts h a l t e ich davon; ich glaube, dass eine Welt ohne Christus selbst die Atheisten zu Adventisten machen würde." Dass dies keine Abkehr von der Religion ist, ergibt sich schon aus der zweiten Hälfte des Zitats. Böll wendet sich vielmehr gegen eine bestimmte Attitüde: "Man ist nicht Christ, sondern gehört 'zum christlichen Lager', man

glaubt nicht an Christus, sondern 'macht in Christentum'." Trauer und Sanftmut des Advents seien verlorengegangen, weil den
Christen der Besitz ihrer Wahrheit wichtiger geworden sei als
die Wahrheit selbst.[106]

Zu sagen, was er von den Christen, was er von Christus denke,
würde ihm leichter fallen als die gestellte Frage zu beantworten. Denn unter "Christentum" habe er sich nie etwas vorstellen
können, wohl aber unter den einzelnen Kirchen, Sekten, Strömun-
gen.[107]

Böll fragt sich, "was der eben getaufte Kongo-Neger mit einer
Vokabel wie 'Abendland' anfangen kann, oder was ein chinesische
Christ über das 'christliche Europa' denken mag, dessen grösste
Friedhof 'Auschwitz' heisst. Ich frage mich vieles, vor allem
das eine: Wie ist es möglich, dass 800 Millionen Christen diese
Welt so wenig zu verändern vermögen, eine Welt des Terrors, der
Unterdrückung, der Angst.

'In der Welt habt ihr Angst', hat Christus gesagt, 'seid getros
ich habe die Welt überwunden.' Ich spüre, sehe und höre so weni,
davon, dass die Christen die Welt überwunden, von der Angst befreit hätten; von der Angst im Wirtschaftsdschungel, wo die Be-
stien lauern; von der Angst der Juden, der Angst der Neger, der
Angst der Kinder, Kranken. Eine christliche Welt müsste eine We
ohne Angst sein, und unsere Welt ist nicht christlich, solange
die Angst nicht geringer wird, sondern wächst; nicht die Angst
vor dem Tode, sondern die Angst vor dem Leben und den Menschen,
vor den Mächten und Umständen, Angst vor dem Hunger und der Folter. Angst vor dem Krieg; die Angst der Atheisten vor den Christen, der Christen vor den Gottlosen, eine ganze Litanei der
Ängste. Die Christen haben die Welt nicht überwunden, sie lasse
sich auf sie ein und werden von ihr überwunden; der Dschungel
wächst, und die tröstlichen Stimmen sind so weit entfernt, im
Dickicht verloren."[108]

Doch die andere Vorstellung sei weit gespenstischer: "wie diese
Welt aussähe, hätte sich die nackte Walze der Geschichte ohne
Christus über sie hinweggeschoben; Baal und Mammon, die azteki-

schen Götter. Ich überlasse es jedem einzelnen, sich den Alp-
traum einer heidnischen Welt vorzustellen oder eine Welt, in der
Gottlosigkeit konsequent praktiziert würde: den Menschen in die
Hände des Menschen fallen zu lassen."
Nirgendwo im Evangelium finde er eine Rechtfertigung für Unterdrückung, Mord, Gewalt, "ein Christ, der sich ihrer schuldig
macht, ist schuldig; wer Baal oder Huitzilopochtli opferte, erfüllte nur die Riten seiner Religion. Cortez war ein Schurke,
Moctezuma, der dem Huitzilopochtli opferte, war ein sanfter, ge-
bildeter, offenbar sehr humaner Mensch."
Gewiss sei die Geschichte der Kirchen voller Greuel: "Mord, Unterdrückung, Terror wurden ausgeübt und vollzogen, aber es gab
auch Franziskus, Vincent, Katharina - es würde zu viel Platz er-
fordern, wollte ich das Register des 'Martyrologium Romanum'
hier abdrucken lassen." Selbst die allerschlechteste christliche
Welt würde Böll der besten heidnischen vorziehen, weil es in einer christlichen Welt Raum gebe für die, denen keine heidnische
Welt je Raum gab: "für Krüppel und Kranke, Alte und Schwache,
und mehr noch als Raum gab es für sie: Liebe, für die, die der
heidnischen wie der gottlosen Welt nutzlos erschienen und erscheinen."
Unter Christen sei Barmherzigkeit wenigstens _möglich_, und hin
und wieder gebe es sie: "Christen, und wo einer auftritt, gerät
die Welt in Erstaunen." 800 Millionen Menschen hätten die Möglichkeit, die Welt in Erstaunen zu setzen. "Vielleicht machen
einige von dieser Möglichkeit Gebrauch, einige, die sich aus dem
Labyrinth der Taktiken zu befreien vormögen, so wie es Gläubige
anderer Religionen der Gewaltlosigkeit gab und gibt, die sich
aus dem Labyrinth der Taktiken befreiten und die Welt in Erstaunen versetzten."
"Ich glaube an Christus, und ich glaube, dass 800 Millionen
Christen auf dieser Erde das Antlitz dieser Erde verändern könnten, und ich empfehle es der Nachdenklichkeit und der Vorstellungskraft der Zeitgenossen, sich eine Welt vorzustellen, auf
der es Christus nicht gegeben hätte ..."[109]

In diesem ersten Abschnitt habe ich versucht, Bölls Entwicklung bis kurz nach dem Krieg, sein geistiges und soziales Rüstzeug, das ihm zum Zeitpunkt der ersten Publikationen zur Verfügung stand, zu r e k o n s t r u i e r e n . Die weitere Entwicklung soll nun wieder anhand von Texten verfolgt werden, die aus der jeweils zur Diskussion stehenden Zeit stammen.

2.2. Ist die Geschichte verlorengegangen wie Gepäck?

2.2.1. Wo ist dein Bruder?

In einem Gespräch, das im 'labyrinth' abgedruckt wurde, versucht Böll zusammen mit Walter Warnach die Frage nach der Tradition in einem zeitlich weiter gesteckten Rahmen zu beantworten. Dabei fragt sich Böll, "ob die grosse Geschichte, die sehr unterschiedliche und bewegte, nicht einfach unterwegs verlorengegangen ist. Ob noch Reste von ihr da sind, die für uns wirksam sind."[110] Die Gedanken der beiden kreisen bald einmal um die Idee des "Reichsauftrages". Darunter verstehen sie die "Gewährung von Schutz und Recht" durch den mittelalterlichen Kaiser, den Ausgleich, "da, wo ein Schwächerer einem Stärkeren preisgegeben war und zwar zu Unrecht preisgegeben war, wo damit ein zu Recht bestehendes Verhältnis gestört wurde" (W). Letzten Endes war - nach Warnachs Ansicht - "die Schwache die Kirche. Das war der eigentliche Hintergrund des Reichsauftrages, dass der Kaiser als Schirmvogt der Kirche die Schwachen, die durch freiwillige Armut und Gehorsam auf jede Selbstbehauptung verzichtet hatten, in seinen Schutz nahm".[111] Reichsauftrag und Christentum sind unzertrennlich. Der "Rechtsausgleich, den das Reich geschaffen hat, [ist] etwas Einmaliges, und diese Einmaligkeit ist ein Korrelat zu der Einmaligkeit des Christentums" (W). "Und wie das Christentum universal ist, an keinen Ort gebunden, sozusagen heimatlos, hatte auch der Kaiser, der ja diesen Reichsauftrag vollstreckte, keinen festen Sitz, war ein Nomade ohne eigentlichen Besitz, also - modern ausgedrückt - war eine mobile Instanz." (B)[112]

Der Rechtsausgleich beruhte darauf, dass der Kaiser "im Eigenen" auf Macht verzichtete, Macht nur einsetzte, um diesen Rechtsausgleich zu schaffen. (W)[113]

Nach Bölls und Warnachs Ansicht sind die Deutschen seit mehreren Jahrhunderten von ihrer geschichtlichen Bestimmung abgefallen, sie leben im "Frevel", die Geschichte wirkt nur noch als "negatives Reich" (B), als Fluch, weiter.[114]

Das Reich kann "im Grunde nur noch in einem Zustand der vollkommenen Machtlosigkeit" existieren. (B)[115]

"Von 1945 bis 1949 lebten wir in einem Zustand der Machtlosigkeit, von dem wir fühlten, dass er gewisse Möglichkeiten in sich barg, vielleicht sogar die Möglichkeit eines Reiches, weil die Bedingung der Machtlosigkeit auf eine einzigartige Weise erfüllt war. Um so verhängnisvoller war es, die Deutschen von neuem in eine Machtposition hineinzuzwingen." Die "Dämonie der Leute, die so klug waren, den Deutschen wieder Macht zu geben, glaubend, es sind keine Deutschen mehr", jagt Böll "geradezu eine metaphysische Angst ein. Sie verdammen die Deutschen zur Macht und zum Frevel, und darin betrügt die Gentleman-Klugheit sich selbst."[116]

Das Machtdenken äusserte sich zunächst im Bestreben, "sich verfassungsmässig zu festigen, sich politisch, wirtschaftlich, sozial in Organisationsformen einzuschleusen ... sich bis in die letzten Lebensäusserungen hinein endgültig festzulegen (W) ... und das in den beiden Hälften Deutschlands mit der gleichen Intensität (B)."

Ordnung und Macht seien selbständige Werte geworden, ja sogar Selbstzweck. Jeder Mensch im öffentlichen Leben fülle den Raum an Macht, der ihm kraft seiner Funktion gewährt werde, "einem zwanghaften Trieb folgend bis zum Platzen" aus und erweitere ihn nach Möglichkeit. "Im Wirtschaftskampf ist das ein ganz eindeutiger Vorgang: ... wer nicht sein ganzes Potential einsetzt, der hat schon in dem Augenblick verloren ... (W) wo er seine Macht nicht steigert (B)." Jede Steigerung löst beim anderen die ent-

sprechende Gegenbewegung aus. Im öffentlichen Leben platzen "so
zusagen Machtblöcke aufeinander". Das macht das heutige Leben
unerbittlich und verunmöglicht spontanes Handeln unter Freunden
wie unter Feinden.
Machtgebrauch werde notwendigerweise zum Machtmissbrauch (W) un
"was zum Schutz von Schwachen dienen sollte, wird zum Mord an
ihnen dienen" (B). Solange noch irgend etwas aus dem sozial
Schwächeren "herauszupressen ist, als Verbraucher oder wie immer, wird er der Macht des Stärkeren ausgeliefert" (B). Böll
sieht "nirgendwo auch nur den geringsten Schutz des sozial
Schwächeren" und glaubt, das "könnte auch eine Folge des Frevel
sein".[117]
Das "pervertierte Verhältnis zur Macht" zusammen mit der Entwic
lung der technischen Produktionsmittel hat nach Warnachs Ansicht "vielleicht erst die Voraussetzungen dafür geschaffen,
dass die Natur einzig und allein Ausbeutungsobjekt geworden ist
Es habe auch dahin geführt, "dass die in der Technik liegende
Möglichkeit, den Menschen ganz in das Funktionsgetriebe hinein-
zuziehen und ihn um den letzten Spielraum freiheitlicher Entscheidungen zu bringen, zu einer unausweichlichen Notwendigkeit
geworden ist. Der Mensch ist in diesem Funktionszusammenhang al
Machthaber nur Zwangsvollstrecker und als Übermächtigter nur
Opfer." Um so unheimlicher wird Böll die Verbindung, welche die
christlichen Kirchen mit der so beschriebenen Gesellschaft eingehen.[118]
Es gebe für die Deutschen aber kein Ausweichen in den Universa-
lismus des Allgemeinmenschlichen. Sie müssten sich dem "Widerspruch stellen, dass, obschon heute und hier jede Verbindung de
Christlichen mit dem Politischen sich als Frevel erweist, sie
den Ausgleich, den sie als Deutsche ihrer dennoch wirksamen Bestimmung folgend herzustellen gedrängt werden, gleichwohl immer
nur in Richtung auf das Christliche herstellen können." (W)
Böll betont daraufhin noch einmal, dass der Verzicht auf Macht
die Bedingung dafür ist, "gerade weil die Verbindung von Macht
mit Christlichem heute so explosiv ist".[119]

Den "Christlichen Ausgleich" könnten nur Menschen herstellen,
die "nicht nur an ihr persönliches Heil denken" (B), die das
"Christliche in der weitesten Erschlossenheit für die ganze
Welt" leben (W).[120]

Böll und Warnach stellen fest, dass die meisten Deutschen "im
eigenen Land ausgewandert" sind, das heisst, dass sie nie eine
"wahre Verbundenheit" mit der geschichtlichen Bestimmung der
Deutschen gehabt haben, dass hingegen die "Vertriebenen der Nazis" z.B., die "Deutschen draussen, in welcher Form auch immer
oder aus welchem Grunde sie emigriert sind, ob als Kommunisten,
ob, weil sie als Juden ihr Leben gefährdet sahen, so ein ganz
starkes Bewusstsein dessen haben, was ich vorher gar nicht ohne
weiteres verstanden habe: wie man sich Deutscher nennen kann.
Das ist doch sehr wichtig: Dass Deutschland aus Deutschland vertrieben ist" (B).[121]

Böll macht sich Sorgen um die "Nach-uns-Kommenden", die in einem
Deutschland aufwachsen, das in sich selber ausgewandert ist und
sieht den "Boden der Gemeinsamkeit" durch die Teilung Deutschlands "sehr stark gefährdet".[122] Andererseits fragt sich Böll,
ob nicht die Tatsache, dass die Deutschen aufgehört haben, ein
Staatsvolk zu sein, die "Voraussetzung - und zugleich ungeheure
Chance - [sei], dass sie wieder, und auf eine endlich ungefähr-
liche Weise, Deutsche würden".[123]

Das Gespräch schliesst folgendermassen:

B: ... mir scheint, dass in solchen Zusammenhängen, wo nach
    menschlicher Berechnung jede Kontinuität verloren ist, erst
    deutlich wird, was wir verloren haben, wenn es endgültig ver-
    loren ist.

W: Das ist wahr, wenn auch kein Trost, bedenkt man, dass jeder,
    also auch ein Volk, jedes Glied eines Volkes nach seiner Ge-
    schichte gerichtet wird.

B: Das - wenn irgend etwas - ist mir klar geworden. Das Gericht
    der Geschichte, von dem Sie sprechen, wird an die Deutschen
    von drüben und hier ergehen. Das wenigstens ist ihnen be-
    stimmt gemeinsam.[124]

Für Böll persönlich ist - soweit er "spontan" reagiert - "die
Möglichkeit, diesen grossen geschichtlichen Zusammenhang überhaupt zu erleben" durch die Geschehnisse in der Zeit von 1933
bis 1945 "zunächst einmal in die Verneinung gebracht". Aber als
Autor "könnte ich gar nicht anders als deutsch denken und
deutsch schreiben und fühlen, in der Sprache natürlich, in der
sich unsere Geschichte auch abgespielt hat. Insofern ist für
mich der Anschluss da. Dennoch glaube ich, dass wir nicht in der
Lage sind, zu erkennen, welche Art von Schnitt oder Bruch er-
folgt ist, dass wir noch zu nahe daran sind".[125]
Aber auch wenn Böll glaubt, die geschichtliche Kontinuität des
"Reiches" fehle, so ist er doch weit davon entfernt, den Null-
punkt, das Kriegsende als "künstliche Bereinigung" zu betrachten "im Sinne von: Damit haben wir nichts zu tun, jetzt fangen
wir neu an!" Er strebt nicht an, den Schrecken, die Schuld oder
die Verantwortung loszuwerden, sondern ist sich "vollkommen klar
darüber, dass man Vergangenheit nicht abschütteln kann".[126]
Es gebe jedoch Leute, die versuchten, "das Geschehene zu leugnen oder gar zu rechtfertigen". Den Beschluss, das Tragen der
alten Orden ohne Hakenkreuz zuzulassen, betrachtet Böll als einen Ausdruck dieses Versuchs. Böll hält diesen Entschluss für
eine "lügnerische Verniedlichung, die in der Geschichte noch
ihresgleichen sucht. Sie wurden m i t Hakenkreuz verliehen,
mit jenem Hakenkreuz, unter dem in den Konzentrationslagern die
Morde geschehen sind. Sollen die, die ihre Auszeichnungen tragen
wollen, sie mit Hakenkreuz tragen: wir werden dann wissen, wo
wir die zu suchen haben, die nicht unsere Brüder sind. Aber diese kleine Spinne wegzulassen, sie auswischen zu wollen, das ist
eine unverbindliche Nettigkeit, nicht der Opfer würdig, die dieses Zeichen gefordert hat. Es ist nicht unehrenhaft, sich zu irren, sich irreführen zu lassen, die Musik eines Rattenfängers
mit der Melodie zu verwechseln, die eine neue Zeit einleitet
- aber unehrenhaft ist es, diesen Irrtum als die Ehre der Toten
in die Geschichte transportieren zu lassen.
Es blieb bis zum Ende des Krieges für jeden noch das Alibi mög-

lich, d a v o n nichts gewusst zu haben. Aber dieses Alibi
gilt heute nicht mehr, gilt seit zehn Jahren nicht mehr. ... Es
blieb jedem Schuldigen die Möglichkeit, zu bekennen, es blieb
jedem die Möglichkeit der Konversion - aber es darf keinem in
unserem Staat die Möglichkeit gegeben werden, das Geschehene zu
leugnen oder gar zu rechtfertigen."[127]

Ein weiterer Weg, die 'Vergangenheit zu bewältigen', ist der
Versuch, ihr den Schrecken zu nehmen, indem man die Geschichtsbücher auf das Unrecht anderer hin untersucht: "Wie wenige triumphieren nicht, nicht wenigstens insgeheim, wenn sie davon erfahren, dass auch andere Völker als das deutsche sich in ihrer
Geschichte der Grausamkeit, des Mordes schuldig gemacht haben.
... Die Völker, ..., halten sich gegenseitig ihre Untaten vor,
zählen sie ab, teilen sich in die Morde der Geschichte wie Diebe
in ihre Beute. ... Hitler wird bei dieser Betrachtungsweise nur
zu einem, der ein wenig zu weit ging, zu einer Art missglücktem
Napoleon."

Für Böll auch dies ein völlig ausgeschlossener Weg, denn: "Wer
dieses Triumphes fähig ist, ist unfähig, die Frage 'Wo ist dein
Bruder?' zu beantworten, indem er triumphiert, billigt er schon
den nächsten Mord. ... Geschichtsbücher werden mit hämischer
Akribie auf Morde und Gewalttaten anderer hin untersucht, als
ob dadurch die eigene Schuld auch nur um ein Tausendstel geringer würde. Es wird dadurch nur der Mord als eine Konsequenz, der
man nicht ausweichen kann, in die zukünftige Geschichte transportiert. Die Verwirrung wird gesteigert, das Gewissen des einzelnen gestört." Und: "Wir wissen genau, wie weit Hitler ging:
Wohin sich seine Macht ausbreitete, breiteten sich Mord und Unrecht aus."[128]

Die am weitesten verbreitete Haltung der Geschichte gegenüber
besteht jedoch darin, das Vergangene weder zu leugnen, noch zu
rechtfertigen, sondern unter Gleichgültigkeit zu begraben: "Wir
hören es gern, wenn die Zeit, in der wir leben, als einmalig bezeichnet wird, als ausserordentlich; sie ist es: wohl niemals
ist das Ausmass der Gleichgültigkeit,[129] der gewaltigen Summe

63

der Schmerzen, der Litanei der Leidenden gegenüber so gross gewesen. Niemals wohl ist die Majestät des Todes so gering ge-
schätzt worden. Diese Geringschätzung billigt den Mord von morgen, geht achselzuckend über den Tod von morgen hinweg, nimmt
ihn heute schon in Kauf. Trauer ist eine unbekannte Grösse,
Schmerz hat keinen Kurswert. Gähnend geht man zur Tagesordnung
über, gibt sich der Täuschung hin, die Kräfte, die das Unheil
auslösten, hätten aufgehört zu existieren; sie wären durch eine
andere Staatsform zu bändigen, durch Kommissionen zu kontrollieren; an einem bestimmten Tag wäre der Keim getötet worden. Eine
verhängnisvolle Täuschung. Die Stifter des Unheils haben ihr
Ziel erreicht, wenn, wie es sich in unserer Gesellschaft zeigt,
dem Tod des Einzelnen kein Respekt mehr erwiesen wird.
Trauer ist eine Grösse, Schmerz hat einen Wert."[130]
"Geschichte sollte die Aufzeichnung dessen sein, was geschehen
ist, und die Frage, die an uns gerichtet wird - 'Wo ist dein
Bruder?' - auf diese Frage sollten wir uns nicht die unverbindliche Antwort erlauben: Mein Bruder ist in der Geschichte verlorengegangen. Wo, an welchem Punkt dieser Geschichte ist er verlorengegangen? Ist er in Maidanek ermordet worden, in einem
Kriegsgefangenenlager verhungert, in Russland gefallen, oder ist
er als Deserteur erhängt worden? Geschichte ist überall geschehen, und unsere Brüder, unsere Schwestern, sollen sie nichts weiter gewesen sein als das Material für diese Geschichte, nichts
weiter als die ungezählten Toten, die nun einmal zur grossen Geschichte gehören! Hier, vielleicht an dem Baum, der vor der Tür
steht, ist mein Bruder erhängt worden - hier, von dem Bahnsteig
aus, an dem heute prunkvoll und mit all der Würde, die ein junger Staat sich schuldig ist, ausländische Ehrengäste empfangen
werden, ... ist er in das Vernichtungslager transportiert und
auf dem Verwaltungswege ermordet worden."[131]
In den Geschichtsbüchern jedoch wird gern eine "betrügerische
Interpolierung" betrieben, "wird abgerundet: Wo ist denn dein
Bruder? Er ist hinter den Nullen verborgen, die in den Geschichtsbüchern am Ende der vielstelligen Zahlen stehen. Die

Zahl spielt dabei ein wichtige Rolle: Die überlebenden Mörder
streiten sich darum, ob vier oder sechs Millionen Juden ermordet
worden sind; in solchem Streit lebt die Barbarei, die sie ermor-
dete, unvermindert fort! Abgerundete Zahlen erdrücken den einzelnen, sie sind so schnell ausgesprochen: 6 Millionen, da
bleibt nur die Sechs im Gedächtnis, diese grossen groben Zahlen
verschieben das Geschehen ins Astronomisch-Unkontrollierbare,
aber der Mord ist nicht auf dem Mond geschehen, hier, nicht sehr
weit entfernt: Auschwitz liegt nicht sehr weit entfernt von Austerlitz. Austerlitz ist der Platz in unseren Geschichtsbüchern
gesichert. Hoffen wir, sorgen wir dafür, dass auch für Auschwitz
der Platz gesichert wird, ... unsere Brüder sind verborgen hinter den sieben Nullen einer achtstelligen Zahl: ein ganzes Volk
von Toten, dessen Fürsten die ermordeten Kinder sind. ... Mein
Bruder, mein liebster vielleicht, war der, den selbst die zuver-
lässigste Forschung vergessen könnte: der aus der Sieben am Ende
einer achtstelligen Zahl eine Acht machen würde: Keiner darf
verlorengehen durch die grosszügige Interpolierung: ein Säug-
ling, durch Bomben getötet, ein jüdisches Kind aus einem galizi-
schen Dorf, verachtet von seinen Mördern, ein einziger russi-
scher Knabe vielleicht, der in die Todesmühlen geriet."[132]
Die wenigen, die sich eine "aktive Nachdenklichkeit" bewahrt haben, in der die Frage nach dem Bruder noch möglich ist, diese
wenigen bestimmen den Wert ihrer ganzen Generation.[133] Es sind
dies nicht die Ehrgeizigen, die Erfolgreichen, die öffentlich
Bekannten[134], sondern "jene, die meistens unbekannt sind - die
nur nicht, weil sie dem stillen Terror der anderen unterliegen,
den Mut haben, sich zu melden. ... Die, die sich nicht von der
Patina täuschen, sich von diesem Staub nicht ersticken lassen;
ich meine die, zu denen man Bruder oder Schwester sagen könnte,
ohne dabei den üblen Geschmack auf der Zunge zu spüren, den man
spürt, wenn man eine Phrase, wenn man falsches Pathos aus sich
herausgewürgt hat. Es sind die wenigen aus jeder Generation, denen man ausgeliefert sein, von denen man abhängig sein könnte,
ohne Furcht, ohne Angst, ohne Terror spüren zu müssen. Ich mei-

ne weder Gipsfiguren noch Engel, sondern Menschen, denen das Gefühl des Triumphes fremd ist."[135]

Um den einzelnen Toten, um das unter der Last der Geschichte leidende Individuum geht es Böll zuallererst. Aber auch wenn er Antwort zu geben versucht auf die Frage, wer die menschliche Geschichte vorantreibt,gerät ihm zunächst meist das Individuum ins Blickfeld. Über Franz von Assisi schreibt Böll: "Nur ein paar Funken persönlichen Ehrgeizes, nur ein bisschen Sinn für 'politische Realität', und dieser kleine Kaufmannssohn aus Assisi hätte die Christenheit gespalten wie kein zweiter vor und nach ihm. Nur ein kleiner Hauch von Demagogie: sie wären für ihn 'durchs Feuer gegangen', sie hätten Rom, Mailand, Florenz für ihn in Brand gesteckt; unter dem Banner der Besitzlosigkeit hätten sie die Welt in Besitz genommen. ... Der kleine Kaufmannssohn hatte Europa in der Hand wie einen Ball; er warf ihn nach Rom zurück."[136]

Im Aufsatz 'Bekenntnis zur Trümmerliteratur' heisst es: "Zu Anfang des 20. Jahrhunderts lebte in einem süddeutschen Gefängnis ein junger Mann, der ein sehr dickes Buch schrieb, ... und wir brauchen nur die Augen aufzuschlagen: wohin wir blicken, sehen wir die Zerstörungen, die auf das Konto dieses Menschen gehen, der sich Adolf Hitler nannte ..."[137]

Im Gegensatz dazu stehen Bölls 'Gedanken zum Eichmann-Prozess'. Es sei sicher, dass in Jerusalem nicht Eichmann allein vor Gericht stehe: "die Geschichte, die ihn an jene Stelle trug, ist nicht eine zufällige gewesen, zufällig an ihr mag nur eine Erscheinung wie Eichmann sein, der auswechselbar gewesen wäre."[138] Welche Kräfte im Dritten Reich am Werk waren, vermag Böll allerdings nicht zu sagen. Zwar wüssten wir, "dass es Kleinbürger waren, die diese so blutige und kalte Revolution vollzogen, eine Revolution, die keine war, weil diese Kleinbürger legale Rückendeckung brauchten: der Mord musste erst Gesetz und Pflicht werden". Aber es sei ein Irrtum anzunehmen, "diese Kleinbürger wären undämonisch gewesen: der neue, der sentimentale Dämon, der bürokratische, war hier am Werk, ein echter Dämon, fast ungreifbar, aber wirklich".[139)

Nach dem Krieg hoffte Böll nicht auf Organisationen, sondern darauf, dass der Geist der Brüderlichkeit, der sich im Widerstand gegen die Diktatur ansatzweise gezeigt hatte[140), in die Politik eingehen würde.

2.2.2. Die Überlebenden und die Lehre der Toten

Es gibt nach dem Krieg nur Überlebende[141), genauer "Mit-Überlebende", denn mit jenen, die "nicht ganz Kain, nicht ganz Abel" sind, überlebt der Brudermörder.[142) Den Masstab für das Tun und Lassen der Überlebenden bildet die "Lehre, die die Toten uns geben", denn nur sie kann den neuen Mord verhindern: "Wir sollten einmal versuchen, unsere toten Brüder und Schwestern zu Zeugen des Lebens zu machen, das wir hier und heute führen: eine gespenstische Vorstellung, dass die Toten uns zusehen, dass sie uns beobachten: ein ganzes Volk von Toten, das sich rings um Europa gruppiert und uns zuschaut, eine dichte Klagemauer, in der ich die abenteuerlichsten Kleider nebeneinander sehe: jüdisches Proletariat aus den Dörfern und Städten Galiziens, Soldaten in den Uniformen aller Nationen, aller Ränge, erschossene Deserteure neben anderen, die hohe Auszeichnungen tragen, und diese wiederum neben Männern, Frauen und Kindern aus jenen Völkern, die sie vielleicht verachtet haben. Wenn wir uns Christen nennen und an die Unsterblichkeit glauben, so ist diese Vorstellung durchaus kein Hirngespinst. Ich sehe in den Gesichtern der Toten keinen Triumph, nur Trauer und die Bitternis einer verzweifelten Vergeblichkeit. Triumph sehe ich nur in den Augen derer, die schuldig waren und die allen Grund haben, zu triumphieren, denn nicht die Lehre, die die Toten uns geben, wird erfüllt, eher die Lehre der anderen. ... Eine neue Katastrophe würde uns nicht gewappnet finden mit Brüderlichkeit."[143)

2.3. Die Reibung zwischen dem einzelnen und der Geschichte

2.3.1. Das pathetische Wir. Zeitgenossenschaft und Identifikation mit der eigenen Generation

Böll verstand sich immer als Zeitgenosse und betrachtete die Auseinandersetzung mit der Gesellschaft als dringende Aufgabe.[144]

Diese Zeitgenossenschaft enthielt sich zunächst einer politischen Parteinahme, war vielmehr Identifikation mit allen, die aus dem Krieg kamen: "Männer und Frauen in gleichem Masse verletzt, auch Kinder."[145] Über die ersten schriftstellerischen Versuche "unserer Generation [!] nach 1945" schreibt Böll: "... wir als Schreibende fühlten uns ihnen so nahe, dass wir uns mit ihnen identifizierten. Mit Schwarzhändlern und den Opfern der Schwarzhändler, mit Flüchtlingen und allen denen, die auf andere Weise heimatlos geworden waren, vor allem natürlich mit der Generation, der wir angehörten ..."[146]

Immer wieder fühlt sich Böll zu einer Apologie seiner Generation verpflichtet[147]: Die Angehörigen dieser Generation seien fünfzehn, sechzehn Jahre alt gewesen, als Hitler an die Macht kam, bei der Gründung der BRD, als "die Schienen gelegt, die Weichen gestellt, die Posten verteilt wurden, als der Stil dieses Staates - Frack und Zylinder, Homburg, Aktentasche (insgesamt ein Sektreklamestil) - festgelegt wurde", seien die zahlenmässig unterlegenen Dreissigjährigen zum grossen Teil noch in "Gefangenenlagern, krank, verwundet, politisch belastet, schlecht eingestuft" gewesen. Obwohl damals ausgeschlossen, seien sie später, "als das Muster unverändert festlag, der Stil bestimmt war, jedes Rütteln daran als 'bolschewistisch' zu diffamieren", für die Zustände in diesem Staat verantwortlich gemacht worden.[148]

In scharfer Form setzt sich Böll mit dem Argument auseinander, die Literatur seiner Jahrgänge sei dünn gesät: "Es kommt, wenn wir von Tradition und Verpflichtung sprechen, noch etwas sehr Wichtiges hinzu: wir, ich muss hier für ein paar Augenblicke das pathetische Wir anwenden, wir waren nur sehr wenige. Es waren die Jahrgänge, die im ersten Weltkrieg geboren waren, wo [?[149)]] man sie entweder gebrauchen konnte oder einsperrte, weil sie sich nicht gebrauchen liessen. Es ist ein sehr beliebtes Argument einiger Kritiker, die mit einem gewissen hämischen Unterton immer wieder sagen, wie dünn gesät die Literatur unserer Jahrgänge sei. Dieses Argument ist genau besehen einfach schweinisch. Ich bitte die Schweine um Verzeihung. Wenn Sie im Handbuch des Bundesamtes für Statistik einmal anschauen, wieviel Überlebende mein Jahrgang etwa hat oder die Jahrgänge 14 bis 23, dann finden Sie keine Worte mehr, um dieses saudumme .... Argument zu bezeichnen, zumal wenn Sie dazu bedenken, dass es die Angehörigen dieser Kritiker-Jahrgänge waren, die uns damals zu Gehorsam, zu Pflichterfüllung, zu Opfer und Einsatz aufforderten und einfach einen Teil unserer Altersgenossen auf dem Gewissen haben. Da wird die Dummheit dann apokalyptisch. Nun, wir waren wenige, und das machte die Sache nicht leichter. Stil entsteht auch durch Reibung aneinander, und es gab diese Reibung nicht, es gab auch lange kein sogenanntes Echo."[150)] Zeitgenossenschaft heisst für Böll auch: Deutscher zu sein: Bei der Frage, die Böll häufig stellt, was denn eigentlich "deutsch" sei[151)], versteht er das Adjektiv jedoch nicht national, schon gar nicht nationalistisch[152)], sondern in einem erweiterten Sinn von Nachbarschaft, und es ist ihm ein wichtiges Anliegen, dass der einzelne nicht in ein Klischee gezwängt wird.[153)] Diese Konzeption des Begriffes "Deutsch" erweist sich auch in der intensiven Beschäftigung mit der nähern und nächsten Umgebung, mit Köln, dem Rhein und dem Rheinland[154)], sowie in der späteren Suche nach Heimat und in der Beschränkung auf das Provinzielle.[155)]

Von der Identifikation mit allen, die aus dem Krieg kamen, hat sich das Gefühl der Zusammengehörigkeit gegenüber den Schriftstellern der gleichen Altersklasse am längsten erhalten.[156)] Sonst hat sich eine Vorliebe für den "vulgus", zu dem Böll sich selbst zählt, herausgebildet.[157)] In seiner 'Verteidigung der Waschküchen' bekennt Böll, "grössenblind" zu sein: "Was das Armeleutemilieu betrifft, so frage ich mich schon lange, welche andern Milieus es noch gibt: das Feineleutemilieu, das Kleineleutemilieu (nach dem Motto: arm aber brav), das Grosseleutemilieu; das Grosseleutemilieu ist mir durch die Geschicklichkeit moderner Reklame erspart: Die Grossen der Welt tragen Rollex-Uhren. Was habe ich da noch mitzuteilen? Die kleinen Leute? Ich bin grössenblind, so wie man farbenblind ist, ich bin milieublind und versuche, Vorurteilslosigkeit zu üben, die gar of mit Urteilslosigkeit verwechselt wird. Grösse ist eine Vokabel, die nicht vom sozialen Ort abhängt, so wie Schmerz und Freude unabhängig vom Sozialen sind; auch in Waschküchen werden stundenlang Banalitäten ausgetauscht, und vielleicht gibt es unter den Grossen der Welt tatsächlich Grosse; geben wir ihnen eine Chance."[158]

2.3.2. Die Kapitulation der katholischen Kirche

Wir haben bereits gesehen, dass Böll nach dem Krieg seine Hoffnungen nicht auf Organisationen setzte. Dass der kritische Zeitgenosse mit ihnen in Berührung kam, war jedoch unvermeidlich. Und dass daraus Konflikte entstanden, ist aus dem bisher Gesagten ebenfalls verständlich. Am ausführlichsten und auch am heftigsten setzte sich Böll zunächst mit den Institutionen und Organisationen des offiziellen Katholizismus auseinander.
Die erste Station dieser Auseinandersetzung ist der 'Brief an einen jungen Katholiken', der von Gedanken zu Einkehrtagen für einrückende Rekruten ausgeht.[159] Der wohl schwerwiegendste Vorwurf geht dahin, die Theologen hätten sich "aufs politische Feld drängen lassen" und "verweigern uns jenes andere, das Wort, von dem wir leben".[160]
"Es wird bald in Deutschland viele Katholiken geben, die mit ihren Glaubensbrüdern und -schwestern nur noch ihren Glauben gemeinsam haben; ja, Sie haben recht gelesen, ich schrieb: n u r; es gibt ja keine religiösen Auseinandersetzungen mehr, nur noch politische, und selbst religiöse Entscheidungen, wie die des Gewissens, werden zu politischen gestempelt ..."[161]

Dass die Kirche eine - von Böll aus gesehen - verkehrte Politik
betreibt, kommt als verschärfend hinzu. Die "Fast-Kongruenz von
CDU und Kirche" empfindet Böll als "verhängnisvoll ..., weil sie
den Tod der Theologie zur Folge haben kann".[162] "So können Sie,
lieber Herr M.", schreibt Böll, "bei Pfarrer U. getrost etwaige
Zweifel am Dogma von der leiblichen Himmelfahrt Mariens äussern;
es wird Ihnen eine höchst subtile, gescheite und theologisch
saubere Unterweisung zuteil werden; sollte es Ihnen jedoch ein-
fallen, Zweifel am (unausgesprochenen)Dogma von der Unfehlbarkeit der CDU zu äussern, wo wird Pfarrer U. auf eine nervöse Weise ungemütlich und unsubtil. Sie können auch getrost das Gespräch auf die Christus-Vision des Heiligen Vaters bringen; man
wird Sie auf eine liebenswürdige Weise darüber aufklären, dass
Sie nicht verpflichtet sind, daran zu glauben; aber sollten Sie
Zweifel äussern an irgendeinem Satz des Heiligen Vaters, der eine Wiederbewaffnung Deutschlands rechtfertigen könnte, wird das
Gespräch wiederum höchst ungemütlich."[163]
Die Kapitulation der Theologie vor der Politik, die - wie wir
gesehen haben - von den "Männern ohne Erinnerungsvermögen" be-
herrscht wird, findet ihren Niederschlag auch in der "Turnlehrertheologie": "die Katholiken immer vorne, wir sind doch keine
Schlappschwänze. Ach, junger Freund, zwei Himmelreiche, drei,
für einen Priester, der einmal die Schwachen, die Feigen, die
Plattfüssler, die körperlich Untüchtigen gegen diese Turnlehrer-
theologie verteidigen würde".[164] Als Stütze für die Aufforderung zum Gehorsam und zur Tapferkeit dient der "Hauptmann von
Kapharnaum, auf dessen schwache Schultern man seit etwa einem
Jahrhundert die theologische Rechtfertigung der allgemeinen
Dienstpflicht zu laden pflegt".[165]
Zur überkommenen Turnlehrertheologie trete neuerdings eine
"Buchherstellertheologie" hinzu: "Als die Frage der Wiederbewaff-
nung Deutschlands diskutiert wurde, gab der Bundesverband der
deutschen katholischen Jugend eine Denkschrift heraus; in dieser
Denkschrift hatte sich irgend jemand abgequält, eine Form für
das Gebetbuch des zukünftigen deutschen Soldaten zu finden; die
'nötige Strapazierfähigkeit und Gediegenheit' dieses Gebetbuchs

sollte durch 'gutes Dünndruckpapier und einen flexiblen Leinen-
einband erhöht werden'. Das sind genau die Sorgen der deutschen
Katholiken. Jedes einzelne Wort dieses Satzes wäre fast eines
eigenen Pamphletes wert: ... Ich habe in Russland zu viele Menschen sterben sehen, auf den Kampfstätten, in den Lazaretten,
und ich kann diesen Satz als nichts anderes empfinden als eine
teuflische Blasphemie, deren Wurzel ich in der Geschmäcklerei
der deutschen Katholiken suchen muss. Angesichts des Todes, den
die Brüder und Schwestern, die nach Auschwitz verschleppten Nach-
barn und Schulkameraden des Urhebers dieses Satzes erlitten haben, könnte nur ärztlich bescheinigter Schwachsinn mich bewegen,
diesen Satz zu verzeihen, doch wäre dann der Bundesvorstand der
deutschen katholischen Jugend immer noch dafür verantwortlich,
dass er Schwachsinnigen die Abfassung einer Denkschrift zur
Wehrfrage überlässt; zwei Millionen Mitglieder dieses Verbandes
haben solches offenbar unwidersprochen hingenommen, und offenbar
ist es keinem der Seelsorger klargeworden, welch ein teuflischer
Wahnwitz sich hinter einem solchen Satz verbirgt ..."[166]
Wenn die Priester vor den sittlichen Gefahren des Wehrdienstes
warnten, also theologisch argumentierten, dann verfielen sie dem
"immensen theologischen Irrtum", Moral mit sexueller Moral zu
identifizieren[167]: sie warnen vor Bordellbesuchen.[168] Hingegen
sei während des Einkehrtages, den Böll 1938 besuchte, "kein Wort
über Hitler, kein Wort über Antisemitismus, über etwaige Konflikte zwischen Befehl und Gewissen" gefallen.[169]
Für Böll, als er in M.s Alter war, sei es "eine sittliche Gefahr
hohen Grades" gewesen, "als der Vatikan als erster Staat mit
Hitler einen Vertrag schloss; diese Anerkennung war weitaus fol-
genreicher als heute etwa die diplomatische Anerkennung Pankows
durch Bonn wäre. Bald nach Abschluss dieses Vertrags ... galt es
als schick, in SA-Uniform zur Kommunionbank zu gehen, ... aber
es war nicht nur schick und modisch, sondern auch logisch, und
wenn man nach der heiligen Messe dann zum Dienst ging, durfte
man wohl getrost singen: 'Wenn das Polenblut, das Russenblut,
das Judenblut ...'; dreissig Millionen Polen, Russen, Juden ha-

ben den Tod erlitten, lieber Herr M. Sittliche Gefahren? Es
gibt deren unzählige, sobald man anfängt nachzudenken, ..."[170]
Böll ist auch ein Dorn im Auge, dass die Kirche deren offizielle
Haltung Kollaboration mit dem nazistischen Regime war, sich nach
dem Krieg auf die katholischen Widerstandskämpfer beruft, ohne
sich von der Kollaboration zu distanzieren: "Es ist üblich geworden, immer dann, wenn die Haltung der offiziellen katholischen Kirche in Deutschland während der Nazizeit angezweifelt
wird, die Namen der Männer und Frauen zu zitieren, die in Konzentrationslagern und Gefängnissen gelitten haben und hingerich-
tet worden sind. Aber jene Männer, Prälat Lichtenberg, Pater
Delp und die vielen anderen, sie handelten nicht auf kirchlichen
Befehl, sondern ihre Instanz war eine andere, deren Namen auszusprechen heute schon verdächtig geworden ist: das Gewissen."[171]
Über die vom Gedanken der Autonomie der Kunst bestimmte Auseinandersetzung mit der Kirche, die ihren Niederschlag etwa im
Aufsatz 'Kunst und Religion' findet, haben wir oben schon gesprochen (s.1.1.)
In einem Aufsatz aus dem Jahre 1961 polemisiert Böll heftig gegen die Kirchen, weil sie die "Sozialzote" des 'HAST DU WAS,
DANN BIST DU WAS', die in den Medien "abgebetet" wird, nicht be-
kämpfen, sondern im Gegenteil "zum wohltemperierten theologischen Unterbau für alle Ratschläge, die ein Kirchenfürst seinen
Erzdiözesanen schuldig ist", machen.[172]
Anlass der Polemik war der "Fastenhirtenbrief des Kölner Erzbischofs und Kardinals", in welchem dieser die "Gläubigen auffor-
dert, 'durch Erwerb von Anteileigentum, etwa am Betriebskapital
des Werkes, in dem man arbeitet, durch Beteiligung am Invest-
menttrust und ähnliches Eigentum zu erwerben. Dadurch wird der
eigenen Familie Widerstandskraft gegeben, und der Hausvater gewinnt das beruhigende Bewusstsein, wenn er einmal sterben muss,
'seine Hinterbliebenen nicht ganz unversorgt zu lassen'." Dazu
meint Böll, wenn er sich recht erinnere, sei "innerhalb einer
einzigen Generation zweimal alles Ersparte weggeräubert worden",
seien "die braven Sparer zweimal zu Habenichtsen geworden". Für

"jeden Christen erbaulich" werde der Text dann auch erst im folgenden Abschnitt des Hirtenbriefes:"'Eine solche breite Eigentumsstreuung würde die soziale Ordnung im Volk wesentlich befestigen, die wirtschaftliche Kapitalbildung sichern, die Arbeiterschaft und überhaupt die minderbemittelten Volkskreise gesellschaftlich heben und in das Volksganze eingliedern. Staat, Gemeinden und Betriebe mögen alles tun, um diese Entwicklung zu fördern.'"

"Sollte es tatsächlich möglich sein", fragt sich Böll, "dass Arbeiter und ü b e r h a u p t Minderbemittelte gesellschaftlich gehoben, ins Volksganze eingegliedert werden müssen durch B e s i t z? Es gibt ein sehr schönes Wort für minderbemittelt: arm, und einer der grössten Heiligen, den dieses verruchte Abendland hervorgebracht hat, Franz von Assisi, war mit der Armut vermählt Hat es ü b e r h a u p t je einen reichen Heiligen gegeben? Ganz zu schweigen vom Nadelöhr. Die Heiligsprechung des Habenichts von Assisi war wohl ein Irrtum, wie die Heiligsprechung des Habenichts Johannes Maria Vianney und die des Oberhauptes aller modernen Habenichtse: Joseph Benedikt Labre? Vielleicht sollte man versuchen, die gesellschaftlich ein wenig zu heben, indem man ihnen ein bisher geheimgehaltenes Sparkonto oder ein posthum entdecktes Aktienpaket in den Nachlass schmuggelt. Überlassen wir die heute lebenden Habenichtse, die keine Aussicht haben, je kanonisiert zu werden, getrost den Kommunisten. HAST DU WAS, DANN BIST DU WAS. Ob auf uns die fürchterliche Formel lauert: HAST DU NICHTS, BIST DU KEIN CHRIST?"[173]

Zu Carl Amerys Buch 'Die Kapitulation oder Deutscher Katholizismus heute' hat Böll das Nachwort verfasst. Es gehe in diesem Buch nicht darum, ein paar Aussenseiter, Individualisten und Sektierer gegen den gelegentlich unbarmherzigen deutschen Katholizismus zu verteidigen, schreibt er, "es geht um mehr, fast ums Ganze, es geht darum, den deutschen Katholizismus von seiner Schizophrenie zu heilen."[174] Dass Reinhold Schneider auf einem Katholikentag seine Rede gegen die Wiederaufrüstung nicht habe halten dürfen, zeige, dass es eine Einheit der deutschen Katholiken nicht gibt. "An keiner Person besser als an der Reinhold

Schneiders lässt sich nachweisen, wie schnöde der deutsche Katholizismus an deutschen Katholiken zu handeln vermag. Reinhold Schneider hatte alles, was 'man' sich nur wünschen konnte: er war auf eine ritterliche Weise konservativ, er war ein Dichter des inneren Widerstands, gelobt, geehrt und vorgezeigt, als er aber die ersten Anzeichen der Kapitulation des deutschen Katholizismus vor dem Nachkriegsopportunismus angriff, zeigte sich, welcher Natur seine Partner gewesen waren: er wurde denunziert und diffamiert. Freilich, da 'funktionierte' einer nicht, den man behaglich als konservativen Katholiken für sich beansprucht hatte. Wo blieb der Schutz der Hirten und Oberhirten?"[175]

Es gebe sechsundzwanzig Millionen westdeutsche Katholiken und einen westdeutschen Katholizismus. "Die Frage, ob und wie dieser die sechsundzwanzig Millionen repräsentiert, ist nie so recht gestellt worden. Gern mokiert man sich gelegentlich über die sogenannten Taufscheinkatholiken, kirchensteuerzahlende Gleichgültige, deren Steuergeld aber offensichtlich nicht so schmutzig ist, dass man's empört zurücküberweisen müsste. Es gibt keine theologische Möglichkeit, einen Taufscheinkatholiken als solchen zu bezeichnen. Wer repräsentiert im deutschen Katholizismus diese ungeheuer grosse Zahl der Gleichgültigen?"[176]

Der deutsche Katholizismus äussere sich immer nur offiziös. "Das Wort offiziös bezeichnet den zweideutigen Zustand genau, man legt sich nicht fest, drückt doch aus, was man ausdrücken möchte und was doch als offiziell empfunden wird: dass es gute und schlechte Katholiken gibt. Die guten ins Töpfchen 'deutscher Katholizismus', die schlechten ins Kröpfchen und der KNA zum Frass. Wer bei der Aussortierung in gute und schlechte Katholiken das Aschenputtel spielt, weiss niemand genau."[177] Peinlich sei, dass man auch den schlechten Katholiken die beiden Eigenschaften, deutsch und katholisch zu sein, nicht absprechen könne. "Und wer repräsentiert im deutschen Katholizismus die schlechten Katholiken, die ins Kröpfchen geraten sind? Sie werden auf offiziöse Art 'eingestuft', ganz gleich, ob sie wie Reinhold Schneider von 'rechts' kommen, oder wie andere von 'links'."[178]

Es gehe in Amerys Versuch nicht um die "Hilfsbezeichnungen
Rechts- und Linkskatholiken", sondern "um die Zweideutigkeit,
mit der der deutsche Katholizismus vor einem einzigen politischen Muster, das zum alleinseligmachenden erklärt wird, kapituliert hat."[179]

Nach Bölls Ansicht ist Amerys Versuch keine "Kündigung des Gesprächs, auch keine Bitte um ein solches, pathetisch ausgedrück
ist es eine Stimme einer Generation, die ungefragt (wir waren 1
16 Jahre alt, als die von unsern Vätern gewählten katholischen
Parteien Hitler ermächtigten) für die Kapitulation des deutsche
Katholizismus mitverantwortlich wurde, mitgebüsst hat und in ei
nen zweideutigen Zustand geriet."[180]

Die Hauptfrage des Buches sei, "ob ein Widerstand gegen den hei
losen Opportunismus einer Partei[181], der Widerstand gegen eine
sich fortschreitend politisierende Welt wieder nur Privatsache
bleiben wird. Ob ein junger Deutscher, der katholisch ist und
entschlossen, keinen Wehrdienst zu leisten, gezwungen ist, den
'Schwejk' zu spielen, sich mit den üblichen Kniffen und Tricks
dem Wehrdienst zu entziehen, oder ob er des Schutzes seiner Obe
hirten gewiss sein darf."[182]

Die 'Antwort an Msgr. Erich Klausener' aus dem selben Jahr ver-
einigt in sich die beiden Ebenen, auf denen sich Böll mit der
katholischen Kirche auseinandergesetzt hat: die theologisch-po-
litische und die literarische. Er betont nachdrücklich, die Kom
petenz der Kirche in Fragen der Kunst und Literatur habe er immer, in Fragen der Moral nie bestritten, er beginne aber langsam sogar an dieser Kompetenz zu zweifeln.[183] Diese Behauptung
ist für Rudolf Augstein "stark". Nach "Prälatchen" Klausener
stimmten Bölls Aussagen über Kirche und Christen, über Ehe und
Keuschheit gemessen an der Lehre der Kirche nicht. "Nicht stimmen? Nicht einmal in puncto Ehe und Keuschheit? Wie denn erst,
wenn es um Fragen einer etwas weniger privaten Moral geht, um
Vernichtungskriege gegen ferne Völkerschaften ... um die Ausbeu
tung geschundener Menschen, um die Stumpfsinnigkeit einer nur

noch soziologisch interessierenden Existenz?" Augstein erinnert
auch daran, dass Böll im 'Brief an einen jungen Katholiken' die
Gleichsetzung von Moral und sexueller Moral einen "immensen
theologischen Irrtum" nannte.[184]
Den Titel 'katholischer Schriftsteller', den Klausener ihm scheinbar absprechen möchte, habe er immer abgelehnt. Zudem findet
es Böll unzulässig, "mir vorzuwerfen, ich böte eine Substanz
nicht, die zu bieten ich mir nie angemasst habe[185], nicht etwa
aus Bescheidenheit, wie mir unterstellt wurde, schon gar nicht
p l ö t z l i c h bescheiden, wie mir weiterhin unterstellt
wurde, sondern mit jenem Hochmut, der dazu gehört, wenn einer
seine eigenen Grenzen erkennt."[186]
Böll vergleicht indirekt Klauseners Versuch mit der "Lineardia-
lektik, mit der in gewissen Ländern von gewissen Funktionären
gewisse Autoren an ihre 'Pflichten' erinnert werden".[187]
Auffällig an diesem Aufsatz ist die sarkastische Art Bölls, der
offensichtlich mit gleicher Waffe zurückschlägt.[188] Das Bemühen Klauseners ironisierend, bedauert er, keinen Aufschluss darüber erhalten zu haben, wie man denn nun einen christlichen Roman zu schreiben habe. Für positive Vorschläge, "aus denen eine
Art christlicher Traktorenliteratur werden könnte", sei er jederzeit zu haben.[189]

2.3.3. Die politischen Parteien. Flügel rauschen - doch kein
       Vogel erhebt sich in die Lüfte

Streng geht Böll auch mit den politischen Parteien ins Gericht.
Sein Essay im Sammelband 'Was ist heute links?' beginnt folgen-
dermassen: "Ich weiss nicht, was heute links sein könnte. Die
offizielle Linke hat ihren rechten Flügel, die Rechte ihren lin-
ken Flügel, ich höre die Flügel rauschen und weiss doch: kein
Vogel erhebt sich in die Lüfte. Es gibt so viele Mitten, die
Mitte der Rechten, die Mitte der Linken, die Mitte des rechten
Flügels der Linken und die Mitte des linken Flügels der Rechten.
Es gibt auch eine heimatlose Linke, ohne Flügel."[190]
Das Verhängnis der SPD sei ihr Name: "eine alte Sache, die vor

Jahrzehnten gelegentlich grossartig war. Sie ist die einzige Partei mit Tradition, ein weiteres Verhängnis". Die CDU brauche nur
ihr Ahlener Programm zu verraten, "das ohnehin keiner mehr kennt
Lauter schlechte Witze, lauter Zweideutigkeiten. Sich vorzustellen, dass der alte Windhorst in Köln, gegen den ausdrücklich und
sehr nachdrücklichen Rat des Papstes, das Nein der Zentrumspar-
tei gegen Bismarcks Wehretat proklamierte. Das war keine Bier-
tischpolitik, sondern offener Widerstand. Damit verglichen das
elende, feige Geflüster, wenn Politiker heute 'privat' - um Gottes willen, nur nicht weitersagen - ihre Ansichten über Ostpolitik, Grenzfragen äussern! Biertisch, ..."[191]
Besonders Adenauer gegenüber vermisst Böll diesen Widerstands-
geist. "Nicht Adenauer ist an Adenauer schuld - der ist, wie er
ist und bleibt, wie er ist -, sondern die sind schuld, redliche,
vernünftige Männder, die sich langsam ausbeuteln lassen und bald
nicht mehr wissen werden, ob sie noch Männer sind. Ein so redli-
cher Mann wie Brüning, ganz Reserveoffizier, war seinem Präsidenten, dem 'greisen Marschall', gegenüber nicht so untertan,
wie die redlichen Männer um Adenauer diesem untertan sind. Ein
alter Mann verschleisst nicht nur eine, gleich zwei Generationen und züchtet einen unartikulierten Groll, der auf unsere Häup-
ter kommen wird. 'Ich hab's ja immer gesagt', wird die Parole
sein, 'Ich hab's ja nicht gewollt', die Ausrede. Biertischparo-
len, Parolen einer Politik, die nicht gemacht wird."[192]
Böll stösst sich auch am "seltsamen Vokabularium", auf das sich
die Politiker geeinigt haben. "Statt Krieg sagen sie 'Ernstfall'
aber wenn's dann um Details geht, löst sich der Ernstfall wieder
auf: in einen Atomkrieg und den konventionellen Krieg. Das kling
wie Kaffeeklatsch. Bombardierte Städte, Panzer, Maschinengewehre
erschossene Gefangene - konventioneller Krieg." Es wundere ihn,
schreibt Böll, dass die SPD, nachdem ihr Vorschlag, jedem Deutschen ein Gewehr in die Garderobe zu hängen, gescheitert sei,
nicht nun vorschlage, jedem Deutschen eine Atomhandgranate ins
Handschuhfach seines Autos zu legen: "Der Traum vom Schweizer
Modell, da fehlen der Rütlischwur und ungefähr dreihundert Jahre

Geschichte. Das machen wir schon, wir sind ja ein flottes, tüchtiges Volk, das holen wir in zehn Jahren auf."[193)]

Böll, für den "links und rechts" nur "Hilfsbezeichnungen" sind, "die jede Art der Täuschung in sich schliessen", fragt sich: "Mein Gott, wieso kann man eigentlich Parteien nicht spalten und sich eine Heimat schaffen, eine Partei, die einer wählen könnte, ohne dass er das windige Gefühl haben muss, einen lahmen Flügel zu wählen?"[194)]

Der Aufsatz schliesst mit einem Vorschlag für ein Bild: "Wir nähern uns dem Einparteienstaat, der ein paar linke Flügelchen rauschen lassen wird. Im übrigen: lauter Mitten. Ein Titel für ein Bild: 'Zwischen den Mitten', rund wie Mühlsteine müssten die Mitten sein, in dauernder Bewegung um sich selbst, und was dazwischengerät, wird zermahlen."[195)]

2.3.4. Verbrauch ist Opium fürs Volk

"Die Erkenntnis, dass ohne Arbeiterbewegung, ohne die Sozialisten, ohne ihren Denker, der Karl Marx hiess, mehr als fünf Sechstel der heute Lebenden noch in einem dumpfen Zustand halber Sklaverei lebten; dass ohne Kampf, ohne Aufstände und Streiks, die erweckt, gelenkt werden mussten, die Kapitalisten nicht einen halben Schritt zurückgewichen wären - alles verschwindet hinter den Drohreden von Herrn Chruschtschow und wird, hinter den Eisernen Vorhang gerückt, zum Schreckgespenst. Dass die westliche Welt Karl Marx Dankbarkeit schuldet, obwohl die östliche sich zu diesem bekennt, scheint ein zu komplizierter Gedanke zu sein, als dass er Aussicht hätte, Karl Marx davor zu bewahren, unseren Kindern als Schreckgespenst geschildert zu werden."[196)]

Böll, der diese Fortschritte, die Marx und die Arbeiterbewegung gebracht haben, anerkennt, diagnostiziert gleichzeitig eine zwiefältige Pervertierung der Marxschen Ideen. Als Karl Marx starb, sei seine Lehre noch nicht im taktischen Sinn politisch wirksam gewesen: "sie gärte noch; vieles an ihr war unausgärbar, manches explodierte; in die Hände der Politiker gegeben, erwies sich seine Lehre als ein blutiges Instrument: vielleicht nur, weil die Welt die Antwort auf Marx schuldig blieb, seine Irrtümer benutzte, um seine Wahrheiten zu verdecken".[197]

Die westliche Welt habe auf Marx geantwortet, "indem sie das historische Material, das seinem historischen Materialismus zur Grundlage diente, geändert hat". Damit habe sie sich in einen "heillosen Materialismus" manövriert, in den die "Christen auf eine heillose Weise verstrickt" seien.[198]

Der klassische Kapitalist, "wie Karl Marx ihn verstand und wie er heute noch lebt", befolge den "Marxschen Satz, dass ökonomische Umstände Geschichte und Gesellschaft bestimmen, und er gestaltet die ökonomischen Umstände so, dass sie dem historischen Materialismus seine Voraussetzung nehmen. Er macht den Proletarier zum bürgerlichen Verbraucher, handelt konsequent und uneingeschränkt materialistisch". So wie Marx Hegel 'umstülpte', stülpe der Kapitalist Marx um, bestätige ihn - "freilich auf eine Weise, die Karl Marx in Wut versetzt hätte, denn von Erweckung des Bewusstseins kann bei dem derart beglückten Proletarier keine Rede sein. Beim Beglücker eher." Marx würde heute wahrscheinlich sagen: "Verbrauch ist Opium fürs Volk und deshalb Religion."[199]

"Wie in der westlichen Welt ... Verbrauch das neue Opium ist (des Opiums scheint man irgenwie zu bedürfen, um das, was Marx anstrebte, Bewusstsein, zu verhüten), so ist in der östlichen Welt ... der 'Marxismus' selbst zum Opium geworden." Marx zu kanonisieren, seinen historischen Materialismus der Jahre 1850 bis 1880 zu dogmatisieren, Lenin und Stalin als Inkarnationen von Marx zu erklären, bedeute,"ihn auf eine bösere Weise zu verfälschen, als die westlichen Sozialdemokraten je fähig wären". Die östliche Welt habe den blutigen Preis von Revolutionen und Säuberungen, der Niederwerfung von Aufständischen an Marx und seine Inkarnationen wie an Götzen entrichtet.[200]

Die schlimmste Pervertierung des Marxismus habe man jedoch im deutschen Teil der östlichen Welt gezüchtet: "die Arbeiter werden in Opium essende Bürger verwandelt, die Intellektuellen wer-

den - freiwillig oder unfreiwillig - in elfenbeinerne Türme eingesperrt, entweder Gefängniszelle oder Luxushotel. Es fehlt dieser Erscheinungsform eines marxistischen Staates auch nur der
allergeringste Anschein, auf einer echten Revolution zu beruhen.
In der verhängnisvollen deutschen Neigung, blindlings zu parie-
ren, hat man den historischen Materialismus angewendet, ohne das
historische Material zu sichten, und so kam ein deutsches Wunder
an Devotion und subalterner Gründlichkeit zustande, das Lenin
zu einem teuflischen Lachen und Marx zu einem verächtlichen
Spucken veranlasst hätte.
Im Westen wie im Osten scheint Marx ad absurdum geführt. ...
Eine Erde, auf der zwei Drittel ihrer Bewohner hungern, die immer noch nach dem Schweiss der Ausgebeuteten stinkt, scheint
seiner nicht zu bedürfen. Mag sein, dass man in hundert Jahren
in den jetzigen Hungergebieten dieser Erde auch den Verbrauch
stoppen, die Konjunktur bremsen muss - die Unternehmer auffordern, es 'mit den Gewinnen nicht zu übertreiben', könnte man
möglicherweise schon heute. ... Das historische Material liegt
bereit, der Marx des zwanzigsten Jahrhunderts fehlt."[201]
Nicht einverstanden mit Marx ist Böll allerdings,insofern für
diesen "das Wort arm keine andere als nur soziale Bedeutung"
hat.[202] Deutlich ist auch sein Unbehagen dem "dunklen Wort
Klassenkampf" gegenüber, "das auf unmissverständliche Weise Revolution bedeutet; und Revolution bedeutet: Blut. Blut fliesst
auch in Kriegen, die zur Verhinderung von Revolutionen begonnen
werden."[203] Marxens persönliche Integrität, die "beispielhaf-
te" Ehe mit Jenny von Westfalen, sowie die Freundschaft mit
Friedrich Engels findet Böll bewundernswert.[204] Jenny Marx wäre
seiner Ansicht nach "der Ehre würdig gewesen, die 'Königin Luise'
der Arbeiterklasse zu sein".[205] Es gebe keine Ehe und keine
Freundschaft, "die beispielhafter sein könnte als die Ehe von
Karl Marx mit Jenny von Westfalen und die Freundschaft zwischen
Marx und Engels".[206]
Am Schluss des Aufsatzes legt Böll die Grenzen seines "Versuchs
über Karl Marx und seine Zeit" fest. Er habe nicht die Absicht

gehabt, eine wissenschaftliche Arbeit über Marx zu schreiben.
"Ich wäre sehr bald in die Lage eines Mannes gekommen, der, ausgerüstet, einen Fluss von der Überschaubarkeit des Rheines zu
erforschen, sich plötzlich in ein Stromgebiet versetzt sieht,
das dem Amazonas entspräche. Landstriche, die er für Provinzen
von der Grösse Brabants oder Westfalens gehalten hat, erweisen
sich als zu erforschende Länder von der Grösse Boliviens und Ve-
nezuelas, und es bleibt ihm nichts anderes übrig, als sich für
gescheitert zu erklären oder umzukehren und seine Ausrüstüng zu
vervollständigen. Die Ausrüstung vervollständigen, das würde ...
bedeutet haben, eine Lebensarbeit zu beginnen ... . Vergleichsweise wäre meine Position zu Marx dann nicht die eines Forschers
eher die eines Indianers, der den grossen Strom nur da kennt, wo
er an ihm vorüberfliesst, seine Grösse ahnt und versucht, sich
ein Bild von ihm zu machen, ein gewagtes Unternehmen, und doch
die einzige Möglichkeit."[207]

2.3.5. Die junge Kollektivschuld

Im letzten Teil dieses Abschnittes, in dem es um Bölls Verhältnis zu Organisationen geht, soll seine Beurteilung der deutschen
Nachkriegsgesellschaft, des Staates und deren Entwicklung dargestellt werden.
Dass Böll hoffte, der Geist der Brüderlichkeit und des Bündnisses würde in die deutsche Nachkriegspolitik eingehen, und man
würde die Chance der Machtlosigkeit der Jahre 1945 bis 1949 wahr
nehmen, haben wir bereits gesehen; auch dass sich diese Hoffnung
nicht erfüllte, dass sich eher die Lehre der Schuldigen durch-
setzt als die Lehre der Toten (s. 2.2.1. und 2.2.2.)
"Unsere Kollektivschuld nahmen wir nicht am 30. Januar 1933 auf,
nicht an einem der Daten bis zum 8. Mai 1945", sagt Böll in seiner Rede 'Wo ist dein Bruder?', "eine Kollektivschuld gibt es
erst seit dem Tag der Währungsreform, seit diesem Tag stehen die
Signale immer auf Grün für die Starken, immer auf Rot für die
Schwachen, die den Dschungel nie durchqueren können. Wir stützen
uns auf eine recht fragwürdige Eigenschaft, auf das, was wir Vi-

talität nennen: Wir haben den Paragraphen gefunden, der es uns erlaubt, unsere Liebe von der Steuer abzusetzen und die Kultur auf das Unkostenkonto zu buchen."208)

Nach dem Krieg setzten "wir ... uns lächelnd zum Tee nieder, ... und plauderten über den Ost-West-Konflikt, anfangs mit einer gewissen Schadenfreude, mit Triumph, denn es schien uns ganz amüsant, nun die Alliierten in Schwierigkeiten zu sehen. Später ... begriffen wir , dass Schadenfreude nicht das angebrachte Gefühl war. In diesem Konflikt lag eine C h a n c e! Zwischen den Stühlen zu sitzen, erwies sich als die günstigste der Positionen. ... Das Geschäft, zwischen den Stühlen zu sitzen, gedieh. Der Tausendmarkschein, den unser Vater sich erspart hatte, bekam eine seltsame, eine neue Stabilität: er war fünfundsiebzig neuer ... Mark wert. Gleichzeitig aber war es möglich, dass eine Aktie vom selben Wert ... eine andere Stabilität gewann: sie war plötzlich sechstausend jener neuen stabilen Mark wert. Die Gerechtigkeit, die in diesem unseren nationalen Geschäft 'Zwischen den Stühlen zu sitzen' geübt wurde, schwankte also zwischen 0 und 8000 Prozent. Ich frage nun wie das berüchtigte, vielgelästerte Milchmädchen, ich identifiziere mich ohne Scham mit ihm, dem die Wirtschaftler so gern ihren Spezialistenjargon an den Kopf werfen, weil es ihn nicht versteht - ich frage: Wer bezahlt diese Schwankungen, wer steht auf dieser Leiter, die 8000 Stufen hat, auf der untersten? Ich glaube, ich kann diese Frage beantworten: Auf dieser untersten Stufe stehen die Witwen unserer Brüder, stehen deren Kinder und die Mütter, deren Söhne gefallen sind, Söhne, die alles getan hätten, um ihre Mütter und Väter vor dem Elend, dem unsere Gesellschaftsordnung sie überlässt, zu bewahren. Dieses Elend der Hinterbliebenen, zu denen ich auch die Überlebenden der Konzentrationslager rechne, dieses Elend ist nichts weiter als politisches Spekulationsfeld für alle Parteien. Nackte Taktik, mit einer Offenheit geäussert, schamlos zur Wahlparole erwählt und immer wieder kurz vor den Wahlen künstlich aufgebläht wie ein Reklameballon. Kein Mensch ist er-

setzbar, aber es wäre die minimalste Geste der Ritterlichkeit
unseren gefallenen Brüdern gegenüber, ihre Witwen, ihre Kinder,
ihre Eltern vor dieser Entwürdigung zu bewahren, nichts weiter
als taktisches Instrument der Parteien zu sein, ein Gegenstand
blosser Spekulation."[209]

Böll rät seinem Besucher, über den er in 'Hierzulande' schreibt,
er solle bei seinem nächsten Besuch in Deutschland einen Finanz-
experten nach der geheimnisvollen Formel fragen, "die die einen
100 Reichsmark in 7, die anderen aber gleich in 5000 oder mehr
verwandelte". Man werde ihm einzureden versuchen, Geld sei eine
rationale Sache. "Die Leute, die nicht an die wunderbare Brot-
vermehrung glauben, werden Ihnen den wunderbaren Brotraub nicht
erklären können. ... Sollte das deutsche Wunder auf der Formel
7 = unendlich beruhen?"[210]

Auf die Frage nach den Grundregeln der Währungsreform höre man
auch die Antwort, "dass in der DDR beim Währungsschnitt den Dum-
men noch weniger Geld gelassen worden ist. Das sind so die Trö-
stungen, die man für uns bereithält. Wenn ich einmal unschuldig
für sechs Jahre im Gefängnis einsitzen muss, wird mich vielleicht
ein Zellengenosse trösten, der unschuldig für acht Jahre ein-
sitzt."[211]

"Wenn es Ansätze von Kollektivschuld in diesem Lande gäbe, dann
von dem Augenblick an, wo mit der 'Währungsreform' der Ausver-
kauf an Schmerz, Trauer und Erinnerung anfing.
Schrecklich ist es, dass es Anlässe genug gibt, über dieses Land
und in ihm zornig zu werden, aber an wen den Zorn adressieren?
Sie schlucken alles; man könnte ihnen auf dem Fernsehschirm vielleicht bei der Reportage über einen Verkehrsunfall zeigen, wie
ihr eigener Nachbar stirbt; sie würden stutzen, möglicherweise
noch sagen: 'Den kenn ich aber doch?' und schon auf das nächste
Bild warten. Bei einer nächsten Währungsreform könnte man ihnen
ihr Geld 100 = 0,1 aufwerten, das Vermögen der Schlauen dann
entsprechend höher; sie würden seufzen, ein wenig schimpfen,
aber dann schon bald die Ärmel aufkrempeln und schuften, schuften; auf diese Weise könnte man noch einige Wunder zustande

bringen und braucht nicht zu fürchten, dass sich einer über die Unbekannte in der Gleichung aufregen würde."[212]

Dass Böll feststellt, der Markt versuche, sich aller Dinge zu bemächtigen und drohe, alles zu verschleissen, sowie seine Reaktion auf diese Tendenz werden wir weiter unter sehen.[213] Wie unheilvoll dem Zeitgenossen Böll die Entwicklung seit dem Krieg erscheint, zeigt sich nirgends so deutlich wie im Versuch mit der Zeitschrift 'labyrinth', für die Böll mitverantwortlich zeichnete und in der er mehrere eigene Beiträge veröffentlichte.[214] Jede Nummer trägt auf dem Deckblatt die Inschrift 'spes contra spem'; Heft 2 bringt an erster Stelle eine Erklärung, die folgendermassen beginnt[215]:

"IM LABYRINTH verdichtet sich das Unheil, vor dem wir seit 1945 auf der Flucht sind.

Wir haben durch die Ermordung der sechs Millionen Juden, durch dieses Gegensakrament eines ungeheuerlichen Reichsaktes den Aussatz unserer Natur nicht beseitigt, sondern ihr Gottesgesetz, ihren Dekalog zerbrochen, der in Maria sich seiner Erfüllung öffnete und durch Christus erfüllt worden ist, durch den die menschliche Natur in die Bewegung ihrer Hingabe zu Gott immer noch gerufen und in den Leib Christi verwandelt werden konnte. Wir Deutschen haben durch die Ermordung der sechs Millionen Juden uns der natürlichen Einübungsstätte des christlichen Opfers beraubt, ihm unsere Natur nicht nur insgeheim, sondern ex officio verschlossen und damit das Christentum zur Idee verflüchtigt."

Seither bestimme das "entleibte Christentum" beide Republiken Nachkriegsdeutschlands. "Die westliche will um seinetwillen und zu seiner Verteidigung notfalls die Schöpfung vernichten, deren Erlöser Christus ist; die östliche die reine Lehre durch eine ideale Gesellschaft praktizieren, der die ganze Schöpfung als Heizmaterial einer gigantischen Menschenmaschine dient, in der in absoluter Solidarität ein Rad ins andere greift."

"Diese neue Zeitschrift lebt aus der Hoffnung, dem Wort Raum geben zu dürfen, das die Deutschen der Welt noch schuldig geblie-

ben sind, nachdem ihr Vaterland in unermesslichen Greueln untergegangen ist ..."

Das Labyrinth wende sich nicht an die bundesrepublikanischen und
volksdemokratischen Deutschen, sondern suche "die Deutschen in
Ost und West, die durch den imaginären Boden Nachkriegsdeutschlands durchgebrochen sind, die sich nicht als Russen gegen die
Amerikaner und nicht als Amerikaner gegen die Russen behaupten,
sondern sich beiden aufschliessen und ihnen gerecht werden wollen, die in der Tragödie der Weltgegensätze ihre eigene erfahren. Wohin dieses Liebesabenteuer führt, wissen die Männer und
Frauen, die sich im Labyrinth gefunden haben, heute noch
nicht."[216] Das Labyrinth mit seinem Jugendforum wendet sich
auch an die Jugend, "die das Abenteuer liebt und die Ungewiss-
heit nicht hasst, wie die volksdemokratische und bundesrepublikanische Jugend sie hassen", die "lieber im Vaterlande unterge-
hen als es verfehlen will".[217]

Bereits mit Heft 6 (Juni 1962) stellte die Zeitschrift ihr Erscheinen ein. In der Erklärung der Herausgeber heisst es[218]:
"Der Gang ins Labyrinth ist ein unerlässliches Abenteuer, das
wissen wir heute wie damals, als diese Zeitschrift ins Leben gerufen wurde, vielleicht nur um eine Dimension schmerzlicher genau. Er ist das einzig rettende Abenteuer. ... Wenn das Labyrinth sich einmal für immer schliessen sollte, dann ist auch
noch die letzte Hoffnung dahin, die Hoffnung wider alles Hoffen;
denn das Labyrinth schliesst sich nur über Toten. Wenn der Mino-
taurus nicht mehr auf das Opfer warten darf, das mit ihm kämpft,
verlässt er sein Versteck, und das Unheil wird allgemein. Dann
hat sich das Labyrinth in den Atombunker verwandelt, in dem die
Menschheit verdirbt unter einer unbewohnbar gewordenen Erde."
Die Zeitschrift habe nie ein anderes Ziel gehabt, als diesen Tat-
bestand zur vollen Evidenz zu bringen.

Die Einstellung der Zeitschrift "auf unbestimmte Zeit" wird u.a.
damit begründet, dass ihren Autoren "auf eine wahrhaft tragische
Weise das Bewusstsein der Gemeinsamkeit" (trotz der "Gemeinsamkeit des Bewusstseins") verlorenzugehen drohe. Dabei verlagert

sich der Akzent vom Verhältnis der Deutschen zu ihrem Vaterland
und dessen Geschichte auf das Verhältnis zur "g a n z e n Wirklichkeit", worunter "nicht allein die lockende Fülle der gottge-
schaffenen Natur in ihrer geheimnishaften Gegenstrebigkeit" verstanden wird, sondern auch "das Unwirkliche der Gegennatur, die
sich der Mansch geschaffen hat", die "Maschinenwelt".[219]
In die Zeit, während der die Zeitschrift 'labyrinth' erschien,
fällt der Bau der Berliner Mauer.

Im Gespräch mit Warnach, das kurz vor dem Mauerbau veröffentlicht wurde, spricht sich Böll für die Wiedervereinigung der
beiden Teile Deutschlands aus, jedoch - wie er betont - nicht
aus nationalistischen Gründen, sondern weil "Deutschsein
oder Deutscher-sein" für ihn nicht gleichbedeutend ist mit "Bundesrepublikaner sein".[220]

Nach dem Bau der Berliner Mauer wenden sich 23 Schriftsteller
- unter ihnen Böll - an den Präsidenten der UNO-Vollversammlung
mit der Bitte um Vermittlung.[221]
Etwa zur gleichen Zeit fordert Georg Ramseger in der 'Welt' die
westdeutschen Schriftsteller - Böll wird neben anderen nament-
lich erwähnt - auf, das Schweigen zu brechen.[222] Darauf antwortet Böll, es gehöre nicht der geringste Mut dazu, "das Selbstverständliche zu sagen: dass ich gegen die Mauer bin, froh über
jeden, dem die Flucht gelingt". Hingegen würde es Mut brauchen,
"heute öffentlich in der Bundesrepublik zu äussern, wie es zu
dieser Mauer, ..., gekommen ist. Sie [Ramseger] wissen so gut,
wie ich weiss, dass ein Krieg oder ein paar handfeste politische
Zugeständnisse diese Mauer werden beseitigen können.
Sie wissen so gut, wie ich weiss, dass diese Mauer zur Zeit Gegenstand internationaler und nationaler Heuchelei ist ..."[223]
Er habe nicht den Mut, "die Menschen, die in der Zone bleiben
müssen, zum Aufstand, zum Selbstmord aufzufordern und ihnen Tag
für Tag die geschichtliche Wahrheit einzuhämmern, die sie in politischer Münze bezahlen müssen: dass offenbar sie es sind, die
den verlorenen Krieg für uns, die Bundesrepublikaner, mit zu bezahlen haben". Er habe nicht einmal den Mut, den Schriftstellern

in der Zone Selbstmord anzuraten.

Böll hält es für "kriminell", "grosse Worte auszusprechen, wenn man sie nicht halten kann" und vertritt die Ansicht, die Politik der Stärke habe sich als die schwächste aller möglichen erwiesen, man sei jetzt zu Verhandlungen mit der Sowjetunion gezwungen "unter weit, weit ungünstigeren Bedingungen als vor Jahren."[224] Abgesehen von dieser Beschäftigung mit der deutschen Frage äussert sich Böll im Zeitabschnitt, der hier zur Diskussion steht, selten über sein Verhältnis zum Staat.

In der Rede 'Wo ist dein Bruder?' bezieht er sich auf den Vorwurf, seine Generation sei "nihilistisch, sie vertraue zu wenig der ordnenden Gewalt des Staates, beteilige sich zu wenig an diesem" und meint: "Nun, wir waren kaum dreissig, da hatten wir schon zwei Staaten sterben, zwei Währungen dahinsiechen sehen."[225]

In einem Feuilleton aus dem Jahre 1963 befasst sich Böll mit dem krassen Missverhältnis von Mehrwert (den ein Schriftsteller mit einer Kurzgeschichte oder einem Roman schafft) und dem "steuerabzugsfähigen Herstellungswert" seiner Produktion.[226] "Ich glaube nicht, dass irgendeine Industrie - und sei es selbst die kosmetische - solche Wunder an Wertsteigerung zustande bringt." Während die Industrie nicht nur investieren darf, sondern dies sogar tun muss und dann die Investitionen von der Steuer absetzen kann, muss "so ein zersetzender Schriftsteller, der etwa einen antimilitaristischen Roman schreibt, von jeder Steuermark 35 Pfennig für Panzer und die Frühstücksmarmelade der Bundeswehr herausrücken".

Mit einem Augenzwinkern fordert Böll "alle Schriftsteller auf, ihre Steuermoral zu heben: Lasst Sekt fliessen, Freunde, lasst Hummercocktails servieren, seid unbescheiden. Kauft euch teure Bleistifte, schreibt auf Büttenpapier, klebt doppeltes Porto auf eure Briefe! Investiert! ..."[227]

2.4. Der Abfall und das Humane
─────────────────────────────

Mit Organisationen und Institutionen hat sich Böll zwar notwen-

digerweise auseinanderzusetzen. Was ihm jedoch in erster Linie
am Herzen liegt, sind - wie wir gesehen haben - die einzelnen
Menschen. Dabei richtet Böll schon früh ein besonderes Augenmerk
auf die "Asozialen".

In seiner Rezension von Remarques 'Der Funke Leben' schreibt
Böll: "Das Leben im Zentrum des Infernos entzieht sich gewiss
dem Urteil dessen, der in einem der äusseren Kreise gelebt hat,
aber die Härte, mit der die geheime Lagerorganisation über die
'Muselmänner' hinweggeht, bleibt s c h r e c k l i c h - denn
auch Muselmänner sind Menschen - und der Gestalter des KZ-Stof-
fes kann sich keinesfalls einfach auf die Seite der Helden gegen
die 'Muselmänner' stellen; mag sein, dass sie die Späne sind,
die fallen müssen, wenn gehobelt wird - aber ein Schriftsteller
ist kein Hobler, schon eher einer, der Späne sammelt; denn der
Abfall ist oft interessanter als das glatte Meisterwerk, bei dem
er angefallen ist."[228]

1960, acht Jahre später, schenkt ein weiteres Buch Heinrich Böll
die "Offenbarung der Asozialen": "Sehr spät kommt diese Offenbarung zu uns, aber nicht zu spät, ich möchte fast sagen: gerade noch rechtzeitig. Denn ... wir sind gerade dabei, uns in der
platten Endlichkeit der Hygiene fangen zu lassen, und für den
Humus der menschlichen Gesellschaft, für die Verdächtigen, die
Gescheiterten, die Unzuverlässigen haben wir uns ein Wort gebil-
det, das die Rubrifizierung vereinfacht, ein Wort, das freilich
eines Christen nicht würdig sein sollte: asozial. Gewiss wurde
auch der Dieb, dem Christus am Kreuz das Paradies versprach, in
dieser Rubrik geführt."[229]

Bezeichnend für Bölls Konzeption des Humanen ist seine Ansicht
über Dirnen und deren Klienten. Er habe die Bordellbesucher nie
verachten können, weil es ihm unmöglich sei, das, was man irri-
gerweise die körperliche Liebe nenne, zu verachten: "sie ist die
Substanz eines Sakraments, und ich zolle ihr Ehrfurcht, die ich
auch dem ungeweihten Brot als der Substanz eines Sakraments zolle; die Spaltung der Liebe in die sogenannte körperliche und die
andere ist angreifbar, vielleicht unzulässig; es gibt nie rein

die körperliche, nie rein die andere; beide enthalten immer eine Beimischung der anderen, sei es auch nur eine winzige. Wir
sind weder reine Geister noch reine Körper, und das ständig
wechselnde Mischungsverhältnis von beidem - vielleicht beneiden
uns die Engel darum."[230]

Abgesehen von diesem Menschenbild ist auch die unzertrennbare
Einheit von Humanem und Religiösem für Böll bezeichnend.[231] Si
zeigt sich auch bei Bölls Konzeption des Humors. Der Schriftsteller wolle die Wirklichkeit so sehen, "wie es ist, mit einem
menschlichen Auge, das normalerweise nicht ganz trocken und
nicht ganz nass ist, sondern feucht - und wir wollen daran erinnern, dass das lateinische Wort für Feuchtigkeit Humor ist -,
ohne zu vergessen, dass unsere Augen auch trocken werden können
oder nass; dass es Dinge gibt, bei denen kein Anlass für Humor
besteht", schrieb Böll 1952.[232]

Ausgehend von der "Möglichkeit zum kollektiven Selbstmord der
Menschheit"[233], meint Böll, der Fortschritt sei absolut humor-
los, weil er den Optimisten ausgeliefert sei. "Wer im Angesicht
solcher Bedrohung nicht Selbstmord begeht, lebt entweder automatisch weiter, auf Grund jenes törichten Optimismus', den etwa
eine Uhr ausströmt, indem sie weitertickt - oder muss jenes Gra
Humor besitzen, das ihn wenigstens zeitweise des Gefühls der eigenen Wichtigkeit enthebt." Ein Gran Humor sei es auch, was dem
der noch eine andere Verantwortung anerkennt, als nur die seine
Kunst gegenüber, das Weiterleben auf dieser Erde möglich mache.
Er wage es, den Humor erhaben zu nennen, "und ein Künstler soll
te, gerade weil er einer ist, fähig sein, auch über seine Kunst
erhaben zu sein, und diese Erhabenheit darf er getrost in seine
Mitteilung einflechten."[234]

3. Ein Roman ist ein Versteck

Um seine Wirkungsabsichten in die Tat umzusetzen, braucht ein
Autor a) eine Vorstellung von der Gesellschaft (Analyse) und
b) eine Vorstellung, wie die Gesellschaft sein sollte (Utopie).
Das Werk muss Analyse und/oder Utopie zum Ausdruck bringen, und
der Rezipient muss sich der Absicht des Autors entsprechend verhalten (z.b. sein Bewusstsein ändern) und die Verbindung zwischen Werk und Wirklichkeit herstellen (gesellschaftlich handeln). Die gesellschaftliche Wirklichkeit (zu der auch die Rezipienten gehören) ihrerseits wirkt wieder auf den Autor.
In diesem Kapitel soll nun noch untersucht werden, wie dieser
Kreislauf nach Bölls Ansicht funktioniert. Dabei geht es nicht
in erster Linie um inhaltliche Aussagen; nicht darum, was bei
der Analyse - um nur ein Beispiel zu nennen - resultiert, sondern darum, wie ein Autor die Wirklichkeit erkennen und analy-
sieren kann (Den gesellschaftlichen Bewusstseinshorizont Bölls
haben wir ja auch schon im vorangehenden Kapitel nachzuzeichnen
versucht).

3.1. Dinge erkennen, die noch nicht im optischen Bereich auf-
getaucht sind

Ein Autor "muss nur die Elemente des menschlichen Lebens kennen",
meint Böll im Werkstattgespräch mit Horst Bienek, "und die muss
er, so scheint mir, bis spätestens zu seinem 21. Lebensjahr kennen, im Zustande verhältnismässiger Unschuld und Naivität." Was
ein Autor später lerne, habe zu sehr Bildungscharakter, und "Bildung in bürgerlichem Sinne" schade jedem Künstler oder zwinge
ihn zu völlig überflüssigen Umwegen. Lektüre, Sach- und Milieustudien helfen "wenig, wenn man nicht vorher weiss, dass Armsein
einfach bedeutet, kein Geld für Bonbon, für Milch, für Zigaretten, Schnaps und für seine Kinder zu haben, und dass Reichsein
üblicherweise bedeutet, sich zu langweilen und leidenschaftlich
nach dem sogenannten Elementaren zu verlangen. Solche Dinge etwa,
die vielfach ineinanderverflochten sind und im Grunde sehr kom-

pliziert, da sie auch etwas mit Religion zu tun haben, kann man
nicht lernen. Sie werden, wenn man sie lernt, nicht Kunst, sondern werden nur künstlich. Hunger, Tod, Liebe und Hass, Glück
und Armut, Gott und die Zeit. Lernen kann man, was für einen Au
tor viel wichtiger ist als Milieustudien: schreiben."[235]

Aber auch wenn ein Schriftsteller in jungen Jahren die Elemente
des Lebens kennengelernt hat, so muss er sich doch immer wieder
mit der Wirklichkeit auseinandersetzen [236] und dazu braucht er
- wie Böll schon in einer seiner frühesten Schriften fordert -
ein Auge, das "gut genug" ist, "ihn auch Dinge sehen zu lassen,
die in seinem optischen Bereich noch nicht aufgetaucht sind".[23]

Mit dem Erkennen derartiger Dinge befasst sich Böll ausführlicher im Aufsatz 'Der Zeitgenosse und die Wirklichkeit' aus dem
Jahre 1953. Wir müssen - so fordert Böll, und dabei geht es
"auf Leben und Tod" - die Wirklichkeit erkennen, denn wir sind
"der Wirklichkeit ausgeliefert" und können unser Leben nur "in
der Wirklichkeit vollziehen".[238]

"Die Wirklichkeit wird uns nie geschenkt, sie erfordert unsere
aktive, nicht unsere passive Aufmerksamkeit. Geliefert werden
uns Schlüssel, Ziffern, ein Code - es gibt keinen Passepartout
für die Wirklichkeit: Bücher, Tatsachen, sie sind immer nur
- sind es bestenfalls - Teile von oder Schlüssel zu Wirklichkei
ten ... Das Wirkliche liegt immer ein\wenig weiter als das Aktuelle: um einen fliegenden Vogel zu treffen, muss man v o r
ihn schiessen: man muss dazu die Geschwindigkeit des Vogels, di
des Geschosses kennen, zahlreiche Imponderabilien noch: Wind ur
Luftdruck, Dinge, die sich errechnen lassen, und wenn die Berechnung fehlgeht, fliegt der Vogel davon in Entfernungen hinei
wo er unerreichbar für das Geschoss wird. Auch die Wirklichkeit
bewegt sich."[239]

Das Wirkliche umfasst für Böll ausdrücklich auch das (scheinbar
Ferne und das Potentielle. Böll erläutert dies an zwei Beispielen:

Beim zufälligen Durchblättern eines Atlasses berühre man möglicherweise gleichgültig die öde erscheinenden Flächen im nördli-

chen Teil Russlands. Doch "diese grünlichen, öde erscheinenden
Flächen werden erst wirklich, wenn wir darüber lesen: 'Es ist
das Land mit der niedrigsten Temperatur: etwa 70 Grad unter
Null. Die Verschiffung von Sklaven und Kolonisten nach Kolyma,
..., umfasst vierhundert- bis fünfhunderttausend Menschen jährlich. Die Sterblichkeit beträgt 20-25 Prozent jährlich. Vorsich-
tige Berichte nennen zehn Millionen Gefangene.'
Durch dieses winzige Zitat ... sehen wir den fernen und fremden
Teil der Erde mit so vielen Menschen bevölkert, wie die Bevölkerung Schwedens, Norwegens, Dänemarks ausmacht - .... Wir
ahnen die Existenz manches Verschollenen, und es könnte möglich
sein, dass die Wirklichkeit dieses Teils der Erde, ... bis in
unser Haus reicht: dass der Mann, der in der Wohnung unter uns
wohnte, dort l e b t - oder der, der einmal die Badewanne be-
nutzt hat, die in dem zerstörten Haus nebenan immer noch zwischen Himmel und Erde hängt."[240]
Die Verbindung dieser Badewanne mit den öde erscheinenden grünlichen Flächen nennt Böll ein "Bild", das die Phantasie geschaffen hat. "Auch unsere Phantasie ist wirklich, eine reale Gabe,
die uns gegeben ist, um aus den Tatsachen die Wirklichkeit zu
entziffern. Phantasie hat nichts mit Phantasterei zu tun, nichts
mit Phantomen - Phantasie, das ist unsere Vorstellungskraft, unsere Fähigkeit, uns ein Bild von etwas zu machen ..."[241]
Sich ein Bild machen von etwas ist für Böll gleichbedeutend mit
"aus dem Aktuellen das Wirkliche erkennen".[242]
"Das Wirkliche i s t phantastisch - aber man muss wissen, dass
unsere menschliche Phantasie sich immer innerhalb des Wirklichen
bewegt".[243]
Einige Monate, bevor Böll den Aufsatz 'Der Zeitgenosse und die
Wirklichkeit' verfasste, wurden japanische Fischer bei Atomver-
suchen verseucht. Diese Fischer seien aktuell gewesen, "wie vieles für Tage aktuell ist. Was aber w i r k l i c h an diesem
Tag geschehen war, wurde kaum offenbar; der Regen, der auf uns
herabfällt, die Luft, die wir atmen, sie können diesen neuen
Tod enthalten. Der Bäcker kann uns - ohne es zu ahnen - diesen

neuen Tod ins Brot kneten, der Briefträger kann ihn mit der Post ins Haus bringen".[244]

Was die Zeit betrifft, unterliegen wir zunächst dem Schein: Wir vermeinen, in der Gegenwart zu ruhen. In Wirklichkeit aber sitzen wir "auf dem Sekundenzeiger, der die Vergangenheit von der Zukunft trennt, und der Zeiger bewegt sich so schnell, dass wir seine Bewegung kaum erkennen - ... wir sitzen auf dieser schmalen Gabel und vergehen mit der Zeit. Die Wirklichkeit des Augenblicks ist die Vergänglichkeit ... "[245]

Die Unterscheidung von Aktuellem und tieferliegender Wirklichkeit liegt der Bestimmung der Begriffe 'Dichtung' und 'Reportage' zugrunde, die Böll - ausgehend von Borcherts Erzählung 'Brot' - vornimmt: "... der Anlass der Reportage ist immer ein aktueller, eine Hungersnot, eine Überschwemmung, ein Streik - so wie der Anlass einer Röntgenaufnahme immer ein aktueller ist: ein gebrochenes Bein, eine ausgerenkte Schulter. Das Röntgenfoto aber zeigt nicht nur die Stelle, wo das Bein gebrochen, wo die Schulter ausgerenkt war, es zeigt immer z u g l e i c h die Lichtpause des Todes, es zeigt den fotographierten Menschen in seinem Gebein, grossartig und erschreckend. Wo das Röntgenauge eines Dichters durch das Aktuelle dringt, sieht es den ganzen Menschen, grossartig und erschreckend ... Die Erzählung ist kurz und kühl. Und doch ist das ganze Elend und die ganze Grösse des Menschen mit aufgenommen - wie hinter dem gebrochenen Nasenbein auf der Röntgenaufnahme der Totenschädel des Verletzten zu sehen ist."[246]

Dem Ansatz in 'Der Zeitgenosse und die Wirklichkeit' diametral entgegengesetzt ist Bölls Ausgangspunkt in einem Aufsatz aus dem folgenden Jahr mit dem Titel 'Was ist aktuell für uns?'.

"Die blosse Nennung des Wortes Wirklichkeit löst im allgemeinen Unbehagen aus. ... Der Zeitgenosse glaubt zu wissen, dass die Wirklichkeit hässlich und quälend sei, dass man sie nicht herankommen lassen darf; nah genug kommt die Wirklichkeit des Alltags, die eigenen Sorgen und Nöte in Permanenz. Wozu da noch ferne, noch fremde Wirklichkeiten an sich herankommen lassen. Aber die

fremden Wirklichkeiten sind nur scheinbar fremd, und die fernen sind nur scheinbar fern. Es gibt nichts, was uns nichts angeht, das heisst positiv: alles geht uns etwas an", hiess es 1953.[247]
Demgegenüber schreibt Böll nun: "Wir entfliehen unserem eigenen Leben, indem wir uns mit den Einzelheiten eines fremden beschäftigen ..." und: "Aktuell ist unser eigenes Leben, alles, was damit zusammenhängt; es geht uns wirklich etwas an, und wir müssten wissen, wie es in unserer Nähe aussieht: ... Was an wirklich Neuem uns angeht, für uns aktuell ist, geschieht ganz nahe neben uns: Jeden Tag verändert sich das Gesicht unseres Kindes, jeden Tag könnten wir etwas Neues an unserer Frau, an unserem Mann entdecken, denn kein Mensch kennt den anderen ..."[248]
Was Böll hier aufs Korn nimmt, ist die "Scheinaktualität", welche die Massenmedien z.B. dem ägyptischen Exkönig Faruk verleihen. In "einem bestimmten, für uns nicht kontrollierbaren Rhythmus" taucht sein Gesicht auf, "es ist uns eingeprägt, eingehämmert, uns nahegebracht". Man kennt ihn, vielmehr, glaubt ihn zu kennen: "diesen Menschen, von dem wir im Grunde fast gar nichts wissen, als ein paar immer wiederkehrende ... Fakten, die geeignet sind, ihn uns unsympathisch erscheinen zu lassen". In Wirklichkeit weiss man nichts von ihm, "der einmal ein Prinz war, ein junger Mensch, der genau so seine Ideale hatte wie mancher andere junge Prinz, sie offenbar verlor, als er hinter die Kulissen der Politik zu sehen anfing". Die Medien vermittelten und das Bild eines "Dicken" mit "widerwärtigen Korruptions- und Weibergeschichten". Ob dieser Eindruck richtig ist, kann nicht kontrolliert werden, "und vor allem, wenn wir einmal darüber nachzudenken versuchen, werden wir keinen Grund finden, warum uns dieser Faruk so oft gezeigt wird." Es gebe noch viele Könige in der Welt, mancher werde nicht besser und nicht schlechter sein als Faruk, "jeder wird seine private Tragödie haben, von der wir nie etwas Wesentliches erfahren.
Dabei gibt es im Leben Faruks kaum etwas, was diese Sensation, zu der er gemacht wird, rechtfertigt: gewiss, er hat eine Frau verstossen, weil sie ihm keine Söhne gebar - das geschieht häu-

figer als wir glauben; man hat ihn gewisser Schiebungen überführt - das geschieht täglich mit anderen, von denen wir nie
erfahren ..." 249)
Diese Scheinaktualität hindere uns daran, uns den Dingen zuzu-
wenden, die uns wirklich angehen oder die unser Leben bestimmen: die möglichen Ängste unserer Kinder, die Sorgen unserer
Frau; "wir wissen genau, welchen Weg der Krönungszug in London
genommen hat, ... den Namen des Abgeordneten aber, dem wir bei
der letzten Wahl unsere Stimme gegeben haben, kennen wir nicht
mehr ... Unsere Verfassung ist uns unbekannt, sehr ungenau wissen wir Bescheid über den Aufbau unserer Gemeindeverwaltung."250)
"Der Raum, den wir zur notwendigen Entspannung und Ablenkung für
die geschickt erfundenen Einzelheiten aus dem Leben von Film-
und Sportgrössen, von Königen und Fürsten, aussparen können,
dürfte nur gering sein. In Wirklichkeit ist er grösser, als wir
verantworten können angesichts der Unkenntnis, die wir unserem
eigenen Leben gegenüber besitzen ..." 251)
Trotz der Aufforderung, wir sollten uns unserem eigenen Leben
zuwenden, nennt Böll auch in diesem Aufsatz ferne Wirklichkeiten, die uns angehen - nur: genau von ihnen erfahren wir wenig:
"der Tod junger Männer, die täglich in Korea und Indochina sterben, der Hunger eines Drittels der Erdbevölkerung und die unbekannten Leiden vieler Millionen, die in Ländern leben, die uns
kaum dem Namen nach bekannt sind". 252) Hier treffen sich - in
einem gemeinsamen Beispiel - die Gedankengänge der beiden Aufsätze: "Gleichgültig gleiten unsere Hände, wenn wir irgendeinen
Punkt auf der Erde suchen, über grosse Flächen hinweg: in der
östlichsten Ecke Sibiriens, wo Millionen Menschen in Lagern, in
unbekannten Städten, in riesigen Industriebezirken Sklavenarbeit
leisten und ein Sklavenleben leben." 253)

3.2. Produktion: Wirklichkeit aus der Regentonne?

Aus dem Aktuellen das Wirkliche zu erschliessen, ist zwar eine
unerlässliche Vorarbeit, die ein Autor zu leisten hat, Kunst
jedoch hat er damit noch keineswegs geschaffen: "Ich habe Grund

genug zu der Annahme, dass viele sich Wirklichkeit ungefähr so vorstellen wie eine grosse Regentonne, die ein Autor vor dem Haus stehen hat, aus der er nach Belieben abzapft: wenig - eine Kurzgeschichte; mehr - eine Novelle; sehr viel - einen Roman. Dass selbst in den primitivsten Formen der Literatur, in allem Geschriebenen, in jeder Reportage (es gibt deren von höchstem Rang) Verwandlungen stattfinden, Zusammensetzung (Komposition) stattfindet, dass ausgewählt, weggelassen, Ausdruck gesucht (und nicht immer gefunden) wird - solche Binsenwahrheiten scheinen fast unbekannt zu sein. Wirklichkeitsgetreu ist nicht einmal eine Fotografie: Sie ist ausgewählt, hat einige chemische Prozesse hinter sich, wird reproduziert. Wenn einer in einem Roman Wirklichkeitstreue, Lebensnähe entdeckt, entdeckt er verwandelte und geschaffene Wirklichkeit und Lebensnähe."[254]
Wovon aber lässt sich der Autor bei diesem Prozess des Verwandelns und Zusammensetzens leiten? Von Horst Bienek gefragt: "Haben Sie so etwas, was andere Schriftsteller Intuition nennen?", antwortet Böll: "Ja, ich kann diese Frage nicht entscheidend beantworten. Ich glaube, dass die Intuition während der Arbeit kommt. Meistens nicht vorher." Etwas weiter unten meint Böll auf die Frage, wodurch der Prozess des Schreibens gelenkt werde, ob "durch Assoziationen oder durch irgendwelche Urzellen oder durch andere Elemente in Ihrer Vorstellung": "Auch das ist wieder sehr verschieden. Für mich bedeutet schreiben: verwandeln und zusammensetzen. Ich kann es nur an einem Beispiel klarmachen, an meinem Roman 'Billard um halbzehn'. Die erste Zelle dieses Romans ist entstanden aus einer historischen Begebenheit. Im Jahre 1934, glaube ich, war es, da liess Göring hier in Köln vier junge Kommunisten durch Handbeil hinrichten. Der jüngste von ihnen war siebzehn oder gerade achtzehn, so alt wie ich damals war, als ich gerade anfing, mich im Schreiben zu versuchen. Das Ganze war als Kurzgeschichte gedacht, war auch so angelegt, aber ich spürte eben, dass es ein Roman werden müsse. Das Thema hat sich dann verwandelt, vielfach verwandelt, als ich in Gent den Altar der Gebrüder van Eyck sah, in dessen Mitte das Gotteslamm steht. Ich

habe den Altar innerhalb kürzerer Zeit noch einmal gesehen. Das
ist alles, was ich weiss. Der Rest ist ein sehr komplizierter
Vorgang wie immer beim Schreiben, wo Bewusstes und Unbewusstes
sich ständig mischen in einem ständig wechselnden Mischungsverhältnis. Später dann habe ich diese beiden Anlässe, wenn ich sie
so nennen darf, vergessen. Andere Gestalten und Motive wurden
mir wichtiger, verloren wieder an Wichtigkeit. Das wechselt mit
der Hitze und mit der notwendigen Abkühlung während des Schreibens, und wechselt immer wieder."[255]

Ansonsten ist zu dieser Frage nicht viel zu erfahren, denn: "Wie
Kunst entsteht, wird immer ein Geheimnis bleiben; es gibt Grade
der Annäherung an dieses Geheimnis, aber immer bleibt ein Rest
..." [256] Böll zitiert Faulkner, der, gefragt, worin das Geheimnis der Kunst bestehe, geantwortet habe: "neunundneunzig Prozent Talent, neunundneunzig Prozent Disziplin, neunundneunzig
Prozent Arbeit" und meint, "man könnte hinzufügen: neunundneunzig Prozent Ruhe plus neunundneunzig Prozent Unruhe. Die Rech-
nund geht nicht auf, die Formel ist nicht zu finden; das hat
nicht nur tausend Namen, das Mischungsverhältnis, in dem diese
tausend Namen sich mischen, wechselt von Sekunde zu Sekunde
..."[257] Jeder Künstler - so Böll - weiss, "dass man niemals,
wissend, dass man es schaffe, ein Meisterwerk schafft. Nichts
wäre so geeignet, uns zu erklären, was Kunst ist, wie die miss-
lungenen Werke derer, die den Meistertitel trugen oder tragen.
Es geht immer um Haaresbreite ..." [258]

Ein nach Bölls Ansicht völlig untauglicher Weg, das Geheimnis
der Kunst zu entschleiern, führt über die "Werkstatt": "... es
ist schliesslich vollkommen gleichgültig, ist auf eine absurde
Weise sekundär, wissen zu wollen, woran ein Schriftsteller arbeitet, wie er arbeitet. Wichtig an der Werkstatt ist nur, was
aus ihr herauskommt.

Ob einer, während er arbeitet, an faulen Äpfeln riechen, an den
Fingernägeln kauen, ob er Jazz oder Bach hören muss, Wasser oder
Stärkeres trinkt, kurz gesagt: seine Attitüden sind von einer
himmelschreienden Gleichgültigkeit; es gibt schliesslich Leute

genug, die ein interessantes Privatleben führen und höchst Lang-
weiliges zu Papier bringen." Schliesslich sei es "banal", dass
man "durch Wiskytrinken kein Faulkner", durch "An-Äpfeln-Riechen
kein Schiller" werde. [259]

Ist auch das Geheimnis der Kunst nicht entziffert, eine Forderung glaubt Böll doch an alle Schriftsteller richten zu müssen:
sie dürfen das Risiko nicht scheuen, dürfen keine Routiniers
werden. "Schriftsteller und Dichter, so glaube ich, setzen mit
jeder neuen Arbiet, die sie beginnen, alles, was sie bisher geschrieben haben, aufs Spiel." Darin sind sie einem Bankräuber
vergleichbar, "es ist das Risiko, den Tresor leer zu finden, ge-
schnappt und um den Ertrag aller früheren Einbrüche gebracht zu
werden". So wenig wie Geburt und Tod und alles, was dazwischen
liegt, Routine werden könnten, so wenig könne es Kunst. Freilich
gebe es Menschen, "die ihr Leben routiniert leben; nur: sie leben nicht mehr. Es gibt Künstler, Meister, die zu blossen Routiniers geworden sind, aber sie haben - ohne es sich und den
anderen einzugestehen - aufgehört, Künstler zu sein. Man hört
nicht dadurch, dass man etwas Schlechtes macht, auf, ein Künstler zu sein, sondern in dem Augenblick, in dem man anfängt, alle
Risiken zu scheuen." [260]

3.3. So war es

"Ein Roman ist auch noch etwas anderes als ein Roman", meint
Böll im Gespräch mit Horst Bienek: "Er ist ein Versteck, in dem
man zwei, drei Worte verstecken kann, von denen man hofft, dass
der Leser sie findet. ... Man kann in einem Roman auch Personen
verstecken, Gefühle, so wie man ihn als Versteck für eine ganze
Stadt benutzen kann." [261]

Abgesehen von dieser Aussage äussert sich Böll nicht darüber,
wie er sich positiv die Rezeption eines Werkes vorstelle. Das
hat wohl den gleichen Grund wie sein Plädoyer "für eine Literatur der Freigelassenen für Freigelassene": ihm schweben "mündige
Leser" vor, und mündige Leser dürfen nicht irgendwelchen Erbau-
ungsabsichten unterworfen werden, sondern haben "ein Recht auf

Spannung durch Form". [262]

Hingegen wendet er sich im Laufe der Zeit immer vehementer gegen die Gleichsetzung von literarischer und ausserliterarischer
Wirklichkeit durch die Rezipienten: Von jungen Autoren, die aus
dem Krieg heimkehrten und darüber schrieben, sagt Böll im Jahre
1958, sie hätten Erfahrungen gemacht, "die zu den merkwürdigsten
Überraschungen gehören, die ein junger Schriftsteller erleben
kann: Dinge, die sie erfunden hatten, um den Krieg darzustellen,
wurden ihnen vom Leser bestätigt, mit den Worten: 'So war es'.
Es ging ihnen wie ... Thomas Wolfe, der die Menschen mit Eigenschaften ausstattete, die sie gar nicht hatten, die aber so gut
zu ihnen passten, dass sie sich wiedererkannten; dass sie dach-
ten 'So bin ich', wütend wurden auf diesen jungen Mann, der ...
ihnen eine Wirklichkeit verliehen hatte, die wirklicher war als
die, in der sie sich bewegten." [263]

Um auch die Leser an dieser Erfahrung der jungen Autoren (dass
die literarische Wirklichkeit wirklicher sei als die reale) teil
haben zu lassen, wendet sich Böll gegen den Vorwurf des Ab-
klatsches: "Was für den Krieg zutrifft, trifft für jede Zeit zu,
über die einer schreibt, der in dieser Zeit lebt: der gängige
Vorwurf, dass er einen Abklatsch schaffe, ist der am wenigsten
zutreffende, sonst brauchte man nicht Mailer zu lesen, um über
den pazifischen Krieg 'etwas zu erfahren', sondern könnte sich
Wochenschauen darüber ansehen." [264]

Fünf Jahre später spricht Böll in einer Stelle, die ich bereits
zitiert habe, verärgert von den "Binsenwahrheiten", die "fast un
bekannt zu sein" scheinen (dass in allem Geschriebenen Verwandlungen und Zusammensetzung stattfinden, dass ein Werk nur verwandelte und geschaffene Wirklichkeit und Lebensnähe enthalte).
An der gleichen Stelle wendet er sich auch gegen die Gleichsetzung von Autor und einer Romanfigur: "Wer es sich leicht machen
möchte, den Autor in einem Roman oder einer Erzählung zu suchen,
sollte es sich nicht zu leicht machen: manchmal versteckt er sic
hinter einem Kellner, einer Kassiererin, hinter, nicht in; oder
er sitzt in einer Milchflasche." [265]

In der zweiten Wuppertaler Rede meint Böll, der Umstand, dass
das Geheimnis der Entstehung von Kunst nie ganz gelöst werden
könne, müsse "eine Gesellschaft, wo sie sich institutionell mit
der Kunst abgibt, in einem mehr oder weniger hohen Grade der
Verlegenheit halten; das herkömmliche 'gefällt mir oder gefällt
mir nicht' genügt nicht, um den Rest zu löschen; und für den ge-
ehrten Künstler ergibt sich die einfache Frage: Verstehen sie
mich denn wirklich?" 266)

Dass nicht alle Leser ihn verstehen, und dass sich Böll dessen
bewusst ist, ergibt sich aus der Polemik gegen Klausener: Er sei
dabei, für sein neues Buch eine Methode zu vervollkommnen, die
er schon bei seinem letzten mit Erfolg angewendet habe: "im
Text - unsichtbar natürlich - eine besondere Art Stacheldraht
auszulegen, für Kritiker und Leser bestimmt, die nicht urteilen,
sondern vorurteilen". Er brauche dann nachher nur die Stoffet-
zen einzusammeln und mit Hilfe eines "wirklich intelligenten und
erfahrenen Schneiders" zu klassifizieren. Mit Leichtigkeit könne
festgestellt werden, "welche Fetzen von einer Atheistenhose,
welche von der eines atheistischen Links-, eines gläubigen
Rechts-, eines gläubigen Links-, eines atheistischen Rechtsin-
tellektuellen stammen". Besonders überraschend werde die Sache
dann, wenn in einer Falle für Linksintellektuelle ein Rechtsin-
tellektueller seine Fetzen hinterlasse oder wenn man etwa in einer Atheistenfalle Fetzen von der Farbe eines bestimmten Schwarz
oder gar Violett entdecke, oder in einer Falle für Engagierte
Fetzen eines Formalisten und umgekehrt. 267)

3.4. Der Abgrund zwischen Kunstträger und Kulturträger

Mit dem Prozess der Vermittlung zwischen dem Künstler und seinen
Rezipienten beschäftigt sich Böll in zwei Reden aus den Jahren
1958 und 1960.

In 'Lämmer und Wölfe' geht er von der Feststellung aus, dass in
unserer Welt "alles zum Markenartikel zu werden" drohe, "Krawat-
ten und Konformismus, Hemden wie Nonkonformismus, der Zorn der
jungen Männer und der handgestrickte Trost, den die anderen 'auf

den Markt werfen'." Gleichgültig ob Pfarrer oder die Spitzenleute der Filmindustrie tagten, immer gehe es darum: "wie verkaufen wir das? Wie verkaufen wir gute Filme, wie die schmerzlichen Paradoxien unserer Religion, oder wie verkaufen wir den Leuten jene Richtungsänderung unserer Partei, die wir für notwendig befunden haben? Bald schon steht nicht mehr die Sache zum Gespräch, sondern der Erfolg der Sache, nicht mehr die Sache bedarf der Rechtfertigung, einzig im Erfolg erfährt sie sie; man sucht für sie Verbraucher, findet sie, und bald - hier erfüllt sich die bittere Logik der Sprache - bald ist sie tatsächlich verbraucht, wie ein Strumpf, den zu reparieren sich nicht mehr lohnt, sie ist verschlissen ... Ware, verbraucht und verschlissen, wie das Wort Freiheit nahe am Verschleissen ist." [268)]

Zwar ist auch die Kunst "in einem Winkel des Marktes oder mitten auf ihm" zu finden [269)], aber sie unterwirft sich nicht seinen Mechanismen: "Vorsicht, zu viele Verbraucher sind der Worte Tod. Es ist ein Glück, dass einige Winkel des Marktes unerforscht bleiben, Winkel, in denen Überraschungen gedeihen: Kunst. Der Markt ist gross; Kunst wird nicht für ihn gemacht, auch nicht gegen ihn; wer sie macht, ist Gesetzen unterworfen, die ausserhalb des Marktes liegen ..." [270)]

Was ein Künstler "auch bieten mag: Zorn oder Trost, Form oder Inhalt, innerhalb seiner Kunst muss er eine Zone schaffen, die von der Gunst oder der Missgunst des Marktes unberührt bleibt, in die die Marktforscher nicht eindringen können, jene, die das Gedränge schaffen, in dem so mancher angerempelt, mancher verletzt wird; eine Zone muss er schaffen, wo die Überraschung gedeihen kann, der nicht jener Markenstempel aufgedrückt werden kann, den jene verlangen, die Kunst nicht brauchen, sondern verbrauchen." [271)]

So ist die Kunst "auf dem Markt" und "ist doch nicht Ware, kann es nie werden, solange der, der sie macht, nicht an sich selbst zum Verräter wird und seine Geheimzone den Marktforschern ausliefert." [272)]

In der 'Zweiten Wuppertaler Rede' übernimmt Böll die Bennschen Begriffe 'Kunstträger' und 'Kulturträger' [273)] und sieht das

Paradoxe in ihrem Verhältnis darin, "dass der Kunstträger der Kultur ihren Humus liefert; er will nicht Kultur machen, versteht nur selten etwas davon, er kann ohne sie leben - die Kultur aber nicht ohne ihn ..." [274)

"Unausgesprochenes und Unaussprechbares ruht auf jenem Bindestrich, der hier in meinem Manuskript die Worte Kunstträger-Kulturträger voneinander trennt ..." Auf dem Bindestrich liege auch "Tragik, ... wahrlich ein Wort, das unsere Verlegenheit noch steigert [275)]; es gibt kein anderes, um das Verhältnis des Künstlers zur Kultur zu erklären; in dem Augenblick, wo er sein Werk der Gesellschaft übergibt ... wird es Bestandteil der Kultur; der Bindestrich wird zum Abgrund." [276)]

Niemand se· "wehrloser und so zur Stummheit verdammt wie ein Künstler, d·· sein Werk der Gesellschaft übergeben hat". Je mehr er gegen das "Tabu der Stummheit" revoltiere , desto mehr verliere er an Würde: "er liefert sich freiwillig aus, niemand zwingt ihn dazu, und er sollte wissen, worin diese Auslieferung besteht". Der Künstler ist aber nicht nur stumm vor der Kritik, sein Werk ist auch seinem Einfluss entzogen: "Ich stelle mir vor, ein gewisser rothaariger, verrückter Maler, mit blutgetränktem Kopfverband, der eben sein Ohr abgeschnitten, es in Packpapier gewickelt einer Dirne überreicht hat - dieser Verrückte würde Einlass in eins unserer Museen begehren, um s e i n e Bilder noch einmal zu sehen, möglicherweise noch zu korrigieren; der Museumswärter würde ihn nicht über die Schwelle lassen; ... darin wären sich gewiss die untersten ästhetischen Instanzen, die Museumswärter, mit den obersten, den Direktoren, einig; würde man die Maler in die Museen lassen, um an ihren Bildern zu korrigieren, die Versicherungen würden die Policen für ungültig erklären lassen; es geht um W e r t e. Zum Bestandteil der Kultur geworden, wird Kunst wertvoll, was sie von Natur nicht ist; sie ist geschenkt; Kultur ist immer aufwendig, Kunst wird unter geringem Aufwand geschaffen ..." [277)]

"Kultur ist aufwendig, während der Künstler verschwenderisch ist, e r b r a u c h t V e r s c h w e n d u n g, weil sie ihm das

Gefühl gibt, der Vergänglichkeit, die er permanent und intensiv
wie einen Rausch spürt, einen Fetzen Dauer zu entreissen." Das
Dauerhafte oder Nichtdauerhafte seiner Kunst lasse ihn "vollkommen kalt", und der sozialen Dauer traue er noch weniger.
"Kultur dagegen - wieder ein Paradox - sorgt sich um das Dauerhafte der Kunst." 278)

An allen Optiken, unter denen Kulturträger dem Geheimnis der
Kunst auf die Spur zu kommen suchten, sei etwas Wahres, "an der
soziologischen, der psychologischen, an der ästhetischen - nur
weiss niemand zu sagen, der wievielte Teil vom Ganzen wahr
ist." 279)

So bleibe ein Rest Schweigen, bleibe "die Tragik, die uns ver-
legen macht". Jeder Künstler - wenn auch nur zu einem kaum noch
ausdrückbaren Bruchteil - habe etwas vom rothaarigen Verrückten
und gewiss würde keiner den Museumsbeamten tadeln; dem Verhältnis der beiden sei mit dem Wort Schuld nicht beizukommen.
Gemeinsam ist dem Kunstträger und dem Kulturträger, dass keiner
von ihnen weiss, was er anrichtet.

Die Rede endet versöhnlich: "Wer die Künstler ehrt, wie es hier
in dieser ernsten und fleissigen Stadt auf eine liebenswerte
Weise geschieht, ehrt immer den rothaarigen Verrückten mit und
die Unzähligen, die der Tod noch wehrloser gemacht hat, als wir
Lebende sind; vor den Toten sind wir nicht wichtig genug, um die
sozusagen abstrakt vorhandene Verlegenheit nicht zu vergessen
und uns dieser Ehrung, die ihnen und uns zuteil wird, ohne jede
Einschränkung zu erfreuen." 281)

4. Erörterung

4.1. Die Beschränkung auf die Kunst

Böll versucht sein gesellschaftliches Engagement ausschliesslich durch oder - zutreffender - in der Kunst zu verwirklichen: "Ich bin kein Pfarrer, wollte nie einer werden, ich bin kein Politiker, wollte nie einer werden, ich bin ein Schriftsteller, wollte immer einer werden", bekennt er 1963. [282] Bölls Absage an die Politik hat verschiedene Gründe: Das Geschichte erleidende Individuum liegt ihm am meisten am Herzen (s. 2.3. und 2.4.); er räumt den Gesetzen und der neuen Staatsform bei der Bändigung des faschistischen Unheils keinen Kredit ein [283]; er ist der Ansicht, dass "wir täglich von Staaten, Kirchen, Institutionen verraten werden".

Der Hauptgrund jedoch ist in seinem christlichen Selbstverständnis zu finden: Aus der Verheissung Christi, er habe "die Welt überwunden" [284], schliesst er, 'Christsein' und 'Sich-auf-die-Welt-einlassen' seien unvereinbare Gegensätze: "Ich spüre, sehe und höre, merke so wenig davon, dass die Christen die Welt überwunden, von der Angst befreit hätten. ... Die Christen haben die Welt nicht überwunden, sie lassen sich auf sie ein und werden von ihr überwunden". [285] Vor diesem Hintergrund wird verständlich, dass für Böll das Wortpaar 'Gläubiger-Taktiker' einen Gegensatz darstellt. In der Rede 'Wo ist dein Bruder?' schliesst er aus den Reihen jener, die sich eine aktive Nachdenklichkeit bewahrt haben, "alle die aus, die der pure Ehrgeiz wachhält; die Emsigen, allzu Geschäftigen, sie sind, mögen sie sich als Gläubige tarnen, doch nur Taktiker ..." [286] Heisst nun aber 'Sich-nicht-auf-die-Welt-einlassen' dem diesseitigen Leben den Rücken zuwenden und sich auf ein jenseitiges vertrösten? Keineswegs. Nicht nur Bölls Menschenbild ("wir sind weder reine Geister noch reine Körper, und das ständig wechselnde Mischungsverhältnis von beidem" [287]) widerspräche dieser Gleichsetzung, auch seine eigene intensive Auseinandersetzung mit dieser Welt, ebenso wie etwa die Bedeutung, die er der Sinnlichkeit zumisst (Sinnlichkeit im Böllschen Sinn: alles, was mit den Sinnen wahrnehmbar ist). Gemeint ist vielmehr ein radikales Sich fernhalten von allem durch politische oder wirtschaftliche Interessen bestimmten Taktieren, das den Menschen auf eine entwürdigende Weise zum Objekt dieser Interessen macht. [288] Bereits hier meldet sich - wenn auch schüchtern - die Möglichkeit, den Graben dadurch aufzuschütten, dass die Politik von einem moralischen Ausgangspunkt her umgestaltet wird: Böll bedauert, dass der Geist der Brüderlichkeit nach dem Kriegsende nicht in die Politik einging. [289]

Diese Position impliziert bei Böll, dass Macht [290] und Besitz abzulehnen sind oder zumindest nicht über Macht- und Besitzlosigkeit gestellt werden dürfen. Für ihn hat "Armut als die mystische Heimat Christi und all seiner Heiligen" eine andere als nur soziale Bedeutung. Die "historische Besonderheit" der christlichen Botschaft sieht er darin, dass sie "Armen" verkündet wird, "denn bis zur Geburt Christi kümmerte sich keine Macht dieser Welt um die Armen". [291]

Nach dem Pfingstgeschehen in urchristlicher Zeit waren die Christen "Reisende ohne Gepäck ... und es spricht sich leicht miteinander, wenn man nicht beladen ist ... niemand richtete sich auf dieser Erde ein und die Worte trugen keine Hypotheken für die Zukunft". [292] Böll betont dabei nachdrücklich, dass das "erneuerte Antlitz der Erde" keine Utopie war: Der Auftrag, das Antlitz der Erde zu erneuern war verwirklicht; im Laufe der Zeit wurde diese Realisation rückgängig gemacht und zwar dadurch, dass sich die Christen "auf dieser Erde eingerichtet" haben. [293]
Statt die Erde in christlichem Sinne zu verändern, haben die Christen sich ihr angepasst, hat die Kirche vor der Politik kapituliert. Unter diesem Gesichtspunkt zeigt sich, wie grundverkehrt es ist, Bölls Kritik an der Kirche eine antireligiöse Haltung zu unterstellen. [294]

Diese Beurteilung der Armut und ihre Bedeutung für das Christentum ist ein wichtiges Argument in der Auseinandersetzung sowohl mit der katholischen Kirche als auch mit Karl Marx und seiner

Lehre. [295] Vor diesem Hintergrund wird verständlich, warum Böll
so vehement gegen den Vorschlag des Kölner Erzbischofs polemisiert, "Arbeiter und ü b e r h a u p t Minderbemittelte sollten durch Besitz gesellschaftlich gehoben, ins Volksganze eingegliedert werden" (s. 2.3.2.). Bölls Einschätzung der Armut impliziert andererseits nicht, dass er die Ausbeutung rechtfertige. [296]

Wie er sich vorstellt, die Christen könnten heute wieder Reisende ohne Gepäck werden, formuliert Böll nicht. Hingegen findet
seine Ablehnung einer auf Profit und Umsatzsteigerung (über das
zum Leben notwendige Mass hinaus) bedachten Mentalität ihren
Ausdruck – etwa in der 'Anekdote zur Senkung der Arbeitsmoral'. [297] Der Wille, sich vom "Dschungel" [298] der politischen
Taktiken fernzuhalten und die Kehrseite der Medaille, die strik-
te Beschränkung auf Kunst, könnte in letzter Konsequenz – und
Böll hat diesen Weg zu Ende gedacht – zu einer Literatur führen,
die sich z.B. im 'automatischen Roman' manifestierte. Dass eine
derartige Literatur für den Christen Böll nicht in Betracht
kommt, und dass er sich des damit zusammenhängenden Dilemmas bewusst ist, haben wir gesehen (s. 1.2.). Böll entschärft das Dilemma dadurch, dass er verschiedene "Stufen der Aktualität" im
Werk eines Schriftstellers annimmt. Damit lässt er die Frage
aber auch unentschieden. Von den "Stufen der Aktualität" spricht
er in zwei Interviews. Obwohl er sich zum Teil der gleichen Worte bedient, ist ein gewichtiger Unterschied nicht zu übersehen:
Meint er im Interview mit den Studenten noch, es sei "gewiss
nicht die Pflicht jedes Autors", zu politischen oder sozialen
Fragen Stellung zu nehmen [299], so hält er es im Gespräch mit
Bienek "fast für selbstverständlich", dass ein Intellektueller,
besonders ein Schriftsteller sich heute auch politisch engagieren muss. [300]

Wer nun allerdings vermutete, Böll befinde sich auf dem Wege einer Annäherung an eine Organisation, dem erteilt der Autor in
einem Silvesterartikel aus dem Jahre 1963 eine klare <u>Absage</u>:
"Ich gehöre keiner Gruppe an". [301] Damit ist der Weg frei für

eine Suche nach einer bewohnbaren Sprache in einem bewohnbaren
Land, auf die sich Böll in den Frankfurter Vorlesungen begibt,
und dies bezeichnenderweise anhand von Beispielen aus der Literatur. [302]

4.2. Die zentrale Stellung des Autors

"Kunst ist eine der wenigen Möglichkeiten, Leben zu haben und
Leben zu halten, für den, der sie macht und für den, der sie
empfängt", schreibt Böll an bereits zitierter Stelle. [303] Hier
stehen Produktion und Rezeption als gleichwertige Brennpunkte
nebeneinander. Das gleiche gilt für die Forderung, die Rezipien
ten dürften nicht eine beliebig zu wählende Ästhetik gegen eine
beliebige Moral ausspielen ohne zu prüfen, ob eine Übereinstimmung von Form und Inhalt erreicht sei. Denn diese Forderung impliziert, dass nicht nur das Ringen um die dem Stoff angemessene Form, sondern auch das Erkennen der Übereinstimmung (durch
den Rezipienten) wesentlich zur Kunst gehört.
In der Gesamtheit der Aufsätze haben jedoch die Überlegungen zu
Produktion bedeutend mehr Gewicht. Dass Bölls Literaturtheorie
in hohem Masse auf die Produktion und den Autor bezogen ist,
zeigt sich etwa darin, dass er nur an den Autor einen Wahrheits
anspruch stellt: "Er kann irren, aber in dem Augenblick, wo er,
was sich später als Irrtum herausstellen mag, ausspricht, muss
er glauben, dass es die reine Wahrheit ist." [304] Da keine Relation zur Realität hergestellt ist, entzieht sich die Frage
nach der Wahrheit der intersubjektiven Überprüfbarkeit. Wer
könnte - um ein krasses Beispiel heranzuziehen - einem Autor,
der behauptete, die Erde sei flach statt kugelförmig, beweisen,
dass er selbst nicht daran _glaube_?
Die zentrale Stellung des Autors erweist sich auch dann, wenn
Böll das Verhältnis von Kunst und Markt oder die Rolle der
Massenmedien beurteilt: Zwar anerkennt er die Gefahren, die darin liegen, dass die Mechanismen des Marktes alles zu ergreifen
drohen. [305] Dennoch glaubt er, dass es einzig und allein in de
Macht des Schriftstellers liege, zu verhindern, dass Kunst zur

Ware wird: "... sie ist auf dem Markt, die Kunst, und ist doch nicht Ware, kann es nie werden, solange der, der sie macht, nicht an sich selbst zum Verräter wird und seine Geheimzone den Marktforschern ausliefert." [306] Auf die Frage, welchen Einfluss er den Massenkommunikationsmitteln zuschreibe, die sich in wenigen Jahrzehnten zu sehr gewichtigen gesellschaftlichen Faktoren entwickelt hätten, antwortet Böll im Gespräch mit den Studenten: "Ich glaube nicht, dass diese Entwicklung die Literatur ernsthaft beeinflussen wird. Zwar hat sie den Autoren neue Ausdrucksmöglichkeiten gegeben, aber das ändert nicht grundsätzlich die Situation des Autors, der auch heute allein an seinem Schreibtisch sitzt. Vielleicht können die Massenmedien der Literatur ein grösseres Publikum gewinnen. Aber das würde nicht bedeuten, dass sich die Literatur ihm anzupassen hätte. Die Massenmedien sind selbst weniger vom Publikum abhängig, als sie glauben oder vorgeben. Sie sind bloss Instrumente, ohne eigene produktive Idee. Das ist die Sache des Autors. Er muss wissen, was er schreibt, muss es selbst verantworten, ohne nach dem Publikum zu schielen." [307] Etwas überspitzt formulierend könnte man aus dem ersten Teil des Zitats folgern: Solange sich für den Autor nichts Grundsätzliches ändert, ändert sich auch für die Literatur nichts Wesentliches.

4.3. Die Partnerschaft zwischen Autor und Sprache

Die zentrale Stellung des Autors in den kunsttheoretischen Überlegungen Bölls geht Hand in Hand mit dem Glauben an die ungeheure Wirksamkeit der Sprache, mit der ein Schriftsteller ein partnerschaftliches Verhältnis eingeht.
Zur Partnerschaft von Sprache und Autor vergleiche etwa: Die Personifizierung der Sprache ("die Sprache ist dem, der schreibt, wie eine Geliebte ... Schreiben ist ein gefährliches Unternehmen, denn die Geliebte lässt sich nicht auf Legalisierung des Verhältnisses ein ... die Liebe kann ihr nie zur Pflicht gemacht werden, und eines scheut sie am meisten: wenn der Partner sie in das Korsett seiner Gedanken zwingt ..." [308]; die Eigendynamik

der Sprache ("... wenn sich einer der Sprache bedient, <u>oder sie</u> <u>sich seiner</u>, begibt er sich in Räume, wo Kontrolle über Wirkungen nicht mehr möglich ist." [309]) Der Grund, aus dem Böll daran zweifelt, dass der 'automatische Roman' zustande kommt, liegt in der "Tatsache, dass einer, der Romane schreibt, auf recht lange Strecken mit seiner Kunst zusammenlebt. Beim Schreiben eines Romans werden Liebe und Dauer auf eine Weise vereint, die jeden Ehetheoretiker neidisch machen müsste." [310]

Nach Bölls Ansicht können Worte töten; er nennt in diesem Zusammenhang unter anderen die Worte "Jude" und "Oder-Neisse". Bei der Frage, was wirksam wird, das Wort oder die historischen, psychologischen oder sonstwie gearteten Verhältnisse, auf die dieses sich bezieht, setzt Böll den Akzent auf die sprachliche Ebene, indem er die Ansicht vertritt, dass eines dieser Worte – "Es kann morgen ein anderes sein" – einem "Demagogen ausgeliefert, den meinungsbildenden Maschinen anheimgegeben, eine schlimmere Wirkung haben könnte als viele Lastzüge Nitroglyzerin." [311] Dabei beschäftigt ihn der Umstand nicht, dass auch der einflussreichste Demagoge sich auf eine mindestens in Ansätzen vorhandene gesellschaftliche Tendenz stützen muss. Für ihn ist es "einzig und allein eine Gewissensfrage, ob man die Sprache in Bereiche entgleiten lässt, wo sie mörderisch wird". Dass dabei das Gewissen des Autors gemeint ist, wird aus dem Kontext deutlich: Bewusstsein für das gespaltene Wesen der Worte ("was den einen trösten mag, kann den anderen zu Tode verletzen") verlangt er von dem, der "mit Worten umgeht" (der einschränkende Zusatz ist bezeichnend: "wie es jeder tut, der eine Zeitungsnachricht verfasst oder eine Gedichtzeile zu Papier bringt"). [312] Bezeichnend ist auch eine Formulierung wie: "Sprache wird Welt, wird <u>mehr</u> als sie, weil die Welt in der Sprache aller Imponderabilien entkleidet wird". [313] Mit der eminenten Bedeutung der Sprache hängt der induktive Aspekt der Böllschen Theoriebildung, seine Sprachkritik, zusammen.

4.4. Die bittere Logik der Sprache

Sehr oft gewinnt Böll Einsichten, indem er die Sprache sozusagen
"beim Wort nimmt", etwa wenn er bei der Bestimmung von Humor auf
die Bedeutungen des lateinischen Wortes zurückgreift und vom
"feuchten" Auge des Schriftstellers spricht. [314] Das ist, wie
gesagt, nur ein (der induktive) Aspekt des Erkenntnisvorgangs.

Ein Beispiel aus neuester Zeit sei hier ausführlich vorgestellt
und damit - einmal mehr - auf die Kontinuität in Bölls Denken
hingewiesen:

"Die Marktwirtschaft, die Freie, gibt ihren Kindern denkwürdige
Namen, das jüngste, einen Knaben, hat sie S a c h z w a n g genannt. Wenn ich versuche, mich von der Bedeutung, die dieser
Name haben könnte, zu lösen, ihn nur als lautliches Gebilde wahrzunehmen, gerate ich in die Nähe des Schluchtenhundes, auf Morgensternsche Auen, und fange an, frei nach Morgenstern, zwanglos
dem Wort Zwang in seiner Lautlichkeit Geschwister zu bilden: Der
Sachzwang und der Wirtschaftszwang, die hatten eine Schwester,
das war die kleine Zwangswirtschaft, geboren an Sylvester."
Auch der umgekehrte Vorgang findet statt: "Man kann mit den Wörtern Zwang, Wirtschaft und Sache beliebig spielen, aus dem Sachzwang eine Zwangssache machen, aus der Zwangswirtschaft eben
Wirtschaftszwang. ... Es muss einer schon zugeben, Einfälle hat
sie, sprachschöpferisch ist sie, die Marktwirtschaft, die Freie,
... . Wie aber kommt sie, die Martkwirtschaft, die Freie, dazu,
dem Wort Zwang in ihrer Familie Rang und Hintergrund zu verleihen? Werden wir, freie Menschen, etwa von Sachen zu etwas gezwungen? Und wenn ja, welche Sache zwingt da wen oder was zu
was? Da Vermenschlichung ein so bedrohlicher Begriff ist, hat
man ihr ja schon die Versachlichung entgegengesetzt. Es gibt ja
leider immer noch das "menschliche Versagen", wie wäre es, wenn
man das "sachliche Versagen" in die Terminologie aufnähme? Da es
bisher nur erst 'wirtschaftliche Zwänge' gibt, der 'Wirtschaftszwang' noch nicht geboren ist, wollen wir den kleinen Sachzwang
vorläufig gut im Auge behalten. Eine kluge und sensible Frau
gibt ihren Kindern keine Zufallsnamen. Noch ist er klein, der

liebe Sachzwang, und seine Mutter flüstert ihm vielleicht zu:
'Werde gross und stark, du mein schneller Brüter ... '
Ich fürchte eben nur, dass unser lieber kleiner Sachzwang - leider, leider - keine Morgensternsche Wortbildung, kein Verwandter
des Schluchtenhundes ist. Mit ihm bekennt sich seine Mutter offen zum Zwang, nicht nur zum Zwang einer Ideologie, sondern einer Sache. Damit deutet sie eine Sach-Ideologie an, von der wir
nicht wissen, wo sie endet. Das Wörterbuch des Unmenschen bedarf
der Ergänzung. Es müsste sich des grausamen Euphemismus annehmen, der sich hinter Worten wie 'Lauschangriff' oder 'Ölteppich'
verbirgt. Teppich, das klingt so gemütlich, nach Wohnzimmer, Kamin, Pantoffeln, Pfeife, Whisky. ... und wer auch nur je auf irgendeinem Strand auf einen nussgrossen Ölrückstand getreten ist,
weiss, wieviel Sach- und Waschzwang dieses nussgrosse Stück verursacht. Wer möchte schon auf diesen Teppich treten, der sich da
auf Nordeuropas Küsten zu bewegt ...?
Ganz gewiss ist mit S a c h z w a n g nicht gemeint, dass die
Sache, die man Energie nennt, uns nun in eine solche Katastrophe
hineinzwingt. Das Gegenteil ist gemeint: der Sachzwang zwingt
uns, eine solche Sache um der Sache - welcher? - willen hinzunehmen, nicht nur nicht darüber nachzudenken, was da alles noch
passieren kann, auch nicht darüber nachzudenken, was das dann
bloss alles k o s t e n mag. Der Sachzwang will, dass wir uns
in Fatalismus üben." 315)

4.5. Das wirklich Aktuelle oder Keine durchgehende Terminologie

Bölls theoretischen Schriften - ich habe bereits in der Einleitung darauf hingewiesen - fehlt eine exakte, konsequent durchgeführte Begrifflichkeit, was nun aber nicht heisst, dass er es
innerhalb eines Aufsatzes an Logik fehlen lässt oder gar, dass
es in seinem Denken keine Kontinuität gäbe. Nur: wenn Böll in
einem Aufsatz einen Begriff definiert, darf man nicht ohne weiteres erwarten, dass er in späteren Schriften den gleichen Begriff in der gleichen Weise verwendet. Als Beispiel mögen die
Begriffe 'wirklich' und 'aktuell' dienen, die Böll im Aufsatz

'Der Zeitgenosse und die Wirklichkeit' (1953) deutlich voneinander abhebt. Dort heisst es, das Aktuelle sei der Schlüssel zum Wirklichen, und es sei unsere Aufgabe, uns nicht mit dem Aktuellen zu begnügen, sondern zum Wirklichen vorzustossen. Im Aufsatz 'Was ist aktuell für uns?' aus dem folgenden Jahr steht dem Begriff des Aktuellen die Scheinaktualität gegenüber, und wir lesen etwa: "Jeden Augenblick geschieht das Ungeheuerliche, das <u>wirklich Aktuelle</u> ...", [316] was nach der früheren Begriffsbestimmung eine contradicito in adiecto darstellt. Tatsächlich ergibt die Analyse des ganzen Aufsatzes, dass der Bereich, den Böll im früheren Aufsatz als das Wirkliche bezeichnete, nun durch den anderen Pol der damaligen Dichotomie – das Aktuelle – abgedeckt wird.

Dass Böll die einmal vorgenommene Begriffsbestimmung auf den Kopf stellt, ohne sie durch eine neue zu ersetzen, bedeutet nun allerdings nicht, dass in seinem Denken ein Widerspruch vorhanden wäre. Denn inhaltlich geht es um dasselbe, um die Bestimmung dessen, was für uns wesentlich ist. Und das ist in beiden Aufsätzen identisch.

4.6. Erste Schritte auf dem dritten Weg

Ich übernehme hier bewusst die Überschrift, die Rolf Michaelis über seinen Aufsatz in der 'Zeit' vom 29.8.1975 setzte, wende sie jedoch im Gegensatz zur dort vertretenen Ansicht bereits auf die erste Phase der Böllschen Nebenbeis an.

Der Dritte Weg, der Versuch, die Beschränkungen der Dialektik zu überwinden, führt über drei Stufen, wobei Böll in dieser frühen Phase die letzte noch nicht erklimmt: Da ist zunächst das dualistische Denken. Da ist zweitens die Ablehnung von Dichotomien in bestimmten (den meisten) Fragen, und als letzte Stufe ist der explizite Versuch zu nennen, die Beschränkungen der Dialektik in allen Bereichen zu überwinden.

Auf der ersten Stufe ist die auffälligste Dichotomie, die Böll selbst verwendet, das Gegensatzpaar 'Individuum und Gesellschaft'. Dem unter der Last der Geschichte leidenden einzelnen gilt seine Aufmerksamkeit in erster Linie. [317] Wie gezeigt, gerät ihm auch bei der Frage, wer die menschliche Geschichte vorantreibt, zunächst das Individuum ins Blickfeld. Allerdings gibt es bereits hier Ansätze, die dem widersprechen. [318] Ein weiterer Gegensatz, der Böll in dieser Periode unüberbrückbar erscheint, wird durch die "Gläubigen" und die (politischen) "Taktiker" verkörpert. [319] Vor dem Hintergrund dieser Dichotomie und der Kapitulation (oder doch des weitgehenden Rückzugs) des Religiösen vor dem Politischen wird jener zunächst unverständliche Satz aus dem 'Brief an einen jungen Katholiken' durchsichtiger: "Es wird bald in Deutschland viele Katholiken geben, die mit ihren Glaubensbrüdern und -schwestern nur noch ihren Glauben gemeinsam haben; ja, Sie haben recht gelesen, ich schrieb: n u r; es gibt ja keine religiösen Auseinandersetzungen mehr, nur noch politische, und selbst religiöse Entscheidungen, wie die des Gewissens, werden zu politischen gestempelt." [320] Ähnlich wie der Religion, die von der Politik vereinnahmt wird, ergeht es nach Bölls Ansicht der Marxschen Lehre: "Als Karl Marx starb, war seine Lehre noch nicht im taktischen Sinn politisch wirksam geworden; sie gärte noch; vieles an ihr war unausgärbar, manches explodierte; in die Hände der Politiker gegeben, erwies sich seine Lehre als ein blutiges Instrument ..." Auch hier – wenn auch eingeschränkt – dualistisches Denken, das jedoch sogleich auf anderem Gebiet kritisiert wird: Böll fährt nämlich fort: " ... vielleicht nur, weil die Welt die Antwort auf Marx schuldig blieb, seine Irrtümer benutzte, um seine Wahrheiten zu verdecken." [321]

Dieses Nebeneinander von Dualismus und der Absage an die beliebte Taktik, das eine (hier: die Irrtümer) gegen das andere (die Wahrheiten) auszuspielen, ist typisch für diese Phase, in der Böll in den meisten Bereichen, wie wir gleich zeigen werden, bereits das Dritte sucht, diesem Prinzip aber noch nicht in allen Belangen nachlebt. Gegensatzpaare, die er später so nicht mehr verwenden würde, sind etwa: 'rational-irrational' und 'Glauben-Unglauben'. [322]

In den meisten Bereichen lehnt Böll ein dualistisches Denken ab.
Da ist zunächst die eben erwähnte Absage an die Taktik, das eine
gegen das andere (Form gegen Inhalt beispielsweise [323]) auszuspielen, das Zurückweisen sich scheinbar ausschliessender Dogmen
(der "Engagiertheit" und des "Nicht-Engagiertseins" [324] beispielsweise), ohne dass immer die dritte Möglichkeit expressis
verbis mitgeliefert wird. [325]
In einem Fall erscheint das Dritte als Punkt in einer Geraden
oder Strecke ("Zwischen dieser Betroffenheit und der Gelassenheit der Darstellung liegt der Punkt, wo der Dichter seine grösս-
te Reibung zwischen Stoff und Form erlebt" [326]), am häufigsten
jedoch erscheinen Begriffe wie (ständig wechselndes) Mischungsverhältnis, Mischungsgrade, Mischformen, die Böll in den ver-
schiedensten Bereichen verwendet: in Aussagen über das Menschenbild [327], über das "Geheimnis" der Kunst [328], das Selbstverständnis des Künstlers [329], über die Mischformen von Kunstträger und Kulturträger, die ansonsten durch einen tragischen Abgrund voneinander getrennt sind [330], usw.
In der Rede 'Wo ist dein Bruder?', die man unter mehr als einem
Aspekt als Vorstufe zum Roman 'Billard um halbzehn' betrachten
kann, der meiner Ansicht nach eben gerade kein dualistisches
Weltbild enthält, heisst es: "Wir, die wir hier versammelt sind,
sind nicht ganz Kain, nicht ganz Abel: Wir haben nicht die Hand
erhoben, um unseren Bruder zu erschlagen, noch sind wir erschlagen worden." [331] Aus dieser Rede wird auch ganz deutlich, dass
der Blick um der Zukunft willen immer wieder auf die Vergangenheit gerichtet wird: der Mord und das Unrecht darf nicht wiederholt werden. [332] Dies zeigt, wie absurd es ist, das "Rückwärts-
blicken" zu diffamieren. Aber auch wenn man dieser Nachdenklichkeit durchaus positiv gegenübersteht – wie etwa Renate Matthaei,
die von Böll sagt: "Kein anderer Autor ist so fixiert an diesen
Anfang, kein anderer kann und will weniger vergessen" [333] –
sollte erwähnt werden, dass Böll den Blick in die Vergangenheit
richtet, weil ihm die Zukunft wichtig ist.
Am ausführlichsten wird das Denken in Mischungsgraden in einem

Aufsatz aus dem Jahre 1960 vorgestellt: "Es gehört zur Ironie des Schreibens, dass oft Bücher von Autoren, die absichtslos schreiben, mehr zur Veränderung der Welt beitragen als die Bücher jener, die sich auf ihre Absichten berufen; der Streit über die 'Littérature engagée' und die reine ist notwendigerweise ein endloser, solange das eine wie das andere per se als Qualitätsmerkmal genommen wird, und die Mischungsgrade, die zwischen beiden möglich sind, nicht in ein Koordinatensystem, das zu erfinden wäre, eingeordnet werden; in diesem System müsste ein gutgeschriebenes Buch über Bienenzucht wie ein Fixstern über einem schlechtgeschriebenen stehen, das das Leben des heiligen Paulus zum Gegenstand hat. Mit dem guten Buch über Bienenzucht wäre sogar dem heiligen Paulus besser gedient, als mit einem schlechten über ihn selbst." [334)]

Das Denken in Mischungsgraden impliziert nicht, dass dadurch unmöglich wird, einen Standpunkt einzunehmen. Böll fährt weiter: "Der Urheber eines Buches ist nicht etwa der Antwort enthoben, ob er die Welt verändern will oder nicht ..." [335)]

Nicht in jedem Fall ist die dritte Möglichkeit eine Mischform, die irgendwo zwischen zwei Begriffen als Koordinaten zu finden ist: Gelegentlich verkörpert sie sich in einem Individuum, für gewöhnlich im Autor: "... sie ist auf dem Markt, die Kunst, und ist doch nicht Ware, kann es nie werden, solange der, der sie macht, nicht an sich selbst zum Verräter wird und seine Geheimzone den Marktforschern ausliefert." [336)] Der nicht gespaltene, unkorrumpierte Autor wird zum Garanten dafür, dass beispielsweise eine unheilvolle Entwicklung nicht stattfinden kann: Es "werden nie mörderische Irrtümer und Torheiten sein", die der Freiheit eines Schriftstellers entspringen, "solange Sprache und Gewissen sich noch nicht getrennt haben und jene Schizophrenie zustande kommt, wo einer, dem die Sprache ... zur Verfügung steht, sich mit der ärmlichen Münze begnügt, die die Mächtigen als Honorar zu zahlen pflegen, jedem, der sich bereit erklärt, die Worte ihrer Erbschaft zu berauben ..." [337)]

Es sei daran erinnert, dass nach Bölls Ansicht die Autoren mit

Hilfe der Wörterbücher sich der "gewaltigen Erbschaft" der Wörter bewusst werden und so - indem sie "alles auszahlen", was die Sprache sein kann - die unheilvolle Spaltung der Wörter verhindern oder zumindest eindämmen sollten. [338] Dieser Gedanke steht scheinbar im Widerspruch zur - ebenfalls Böllschen - Auffassung, mit der Auslieferung verliere ein Autor jeden Einfluss auf sein Produkt. In Wirklichkeit unterstreicht der Gedanke Bölls Vertrauen in die Wirksamkeit der Sprache mit ihrer Eigendynamik, der sich der Autor partnerschaftlich verbunden weiss. Gelegentlich führt das anti-dualistische Denken zu - wie es zunächst erscheint - paradoxen Vorstellungen, man denke nur an die Auffassung vom "Reich", das nur in Machtlosigkeit existieren kann. [339]

ZWEITER TEIL: 1964 BIS 1977

1. Suche nach einer bewohnbaren Sprache in einem bewohnbaren Land

1.1. Die Rolle der Literatur in einer bodenlosen Gesellschaft

1.1.1. Die Bodenlosigkeit

Deutschland hat nach dem Krieg die Chance verspielt, die in der Machtlosigkeit lag [1]; der Geist der Brüderlichkeit und des Bündnisses [2] hat sich nicht durchsetzen können.

Die gleiche Diagnose - allerdings in erweiterter und verschärfter Form - stellt Böll in den Frankfurter Vorlesungen. [3] Zugleich versucht er - und das ist neu - aus dieser Analyse Konsequenzen für die Literatur zu ziehen.
Nach dem Krieg gab es die "einmalige Situation der Gleichheit", alle waren besitzlos, alles besitzend, was ihnen unter die Hände geriet: Kohlen und Holz, Möbel, Bilder, Bücher. ... Wenn jemand um Brot bat, fragte man ihn nicht, ob er ein ehemaliger Nazi war oder Überlebender eines Lagers; es sah so aus, als wäre Deutschland ausersehen, unpolitisch zu bleiben - es ist anders gekommen, natürlich nicht zufällig, nicht ganz so aus eigenem Wunsch und Willen, schon gar nicht als eigenes Wunder, aus vielerlei Gründen. ... Brüderlichkeit war nicht begehrt, Autorität war gefordert, Befehle wurden erwartet und empfangen, und es tauchte die Garde der Zackigen, Eifrigen, Unterwürfigen auf ..." [4]
Deutschland hat sich politisiert, aber "Schuld, Reue, Busse, Einsicht sind nicht zu gesellschaftlichen Kategorien geworden, erst recht nicht zu politischen". [5]
Die Deutschen "warten auf Gebundenheit, finden aber nur Gesellschaft, kein Vertrauen" [6]; es "scheint weder vertraute Sprache noch vertrautes Gelände zu geben, nicht einmal Vertrautheit mit der Gesellschaft, nicht mit der Welt, schon gar nicht mit der Umwelt". [7] Politik und Gesellschaft bleiben nichtssagend [8], die Kirche hilflos [9]; die Bundesrepublik ist "ein trauriges Land,

118

aber ohne Trauer; es hat seine Trauer delegiert, über die Grenze nach Osten geschoben, und weiss immer noch nicht, dass das Politische nur die Oberfläche ist, die oberste, dünnste und auch verletzlichste von vielen Schichten." [10]

Es ist eine "bodenlose" Gesellschaft, und "das Zeitgenössische, in Sprache gefasst, beweist, wie wenig human es ist, einen Staat in ständiger Bodenlosigkeit zu belassen", wie es beispielsweise geschieht, wenn das Wort 'heimatvertrieben' in demagogischer Absicht "für Heimatvertriebenenverbände besetzt" wird. [11] Mit der Bombe, die "wir ... alle in der Tasche" haben, "hat die Zeit eine andere Dimension gewonnen, die Dauer fast ausschliesst. Ernst und leicht wird alles, nichts will bleiben, schon gar nicht Wurzel schlagen, ... ; verlorene Heimat, verlorene Zusammenhänge, kein vertrautes Gelände - ... Humanes, Soziales, Gebundenes, so glaube ich, ist ohne Heimat nicht möglich, Heimat, deren Name Nachbarschaft, Vertrauen einschliesst, ohne dass die Urstufe der Gesellschaft, die Familie, nur zu einer feindseligen, vergifteten Festung wird ..." [12]

1.1.2. Die Sprache und die Menschwerdung des Menschen

Es versteht sich von selbst, dass für Böll die "Auswege: Snobismus, Zynismus, Nihilismus" nicht in Frage kommen. [13] Vielmehr ist er davon überzeugt, dass die Literatur und mit ihr eine noch zu entwickelnde "Ästhetik des Humanen" eine wichtige Rolle spielen bei dem Versuch, vertrautes Gelände zu gewinnen. Böll geht von der Voraussetzung aus, "dass Sprache, Liebe, Gebundenheit den Menschen zum Menschen machen, dass sie den Menschen zu sich selbst, zu anderen, zu Gott in Beziehung setzen - Monolog, Dialog, Gebet". [14] Jedoch haben seiner Ansicht nach "die Menschwerdung des Menschen" [15] und das Christentum noch nicht begonnen. [16] Auch von diesem Ansatz her ist die Bedeutung der Literatur evident.

In einer ständigen Kontroverse über einen "permanent umstrittene(n) Klassiker", wie sie in England z.B. seit langem über Dickens geführt wird, "klärt sich einiges, werden immer wieder

von neuem das Sprachgelände und das soziale Terrain überprüft
und es bildet sich Grund, auf dem man stehen, sich Argumente zu
werfen, solche widerlegen kann". [17] Eine derartige Kontroverse
wird in Deutschland nicht geführt, zudem fehlt eine "Hauptstadt
der Deutschen". [18] Böll hofft daher denn auch, dass "durch
Übersetzungen einiges an Manieren, notfalls über einen gewissen
Manierismus, in unsere Sprache" eindringe [19], denn: "Etwas aus
einer fremden ins Gelände der eigenen Sprache hinüberzubringen,
ist eine Möglichkeit, Grund unter den Füssen zu finden". [20]

1.1.3. Gesellschaftliche Verantwortung und (begrenzte) Macht des Schriftstellers

In der "nichtssagenden" Gesellschaft "fällt der zeitgenössischen Literatur eine Verantwortung zu, der sie nicht gewachsen
ist ... die ihr die erotischen, sexuellen, religiösen und sozialen Probleme auflädt, ihr deren Behandlung aber auch wieder an-
kreidet. ... Es ist eine hohe Ehre, es ist - ich möchte sagen,
eine zu hohe Ehre und eine Zumutung zugleich, wenn man in diesem
Dschungel von Definitionen jenes direkte Wort verlangt, das Verbindlichkeit schafft. Man fragt nicht die Wissenschaft, nicht
die Politiker, nicht die Kirchen - die Autoren sollen aussprechen, was die anderen offenbar nicht aussprechen wollen: dass
Verlorenes verloren ist, vielleicht nur um einen Finderlohn wie-
derzuerlangen." [21]

Wenn Böll auch ausschliesslich durch eine Ästhetik des Humanen
versucht, Grund unter die Füsse zu bekommen und der Literatur
eine ausserordentlich wichtige Rolle zumisst, so betont er in
den Frankfurter Vorlesungen doch auch mehrmals - und dieser
Aspekt ist neu -, die Macht und die Wirkungsmöglichkeiten eines
Autors [22] seien eingeschränkt:

Über die Gesellschaft der Bundesrepublik übt die Wissenschaft
eine "totale Herrschaft" aus, ihre Macht wird dadurch potenziert
dass "Gehorsam und Unterordnung" die "einzige soziale Wirklichkeit" ist, "die die Deutschen im Verlauf ihrer bisherigen Geschichte angenommen haben". [23]

In dieser Gesellschaft ist das Humane und Soziale, wenn es ohne politische oder wissenschaftliche Deckung [24] auftritt, von vorneherein in einer gefährdeten Position: "wird ausserhalb der genehmigten, durchorganisierten Wohltätigkeit irgendein humaner Zusammenhang zwischen dem Religiösen und Sozialen gesucht und gefunden – ich würde mich nicht wundern, wenn die Kirchen sich mit einer atheistischen Gesellschaft verbünden würden, um eine Person oder eine Gruppe zu tilgen, die in blossem Gottvertrauen sich nicht in Gesellschaft, sondern ins Humane begäben". [25]

Böll glaubt, dass "eine ganze Armee nihilistischer Schriftsteller ... nicht andeutungsweise so viel anrichten" könnte, wie das Wort "Befehl" angerichtet habe. [26] "Ich meine: Alle Sensationen, die Literatur hervorruft, sind auf eine peinliche Weise übertrieben. Was sensationell ist, geschieht vor den Gerichten, die über das Wort Befehl zu befinden haben." [27]

Den Umstand, dass "zwei, drei, vielleicht vier Autoren, die nebenbei katholische Kirchensteuer zahlen ... die statistisch erhebliche Masse von 26 Millionen deutschen Katholiken in Aufregung versetzen" können, interpretiert Böll nicht in erster Linie als Hinweis auf den Einfluss der Schriftsteller, sondern vielmehr als Ausdruck der "Bodenlosigkeit, die entsteht, wenn Religion nur noch gesellschaftlich, nur noch institutionell vorhanden ist." [28]

"Plötzlich ist der Augenblick gekommen, wo sich die Hoffnung, Erwartung, Aufmerksamkeit von Erziehern, Kirchen, Politikern auf die Zeitgenossenschaft richtet, die vorübergeht. Kennen sie denn alle den Menschen nicht, suchen sie ihn auf dem Umweg über die Literatur, oder holen sie versäumte Wahrnehmungen nach? Es wäre ein bodenloses Unternehmen, den Menschen nur in dem zu suchen, was die Literatur an ihm bewirkt, zu hoffen, er wäre so zu finden. Die Worte 'Epik' und 'episch' klingen so vertrauenerweckend, getragen, fast wie etwas, in dem man sich häuslich niederlassen oder, wie ein Modewort sagt, 'ansiedeln' kann. Man sollte vor zeitgenössischen Romanen Schilder aufstellen: hier darf nicht gesiedelt werden, niederlassen verboten, sich nicht darin ein-

richten. Wer Grund unter den Füssen haben will, muss viel mehr
haben, als Literatur und Kunst ihm je werden bieten können." [29]
Schliesslich meint Böll, seine Altersklasse werde "diesen Grund
unter den Füssen nie finden. Es fehlt die Tradition, zum Studium
die Geduld, zum Sammeln das Vertrauen auf die Dauer, zum Genuss
jene Spur wenigstens von Zynismus, die sich mit Weisheit zu kan-
dieren versteht; meine Altersklasse ist nicht weise, wird es nie
sein, sie ist nicht einmal klug geworden und aus vielem bis heute nicht schlau." [30]

Zusammen mit seinem Vertrauen in die Möglichkeiten eines Autors
revidiert Böll seine Ansichten über die Rezeption literarischer
Werke: "Ein Überlebender, als solcher spreche ich zu Ihnen, der
mehr vertrautes Gelände, Sprachgelände voraussetzte, als offenbar vorauszusetzen war." [31]

Mit "fortschreitendem Alter" sieht Böll einen Verdacht bestätigt
den er sich "bisher vor lauter Eile ... nie so recht bewusst gemacht habe: dass der Leser - und ich meine damit auch den Kritiker, den ich mir als einen Leser vorstelle, der einzuordnen
und sich zu artikulieren verstehen müsste - nichts l a s s e n
kann; dass er darauf aus ist, zu erfahren, was der Autor g e -
m e i n t haben könnte - und so entsteht dann das schon erwähnte Dickicht von Definitionen, das durch Gekränktheiten, Gereizt-
heiten, Proteste und allerlei Torheiten noch mehr verdunkelt
wird, als es ohnehin schon ist. Offenbar ist es schon unzumut-
bar, das Minimum vorauszusetzen: die jeweils gewählte Optik zu
erkennen, sie anzunehmen, innerhalb dieser allerdings Verbindlichkeiten zu finden; kürzer gesagt: sogar ein vergleichsweise
realistischer Roman hat eine komplizierte Dämonie, die manchen
Leser und Kritiker in einen unfreiwilligen Komiker verwandelt,
wenn er die freiwillige, die professionelle Komik der gesetzten
Optik nicht erkennt ..." [32]

Als Autor fürchtet Böll nicht die Massenpublikation, nicht die
gebildete Interpretation von Gegnern und nicht von Anhängern -
"ich fürchte den Interpretationsanspruch, der ohne Voraussetzung
an einen Text geht, der Voraussetzungen hat." [33]

Da es nicht Sache des Autors sein kann, Voraussetzungen zu schaffen [34), bleibt es bei einer in eine unbestimmte Zukunft gesetzten Hoffnung: "Vielleicht wird es möglich sein, Wohnen, Heimat in Sprache zu fassen, wenn Reisen nicht mehr als Flucht erscheinen muss, weil die Poesie des Alltäglichen nicht nur von den Poeten, auch von denen, für die sie schreiben, wieder erkannt wird." [35)

1.2. Gespenstische Diskrepanz zwischen Gesellschaft und Literatur

Hatte Böll bisher als Zeitgenosse zu Gesellschaft, Staat und Organisationen Stellung genommen, so thematisiert er nun also das Verhältnis von Literatur einerseits und Staat und Gesellschaft andererseits: "Die zeitgenössische Literatur eines Landes ist nicht nur die notwendige Ergänzung zu einem Bild, das in Diskussionen, Ministerreden, im diplomatischen Stil, in Export- und Importziffern als oberflächlich hingetupftes Selbstporträt immer den Plakaten von Reisegesellschaften gleicht. Vergleicht einer ... die Gegenwartsliteratur der Bundesrepublik mit dem optimistischen Selbstporträt, das sich aus Wohnungsbaustatistiken, auf Industriemessen ergibt, so entsteht nicht nur, was man 'Gefälle' zu nennen liebt, es entsteht etwas Hintergründiges, eine gespenstige Dimension." [36) Statistisch gesehen wohnen z.B. alle irgendwo, aber die Wirklichkeit, wie sie in der Literatur erscheint, ist das "Nicht-wohnen-können" der Deutschen. [37) Die zeitgenössische Literatur eines Landes ist jedoch nicht nur eine notwendige Ergänzung zum offiziellen Bild eines Landes: "ihre Mitteilungen sind ganz anderer Art als die der Politik." [38) Böll wiederholt seine Auffassung von der Eigengesetzlichkeit der Kunst und vom Primat der Form gegenüber dem Inhalt: "Moral und Ästhetik erweisen sich als kongruent, untrennbar auch, ganz gleich, wie trotzig oder gelassen, wie milde oder wie wütend, mit welchem Stil, aus welcher Optik ein Autor sich an die Beschreibung oder blosse Schilderung des Humanen begeben mag .." [39) Und: "Die blosse Inhaltsangabe ist ein Unrecht - es bedarf nicht

einmal parodistischer Tendenz, ein Buch auf diese Weise umzu-
bringen. Versuchen Sie es bei irgendeinem Roman der Weltlitera-
tur, es wird ein Illustriertenroman daraus." [40]

In der Bewertung des Verhältnisses von Literatur einerseits,
Staat und Gesellschaft andrerseits setzt Böll [41] eindeutige Akzente: "Ähnlich ist es mit dem Verhältnis Schriftsteller - Gesellschaft. Möglichst keine Mätzchen - die überlässt man den au
publicity, notfalls negative, bedachten öffentlichen Sündern un
Sünderinnen. Schweigen wir also und ziehen uns zurück, um der
statistisch so leicht nachweisbaren Wirklichkeit Hintergrund zu
geben, was bedeutet: sie wirklich zu machen, denn ohne Literatur ist ein Staat gar nicht vorhanden und eine Gesellschaft tot
Wo wäre der geschichtliche Augenblick 1945 ohne Eich und Celan,
Borchert oder Nossack ... Das Deutschland der Jahre 1945-1954
wäre längst entschwunden, hätte es nicht in der zeitgenössische
Literatur Ausdruck gefunden." [42]

Gegenwärtig besteht also zwischen Gesellschaft und Literatur ei
ne gespenstische Diskrepanz. Es geht nun nach Böll darum, "die
Abgründe zwischen der statistischen und der in der Litaratur ge
schilderten Wirklichkeit nicht zu schliessen, auch nicht zu übe
brücken, vielleicht aber langsam aufzuschütten." [43] Was wohl
nur bedeuten kann, dass Staat und Gesellschaft human werden müs
sen, wobei die Literatur und mit ihr die zu entwickelnde Ästhetik des Humanen als Masstab und Leitbild eine aktive und wichti
ge Rolle übernehmen: S. etwa: "Unsere Väter und Mütter im Geist
haben die Weltlosigkeit unserer Landsleute beschimpft, ihre Muf
figkeit und Bewegungslosigkeit beklagt, aber nun, da unsere
Landsleute sich aufmachen, andere Länder, deren Sitten kennenzu
lernen, werden sie als Touristen schimpflich karikiert - das
Merkwürdige ist: es geht nicht anders. Sprache fasst dieses Rei
sen offenbar nicht als etwas Humanes. Ob ein Buch wie 'Eine Rei
se' [44] dadurch, dass es da ist, nicht eine Ästhetik des Rei-
sens, der Heimat, des Abfalls enthält, Wirklichkeit bildet, ohn
bekannt zu sein?" [45]

1.3. Die Ästhetik des Humanen

Nicht bei der "grossen Welt", der die Grösse fehlt, und deren Vokabular "so nichtssagend wie das der Politik" ist, glaubt Böll das Humane zu finden, sondern im Alltäglichen und Provinziellen. [46] Er geht noch weiter: Es zeige sich, dass Gegenstände der Konsumgesellschaft, ein Kühlschrank etwa oder ein Auto, ästhetisch nicht fassbar, nicht vorhanden seien. Wie Böll an Gedichten von Günter Eich glaubt zeigen zu können, ist vielmehr das von der Gesellschaft zum Abfall erklärte und abfällig Behandelte das Humane. [47] Diese Ansicht hat Böll schon sehr früh vertreten. [48]

"Die Humanität eines Landes lässt sich daran erkennen, was in seinem Abfall landet, was an Alltäglichem, noch Brauchbarem, was an Poesie weggeworfen, der Vernichtung für wert erachtet wird. ... Das Wort Abfall oder Abschaum wird hierzulande auch sehr leichtfertig, rasch auf Menschen angewendet ... Die Literatur kann offenbar nur zum Gegenstand wählen, was von der Gesellschaft zum Abfall, als abfällig erklärt wird. Was Heimat war, Wohnen, Nachbarschaft, die Menschlichkeit des Abfalls, das könnte deutlich werden an denen, die keine Heimat mehr haben, obwohl sie nicht vertrieben worden sind. Es kann einer den Strom von Reisenden, diese Hast, auch als Flucht aus einem Land deuten, das seiner selbst nicht sicher ist, weil seine Bewohner, seine Politiker nicht wahrhaben wollen, dass am Anfang dieses Staates ein im Abfall wühlendes Volk stand." [49] Ganz auf dieser Linie liegt Bölls Beurteilung des Humors: "Soweit es überhaupt noch eine Rechtfertigung des Humors in der Literatur gibt, könnte die Humanität darin bestehen, das von der Gesellschaft abfällig Behandelte in seiner Erhabenheit darzustellen." Böll zitiert Jean Paul, der "es so definiert: 'Der Humor als das umgekehrt Erhabene vernichtet nicht das Einzelne, sondern das Endliche durch den Kontrast mit der Idee. Es gibt für ihn keine einzelne Torheit, keine Toren, sondern nur Torheit und eine tolle Welt'". [50]
Dass Böll Jean Paul zitiert, ist bezeichnend für die neue Phase

seines kunsttheoretischen Schaffens. Böll versucht mit einer Methode, die er "Gegeneinanderstellen von Texten" nennt, Massstäbe für eine Ästhetik des Humanen zu gewinnen. Da diese Texte "historisch kontinuierlich" ausgewählt sein sollen, eröffnen sie Böll die Dimension der literarischen Tradition. [51]

Böll glaubt sogar, ohne "eine Wiederentdeckung" Stifters und Jean Pauls werde es "nie vertrautes Gelände geben können, werden Wohnung, Familie, alle jene von mir aufgezählten Erscheinungen des Humanen keinen Ort finden." [52]

Im folgenden Kapitel, in dem die Stationen des direkten, politischen Engagements nachgezeichnet werden, stehen, im Gegensatz zum Bisherigen, Veränderungen in den Böllschen Ansichten im Vordergrund.

2. Gib Alarm!

2.1. Taktik und Strategie

Im Aufsatz 'Angst vor der 'Gruppe 47'?' von 1965 unterscheidet Böll zwischen der Macht des Schriftstellers und jener der Politiker: Politiker haben "nur 'taktische' Macht" und sind "machtlos oder ohnmächtig", wohingegen "die Macht eines Schriftstellers immer 'strategisch' ist; versucht er 'taktisch' vorzugehen und auf diese Weise Einfluss zu gewinnen, spürt er schnell, wie ohnmächtig er ist." [53]

Diese Ansicht erhält Böll noch im Juni 1968 in einem Gespräch mit Hans Hübner aufrecht, wo er sagt, die 'Ausserparlamentarische Opposition' habe den "politisch direktere[n] Weg gewählt, ein anderer Weg jedenfalls, als wir ihn gewählt haben." Er glaubt auch, dass Günter Grass – der im Wahlkampf für die SPD wirbt – den verkehrten Weg gehe, dass er keine Möglichkeit habe, sich gegen das SPD-Establishment durchzusetzen. [54]

Ein Jahr später jedoch versucht Böll, katholische Frauen – an sie wendet er sich in einem offenen Brief – davon abzuhalten, CDU/CSU zu wählen.

2.2. Die Karnickel blecken die Zähne

Die Gründe, die Böll dazu bewogen haben mögen, in die politische Arena zu steigen, sind vielfältiger Art. Während der Studentenunruhen des Frühjahres 1968 schreibt er, die Studenten verfolgten ein klar erkennbares – und richtiges – politisches Ziel: "Sie wollen die Übermacht der stimmungsmachenden und meinungsbildenden Publikationen des Springer-Konzerns brechen." In den Methoden der Ausbreitung des Springer-Konzerns und seiner Meinungsbildung erkenne er das Modell der "Machtergreifung" wieder, "einer, versteht sich, legalen Machtergreifung, die offenbar von den Gesetzen und der Gesellschaft nicht nur geduldet, sondern ermöglicht wird. Deshalb ist der Ruf der Studenten nach 'Veränderung der Gesellschaft' weder abwegig noch demagogisch." Als Schriftsteller zähle er "von Natur zur ausserparlamentari-

schen Opposition", als Steuerzahler überlege er, ob es Aufgabe
der Polizei sei, die Auslieferung der Zeitungen _eines_ Konzerns
zu garantieren. [55)]
Anlässlich der Auseinandersetzung über die Notstandsgesetze
schaltet sich Böll zum erstenmal direkt ein: Er hält am 11.5.
1968 eine Rede auf der Kundgebung im Bonner Hofgarten. Es ist
hier nicht der Ort, auf seine Argumente im einzelnen einzugehen
- wichtig scheint mir, dass Böll sich fragt, "ob nicht die Ablehnung dieser Gesetzesvorlage für die SPD die letzte Chance ist
sich aus der tödlichen Umarmung zu befreien und sich bis zur
nächsten Wahl zu erneuern?" [56)] - Die Vorlage wird verabschie-
det. Das Engagement ist eine "denkwürdige Erfahrung, die ich als
inneren, nicht äusseren Abschied vom deutschen Nachkriegsfeuil-
leton buche: Früher, wenn ich irgendwo eine Rede zu halten hatte, war diese schon 'verkauft', lange bevor ich sie geschrieben
oder gar gehalten hatte. Offenbar sind generelle Polemiken
feuilletonistisch als Würze gegenüber dem politischen und dem
Wirtschaftsteil interessant, aktuelle politische Reden, auch
wenn sie sachlich sind, ganz und gar unerwünscht." [57)]
Da neben der SPD auch der "ganz und gar unberechtigterweise teil
weise als 'links' bezeichnete [...] deutsche [...] Katholizismus" versagt hat, folgert Böll: "Es bleibt nur das eine: zersetzen, zersetzen, zersetzen.
Zersetzung ist hier die einzig mögliche Form der Revolution." [58]
Die Frankfurter Notstandskundgebung war für Böll "auch ein Ende.
Das Ende der Resolutions- und der 'Spiegel'-Demokratie." [59)]
Eine wichtige Station auf dem Weg zum direkten politischen Engagement ist auch die Besetzung der Tschechoslowakei durch die
Sowjetunion, die Böll - gerade in Prag weilend - selbst miter-
lebte. Böll, dem Hans Hübner nach seinem Gespräch noch atte-
stiert hatte, er stünde einem Aspekt der Studentenbewegung eini-
germassen beziehungslos gegenüber: der Internationalität und dem
Begriff der "Weltinnenpolitik" wie ihn Jean Améry einmal formu-
lierte. [60)] Dieser selbe Böll ist nun davon überzeugt, "dass die
Ostpolitik der vergangenen Bundesregierung und der gegenwärtigen

die Lage verschärft hat." [61] Zudem hat er gesehen, "dass die Schriftsteller, Journalisten und Publizisten die ganze Entwicklung in der CSSR von Januar bis August stark beeinflusst haben" [62] - ein anschauliches Beispiel für wirksames politisches Engagement.

Böll ist sich bewusst, dass die Rolle der tschechischen Schriftsteller - "die ja keine Bildungsprivilegierten sind, wie die meisten Schriftsteller hier" - von jener der deutschen Kollegen verschieden ist. [63] Dennoch hofft er auf Solidarität in seinem Land. Vom Gesprächspartner Röhl daraufhin angesprochen, dass die Prager Schriftsteller ja bewiesen hätten, "dass sie einen ganz erheblichen Einfluss haben können", antwortet er: "Ja, nicht in einer Gruppenbildung, aber doch in Solidarität. Der einzelne kann natürlich eine Menge bewirken, indem er als Autor publiziert. Das ist banal, aber das ist so. Aber es müsste doch - ich kann es nicht anders nennen - Solidarität entstehen. Eine klare Abgrenzung fortschrittlicher Kräfte in unserem Land gegenüber den kalten Kriegern ist jetzt fällig." [64]

Nachdem Beate Klarsfeld Bundeskanzler Kiesinger in der Öffentlichkeit geohrfeigt hatte, schickte ihr Böll Blumen. In der 'Zeit' vom 10.1.1969 weist er Günter Grass zurecht, der öffentlich geäussert hatte, es habe "kein Anlass bestanden, Beate Klarsfeld Rosen zu schicken". Aufschlussreich ist die Begründung, in der es unter anderem heisst: "Ich war diese Blumen Beate Klarsfeld schuldig:

A1. als konsequente Fortsetzung meines bisherigen schriftstellerischen Tuns ...

B1. Weil ... unsere, der gesamten kritischen Schriftsteller Kritik an Dr. Kiesinger immer noch positiv für die Bundesrepublik zu Buche schlägt: Wir spielen die lächerliche Rolle des 'Gewissens der Bundesrepublik', sind im Ausland vorzeigbar, wo man gleichzeitig über die Neonazis in der BRD herziehen kann, während die resp. Regierungschefs der entsprechenden Länder mit Dr. Kiesinger frühstücken. Wie immer und mit welchem Kaliber wir Kiesinger angreifen: es passiert uns nichts, weil wir die "prominenten Vorzeigeidioten der BRD sind." [65)]

Im selben Jahr 1969 erscheint eine Dokumentation von Beate Klars
feld über Kiesinger - mit einem Vorwort von Heinrich Böll, in
dem er schreibt: "Die wichtigste in diesem Buch vertretene These
ist die des 'vorzeitigen Neonazismus', der darin bestand, das
Gesicht dieses 'anständigen Deutschlands' dem Westen der Welt
gegenüber zu retten; es war das Gesicht Globkes, der sich hinter
Adenauer verstecken durfte, der vom katholischen Klerus gedeckt
wurde; es ist das Gesicht Kiesingers ... Der peinliche und bar-
barische Zirkus des Herrn von Thadden ist ein gefundenes Fressen
für die französische, die englische und die amerikanische Presse
dass der wahre, der gefährliche, weil salonfähige Neonazismus
sich hinter den aalglatten, geschickten und gescheiten Mätzchen
von Herrn Kiesinger verbirgt, dass CDU und CSU sich mit ihm iden
tifizieren, das ist wohl zu peinlich, als dass es Schlagzeilen
machen dürfte, während Herr Kiesinger von General de Gaulle, von
den Herren Wilson und Nixon freundlichst empfangen wird."
Nicht nur gegen B.Klarsfeld, auch gegen Kiesinger werde ein Prozess stattfinden - gegen letzteren "am 28. September 1969, bei
der nächsten Bundestagswahl ...: die Wähler werden ihm den Prozess machen, und sie werden zu beweisen haben, ob es eine Frech-
heit, eine Dummheit oder ob's Berechnung ist, dass die CDU-CSU
tatsächlich mit Herrn Kiesinger als Kanzlerkandidaten in den
Wahlkampf gehen will; mit einem Mann, der, wie dieses Buch beweist, einer äusserst obskuren Tätigkeit während der Nazijahre
oblag." [66)]

In einem Gespräch, das die Neue Ruhrzeitung am 9.2.1969 abdruckt
gibt Böll einer erneuten Hoffnung auf die SPD Ausdruck: "Die Ord
nung der Bundesrepublik wurde von der CDU geprägt, und ich sehe
heute in personeller wie ideologischer Hinsicht eine total abge-
wirtschaftete Partei. Wielleicht könnte die SPD in der Zukunft
die entscheidende Kraft werden, wenn sie sich von ihrem Opportunismus trennt und im guten Sinne etwas von der Radikalität der
Studenten annimmt." [67)]

Wie er die Radikalität der Studenten versteht und wie er sie si

wünscht, erläutert Böll kurze Zeit später: Die Universität ist
"schliesslich nur ein Modell unseres Gesellschaftssystems, ein
auf extreme Weise überfälliges. Die Arroganz-Struktur von oben
nach unten und die Ressentimentstruktur von unten nach oben [68],
sie gelten auch für andere Partien unserer Gesellschaft, die alle hierarchisch sind." Auch hier teilt Böll die Ansichten der
Studenten, die "dieses System der Züchtigung und Weitergabe von
typisch deutschen Arroganzen und Ressentiments verändern wollen.
D a s ist mit Demokratisierung gemeint, d a s ist mit dem Ruf
nach Räten gemeint: eine Entfeudalisierung des Bildungssystems."
Anderer Meinung ist er nur bei der Wahl geeigneter Mittel: er
rät den Studenten, "sich der Demolierungen zu enthalten", stattdessen die "bis aufs äusserste gereizte [...] Gesellschaft "weiter zu reizen, aber nicht mit Gewalt, sondern durch tiefes
Schweigen, scheinbares Verstummen und eine planmässige Zersetzung des überholten Systems." [69]
Am 27. Juli 1969 erscheint dann im Feuilleton der 'Zeit' der
schon erwähnte offene Brief an eine deutsche Frau, durch den
Böll katholische Frauen davon abhalten will, CDU/CSU zu wählen. [70] Er argumentiert: "Sogar wenn Sie der CDU wohlwollen,
dürfen Sie sie nicht wählen. Nach zwanzig Jahren Macht bedarf
eine Partei der Reinigung, der politischen Abstinenz, sie fühlt
sich zu wohl, zu sicher und w i e wohl und w i e sicher sie
sich fühlt, das konnten Sie an dem peinlichen Gegeifer erkennen,
das ausbrach, nachdem Bundespräsident Dr. Gustav Heinemann sein
erstes Interview gegeben hatte." [71] Und Böll rät: "Bitte:
schauen Sie sich den Wahlschein an: alles ausser NPD und CDU
steht Ihnen zur Verfügung! Ist das nicht ein positiver Rat?" [72]
Die Rede, die Böll auf der Gründungsversammlung des Verbandes
deutscher Schriftsteller am 8.6.1969 im Kölner Gürzenich hält,
liegt ganz auf der nunmehr eingeschlagenen Linie: Sie befasst
sich mit der "gesellschafts- und finanzpolitische[n] Stellung"
der Schriftsteller. [73]
"Hin und wieder mögen wir ganz kluge Leute sein, als Vertreter
unserer Interessen in einer Gesellschaft, die von Interessenver-

tretern dirigiert wird, sind wir wie Schwachsinnige." Die "tarifgebundene[n] Mitarbeiter einer Grossindustrie, die hinter einer rational getarnten Kalkulationsmystik ihre Ausbeutung verschleiert", [79] fordert Böll auf: "Verschaffen wir uns erst einmal Überblick über die volkswirtschaftliche Relevanz unserer merkwürdigen Sozialprodukte, bevor wir uns vom kulturellen Weihrauch einnebeln lassen, dann erst kommen wir aus dem Resolutionsprovinzialismus heraus ..." [75] Er rechnet seinen Kollegen vor, "welche Mammutindustrie" sie fütterten, eine Industrie, die "uns ihre Bedingungen diktiert" [76], und er weist nach, wie gering der Anteil der Schriftsteller sei ("Wichtig ist, dass 99 Prozent der freien Schriftsteller einen Streik nicht einmal für zwei oder drei Monate durchhalten könnten, so frei sind wir freien Schriftsteller." [77]).

"Machen Sie sich klar, welche Lobby oder Gewerkschaft uns zukäme an Stelle der bescheidenen Regionalverbände, die bei einem Stadtoberhaupt oder einem Kultusminister ein paar tausend Mark zusammenschnorren mussten, damit sich deutsche Dichterinnen und Dichter wieder einmal in ihrer rührenden Ewigkeitswertigkeit öffentlich präsentieren konnten." [78]

Dazu komme noch das "Verrückte", dass die Schriftsteller wie Unternehmer besteuert würden. [79]

"Eine weitere Feststellung: Wir verdanken diesem Staat nichts, er verdankt uns eine Menge; mag er also darauf gefasst sein, dass er uns nicht länger auf dem Umweg über einen Pseudo-Geniekult oder auch nur auf dem Umweg über einen Pseudo-Individualitätskult zerspalten und zersplittert halten und einzeln abfertigen kann. Ich fordere alle Kollegen ... auf, darüber nachzudenken, ob die alte, bürgerliche Alternative Solidarität oder Individualismus, die aus der Zeit des oben zitierten Kochbuchs [80] stammt, noch gültig ist; niemand wird uns zwingen können, auch nur die kleinste literarische Nuance aufzugeben, uns in den Feuilletons nicht weiter zu befehden und gleichzeitig gesellschaftspolitisch solidarisch zu sein. In dem Augenblick erst, in dem wir einsehen, dass diese alten Klischees nicht nur nicht

mehr stimmen, sondern nie gestimmt haben, in diesem Augenblick
sind wir auch politisch vorhanden." [81]

Mit dem Naturrecht [82], das er für überfällig hält, argumentiert
Böll gegen eine Rechtsauffassung, in der es noch gilt. "Auf die
gleiche Weise möchte ich mit einem kryptofeudalistischen Begriff
operieren, dem der Prominenz. Auch darüber ausgiebig zu meditie-
ren erspare ich mir, ich meine nur, dass einsam verstaubender
Lorbeer, dass ein Name wenig nützt, wenn dieser Schall und dieser Rauch nicht, bevor sie vergehen, einem Zweck dienstbar gemacht werden. Mögen also die namhaften Kollegen diesem Verband
ihren Schall und ihren Rauch leihen, damit er energisch ins politische Dasein treten kann." [83]

In der Folge erfährt Böll durch zwei Stellungnahmen ausseror-
dentliche – überwiegend negative – Publizität: anlässlich des
'Falles Defregger' und nach seinem Spiegel-Artikel 'Will Ulrike
Meinhof Gnade oder freies Geleit?'.

Dem Münchner Weihbischof Defregger wurde vorgeworfen, im Juni
1944 im Abruzzendorf Filetto 17 Geiseln [84] erschossen zu haben.
Böll analysierte in der Fernsehsendung 'Panorama' ein Interview,
das Defregger gegeben hatte, nachdem die Vorwürfe laut geworden
waren. Ihm falle zunächst einmal die Vokabel "fit machen" auf,
hält Böll fest; "dass sein erster Wunsch war, in Urlaub zu fahren und sich für die Öffentlichkeit fit zu machen, das ist das
Vokabularium eines mehr oder weniger intelligenten Fussballspie-
lers. Zweitens fällt mir auf, dass er von 'emotional aufgeheizt'
spricht, eine, wie ich finde, geradezu himmelschreiend dumme
Äusserung im Zusammenhang mit dem Tod von 17 erschossenen Menschen. Ausserdem fällt mir auf ein eklatanter Widerspruch, denn
er spricht davon, dass [85] er moralisch und juristisch sich
nicht schuldig fühle und trotzdem von einer grossen Schuld be-
drückt sei. Damit wird sein Vergehen, wie immer man das beurteilen mag, fast zu einem Kavaliersdelikt degradiert, und es ist ja
auch dieses Vokabularium des Offizierskasinos, des Herrn Haupt-
manns oder Majors der Reserve, dessen Ehre unantastbar ist, das
aus diesem ganzen Interview spricht.

Was mich erstaunt, ist, dass der gesamte katholische Klerus in

133

Deutschland solche Dinge hinnimmt, ohne sich öffentlich zu stellen. Ich erwartete eigentlich eine Distanzierung von dieser Art
Personalunion von Reserveoffizier und Bischof, wobei der Reserveoffizier der weitaus stärkere Teil zu sein schein." [86]
Jedoch nicht diese Analyse, sondern Bölls Erwiderung auf eine
'Aufforderung zum Schuldbekenntnis' [87] entfesselte den heftigsten Entrüstungssturm: "Zunächst einmal verbitte ich mir strikt,
mit aller gebotenen Schärfe, dass Sie mir irgendwelche Reuebe-
kundungen in Ihrem äusserst unangenehmen Deutsch wörtlich vor-
schreiben und mir ein solches Idiotenwort wie 'Knarre', das ich
nur aus Kitsch-Kino-Kriegsfilmen kenne, auch nur vorschlagsweise
nahelegen. Ein Infanteriegewehr ist ein Mordinstrument, ich bekenne mich schuldig, ein solches Instrument fast sechs Jahre
lang mehr oder weniger 'getragen' zu haben. Was ich mit diesem
Gewehr getan oder nicht getan habe, geht Sie einen Dreck an,
denn weder Sie noch Ihre Kirche noch irgendeiner Ihrer Amtsbrü-
der hat mir jemals nahegelegt, die Annahme dieses Mordinstru-
ments zu verweigern oder es niederzulegen. ... Sie werfen mir
vor ..., dass ich nicht desertiert bin. Abgesehen davon, dass
Sie gar nicht wissen können, ob ich oder ob ich nicht ... werfen
Sie mir also vor, dass ich nicht Selbstmord begangen habe. Auch
dessen, nicht Selbstmord begangen zu haben, bekenne ich mich öffentlich schuldig. Worin ausserdem meine Schuld bestehen könnte,
das geht weder Sie noch Ihre Kirche noch irgendeinen Ihrer Amts-
brüder einen Scheissdreck an."
Da Pfarrer Kurscheid jeden Kriegsteilnehmer als potentiellen
Verbrecher avisierte, betont Böll "energisch, dass ich Anspruch
auf einen gewissen Gradunterschied zwischen mir und Herrn Defregger erhebe." [88]
Über die Reaktion der Öffentlichkeit war Böll erstaunt, v.a. darüber, "dass offenbar das Wort 'Scheissdreck' viel, viel, viel
schlimmer ist als die Tötung von 17 Menschen." Er sieht in dieser Tatsache den Beweis dafür, "dass sie bewusstseinsgestört
sind. Man vergisst über der ganzen Polemik, was der Anlass für
diesen Brief war." Dies ist "eine bürgerliche - verzeihen Sie -

Beschissenheit, sich mit moralischen Problemen zu konfrontie-
ren." [89]

In seinem Artikel im 'Spiegel' vom 10. Januar 1972 geht Böll von
einer 'Bild'-Überschrift - 'Baader-Meinhof-Bande mordet weiter'-
aus, deren Inhalt dann im Textteil erheblich eingeschränkt
wird. [90] Bölls Zorn erregen auch zwei Spalten auf der letzten
Seite der analysierten 'Bild'-Zeitung [91]: 'Die Opfer der Baader-Meinhof-Bande' und 'Die Beute der Baader-Meinhof-Bande'.

"Unter die Opfer zählt 'Bild' nicht nur das nachgewiesene (und
zugegebene) Opfer Georg Linke, es zählt auch alle die hinzu, bei
denen noch nicht ganz geklärt ist, wer auf sie geschossen hat ..
Der Rentner Helmut Langenkämper aus Kiel wird immerhin nur als
einer bezeichnet, der sich 'Bankräubern in den Weg stellte'.
Welchen Bankräubern? Schwamm drüber, das nehmen wir nicht so genau, die Vorweihnachtsopferlitanei darf nicht zu kurz ausfallen.
Und wohl auch deshalb zählt 'Bild' Petra Schelm und Georg von
Rauch ... dazu.
Das soll sicher ein Witz sein. Ich hoffe, dass Herrn Springer
und seinen Helfershelfern dieser Witz im Hals steckenbleibt mit
den Gräten ihres Weihnachtskarpfens."
Böll kann "nicht begreifen, dass irgendein Politiker einem solchen Blatt noch ein Interview gibt. Das ist nicht mehr krypto-
faschistisch, nicht mehr faschistoid, das ist nackter Faschismus, Verhetzung, Lüge, Dreck." [92]
Unter Hinweis auf die zwielichtige deutsche "Polizeigeschichte"
und "Rechtsgeschichte" [93] fragt er: "Will sie [Ulrike Meinhof]
Gnade oder wenigstens freies Geleit? Selbst wenn sie keines von
beiden will, einer muss es ihr anbieten. Dieser Prozess muss
stattfinden, er muss der lebenden Ulrike Meinhof gemacht werden,
in Gegenwart der Weltöffentlichkeit. Sonst ist nicht nur sie und
der Rest ihrer Gruppe verloren, es wird auch weiter stinken in
der deutschen Publizistik, es wird weiter stinken in der deutschen Rechtsgeschichte." [94]
Böll fragt, ob von den Politikern, die auch einmal verfolgt waren, keiner mehr wisse, "was es bedeutet, verfolgt und gehetzt

zu sein. Wer von ihnen weiss schon, was es bedeutet, in einem
Rechtsstaat gehetzt zu werden von 'Bild', das eine weitaus höhe
re Auflage hat, als der 'Stürmer' sie gehabt hat? Waren nicht
auch sie, die ehemals Verfolgten, einmal erklärte Gegner eines
Systems, und haben Sie vergessen, was sich hinter dem reizenden
Terminus 'auf der Flucht erschossen' verbarg? ... weiss keiner
mehr, was es bedeutet, einer gnadenlosen Gesellschaft gegenüber
zustehen? Wollen die ehemals Verfolgten die verschiedenen Quali
täten des Verfolgtseins gegeneinander ausspielen und ernsthaft
die Termini 'kriminell' und 'politisch' in absoluter Reinheit
voneinander scheiden, einer Gruppe gegenüber, die ihre Erfahrun
gen unter Asozialen und Kriminellen gesammelt hat, und auf dem
Hintergrund einer Rechtsgeschichte, wo das Stehlen einer Mohrrü
be schon als kriminell galt, wenn ein Pole, Russe oder Jude sie
stahl? Das wäre weit unter einem Denkniveau, wie es unter ver-
antwortlichen Politikern üblich sein sollte." [95]
Ulrike Meinhof wolle möglicherweise keine Gnade, wahrscheinlich
erwarte sie von dieser Gesellschaft kein Recht. "Trotzdem sollt
man ihr freies Geleit bieten, einen öffentlichen Prozess, und
man sollte auch Herrn Springer öffentlich den Prozess machen,
wegen Volksverhetzung." [96]
Der Artikel, der nach Bölls nachträglicher Aussage versöhnlich
gemeint war [97], löste eine wahre Flut von massivsten Angriffen
aus. Böll hatte sich gegen Vorwürfe zur Wehr zu setzen, wie: er
verharmlose die Baader-Meinhof-Gruppe oder er setze die BRD mit
dem Dritten Reich gleich. [98] Der Vorwurf des Faschismus ging
hin und her.
Die Auseinandersetzung wurde dadurch kompliziert, dass Bölls Au
sagen zur Baader-Meinhof-Gruppe in Zusammenhang gebracht wurden
mit einem Interview zur Entlassung eines Literaturredakteurs,
das Böll früher gegeben hatte. [99] Zudem weigerte er sich, im
Verein mit Leuten, die gegen die Ostpolitik hetzten, gegen die
Verhaftung Bukowskis öffentlich zu protestieren. [100]

3. Versuch über die Vernunft der Poesie

Weil Böll feststellte, "dass sich innerhalb einer gewissen Dog-
matisierung literarischer und künstlerischer Probleme alles auf
die Formel: entweder Information oder Kunst zu reduzieren
scheint", versucht er in seiner Nobelvorlesung vom 2. Mai 1973
sich "der Vernunft der Poesie anzunähern". [101]
Böll geht aus von den paar Millimetern bis Zentimetern "Unbere-
chenbarkeit", die "bei etwas anscheinend so Rationalem, Berechen-
barem" wie einer Brücke bleiben. Nicht allein der Entwurf scheine also das Problem zu sein, sondern die "Verkörperung" der Komposition, die man auch "Verwirklichung" nennen könne. [102] Ähnlich sei es mit dem Brötchenbacken, ganz zu schweigen von der
Liebe: "Niemand wird je wissen, wie viele Romane, Gedichte, Analysen, Bekenntnisse, Schmerzen und Freuden auf diesen Kontinent
Liebe gehäuft worden sind, ohne dass er sich als total erforscht
erwiesen hätte." [103]
Schliesslich möchte Böll sich selbst und anderen Auskunft geben
können darüber, "wie oder warum" er dieses oder jenes geschrieben
habe: "Ich kann den gesamten Zusammenhang nicht wiederherstellen
und wünschte doch, ich könnte es, um wenigstens die Literatur,
die ich selber mache, zu einem weniger mystischen Vorgang zu machen als das Brückenbauen und Brötchenbacken." [104]
Da die Literatur nachweislich in ihrer Gesamtverkörperung, im
Mitgeteilten und Geformten eine befreiende Wirkung haben könne,
wäre es doch sehr nützlich, die Entstehung dieser Verkörperung
mitzuteilen, auf dass noch mehr daran teilhätten. Theoretisch
- meint Böll - müsste die totale Rekonstruktion des Vorgangs möglich sein, "eine Art Parallelprotokoll, während der Arbeit er-
stellt, das, wäre es umfassend, wahrscheinlich den vielfachen
Umfang der Arbeit selbst annehmen würde. Es müsste ja nicht nur
den intellektuellen und spirituellen, auch den sinnlichen und
materiellen Dimensionen gerecht werden. Ernährung, Stimmung,
Stoffwechsel. Launen erklärt mitliefern ..." [105]
Böll gibt denn auch die Ausmasse seines Schreibtisches bis auf
halbe Zentimeter genau an, beschreibt, wie er in seinen Besitz

gekommen und berichtet, dass der Tisch während des Zweiten Weltkrieges von einem Bombensplitter durchbohrt wurde, um dann fort-
zufahren: "... es hätte schon nicht nur sentimentalen Wert, wär
ein Einstieg in eine politisch-sozialgeschichtlich mitteilungs-
werte Dimension, den Tisch als Einstiegs-Vehikel zu benutzen,
wobei die tödliche Verachtung der Möbelpacker, die sich beinahe
weigerten, ihn noch zu transportieren, wichtiger wäre als seine
gegenwärtige Verwendung, die zufälliger ist als die Hartnäckigkeit, mit der wir ihn - und das nicht aus sentimentalen oder
Erinnerungsgründen, sondern fast aus Prinzip - vor der Müllkipp
bewahrten." [106)]
Er erwähne Tisch und Schreibmaschine nur, um sich klar darüber
zu werden, dass nicht einmal diese beiden notwendigen Utensilie
ihm ganz erklärlich seien. "Schweigen wir von dem Haus, von dem
Raum, in dem dieser Tisch steht, von der Erde, auf der das Haus
gebaut ist, schweigen wir erst recht von den Menschen, die es
- wahrscheinlich einige Jahrhunderte lang - bewohnt haben und
schweigen wir erst recht von denen, die uns nah, näher, am näch
sten sind. Und doch müsste alles vom Tisch über die Bleistifte,
die darauf liegen, in seiner gesamten Geschichte eingebracht
werden, einschliesslich derer, die uns nah, näher, am nächsten
sind. Bleiben da nicht genug Reste, Zwischenräume, Widerstände,
Poesie, Gott, Fiktion - mehr noch als beim Brückenbau und beim
Brötchenbacken?" [107)]
Es treffe zu und sei leicht gesagt, Sprache sei Material, und
es materialisiere sich etwas, wenn man schreibe. "Wie aber könn
te man erklären, dass da ... etwas wie Leben entsteht, Personen
Schicksale, Handlungen - dass da Verkörperung stattfindet auf
etwas so Totenblassem wie Papier, wo sich die Vorstellungskraft
des Autors mit der des Lesers auf eine bisher unerklärte Weise
verbindet, ein Gesamtvorgang, der nicht rekonstruierbar ist, wo
selbst die klügste, sensibelste Interpretation immer nur ein
mehr oder weniger gelungener Annäherungsversuch bleibt, und wie
wäre es erst möglich, jeweils den Übergang vom Bewussten ins Un
bewusste - beim Schreibenden und beim Lesenden - mit der notwen

digen totalen Exaktheit zu beschreiben, zu registrieren, und das
dann auch noch in seiner nationalen, kontinentalen, internationalen, religiösen oder weltanschaulichen Verschiedenheit, und
dazu noch das ständig wechselnde Mischungsverhältnis von beiden,
bei beiden, dem Schreibenden und dem Lesenden, und die plötzliche Umkehrung, wo das eine vom anderen nicht mehr zu unterschei-
den ist?" 108)

Es werde immer ein Rest bleiben, "ein wenn auch winziger Bezirk,
in den die Vernunft unserer Provenienz nicht eindringt, weil sie
auf die bisher nicht geklärte Vernunft der Poesie und der Vorstellungskraft stösst, deren Körperlichkeit so unfassbar bleibt
wie der Körper einer Frau, eines Mannes oder auch eines Tieres.
Schreiben ist - für mich jedenfalls - Bewegung nach vorn, Ero-
berung eines Körpers, den ich noch gar nicht kenne; ich weiss
nie, wie's ausgeht, ausgehen hier nicht als Handlungsausgang im
Sinne der klassischen Dramaturgie - ausgehen hier im Sinne eines
komplizierten und komplexen Experiments, das mit gegebenem, er-
fundenem, spirituellem, intellektuellem und sinnlich auf einander gebrachtem Material Körperlichkeit ... anstrebt." 109)
Insofern könne es gar keine gelungene Literatur geben und insofern sei moderne oder besser "lebende Kunst" Experiment und Entdeckung und nur in seiner historischen Relation schätzbar und
messbar. Es erscheine nebensächlich, von Ewigkeitswerten zu
sprechen, sie zu suchen. 110)
Böll behauptet, auch Staaten seien immer nur annähernd das, was
sie zu sein vorgäben: "... es kann keinen Staat geben, der nicht
diesen Zwischenraum lässt zwischen der Verbalität seiner Verfassung und deren Verkörperung, einen Restraum, in dem Poesie und
Widerstand wachsen - und hoffentlich gedeihen."
Es gebe auch keine Form der Literatur, die ohne diese Zwischenräume auskomme. Selbst die präziseste Reportage komme nicht ohne
Stimmung aus, ohne die Vorstellungskraft des Lesers, auch wenn
der Schreibende sie sich selbst versage, und ihr Arbeitsproto-
koll sei nicht mitlieferbar, schon deshalb nicht, weil das Material Sprache nicht auf einen verbindlichen und allgemein ver-

ständlichen Mitteilungswert reduziert werden könne: "Jedes Wort
ist mit soviel Geschichte und Phantasiegeschichte, National- und
Sozialgeschichte und historischer Relativität ... belastet, wie
ich an Hand meines Arbeitstisches anzudeuten versucht habe." [111]
Während Politiker, Ideologen, Theologen und Philosophen immer
wieder versuchten (und das sei ihre Pflicht), restlose Lösungen
zu bieten, fix und fertig geklärte Probleme, sei es die Pflicht
der Schriftsteller, " - die wir wissen, dass wir nichts rest-
und widerstandslos klären können -, in die Zwischenräume einzudringen." Es gebe zu viele unerklärte und unerklärliche Reste,
"ganze Provinzen des Abfalls". [112]
Dabei seien die ungeklärten Reste der Literatur verglichen etwa
mit den unerklärten Zwischenräumen der "Geldmystik" von verblüf-
fender Harmlosigkeit und "da gibt es dann immer noch Leute, die
in sträflichem Leichtsinn das Wort Freiheit im Munde führen, wo
eindeutig Unterwerfung unter einen Mythos und seinen Herrschafts-
anspruch gefordert und geleistet wird. Da appelliert man dann an
politische Einsicht, wo doch gerade Einsicht und Einblick in die
Probleme verhindert wird." [113]
Böll fragt sich, ob die Vernunft, die sich für ihn in Ziffern
symbolisiert [114], nicht vielleicht nur eine abendländische Arroganz sei, "die wir dann noch via Kolonialismus oder Mission,
oder in einer Mischung von beidem als Unterwerfungsinstrument in
die ganze Welt exportiert haben." [115]
Auch die "Tragödie der Kirchen" sieht Böll in diesem Zusammenhang: Bestand oder besteht sie "vielleicht gar nicht in dem, was
man im Sinne der Aufklärung als unvernünftig an ihnen bezeichnen
konnte, sondern in dem verzweifelten und auf verzweifelte Weise
gescheiterten Versuch, einer Vernunft hinterherzurennen oder sie
zu übernehmen, die niemals mit etwas so unvernünftigem wie dem
verkörperten Gott zu vereinbaren gewesen war und wäre?" [116]
Böll apostrophiert den "Hochmut a n   s i c h" - "dieser unser
Wahnwitz" -, der immer wieder beides verschütte: "den verkörperten Gott, den man den Menschgewordenen nennt, und die an seine
Stelle gesetzte Zukunftsvision totaler Menschlichkeit." Uns feh-

etwas: Demut, die nicht zu verwechseln sei mit Unterordnung, Gehorsam oder gar Unterwerfung. "Das haben wir mit den kolonialisierten Völkern gemacht: ihre Demut, die Poesie dieser Demut in Demütigung für sie verwandelt. Wir wollen immer unterwerfen und erobern, kein Wunder in einer Zivilisation, deren erste fremdsprachige Lektüre lange Zeit der Bellum Gallicum des Julius Caesar, und deren erste Einübung in Selbstgefälligkeit, in klipp und klare Antworten und Fragen der Katechismus war, irgendein Katechismus, eine Fibel der Unfehlbarkeit und der restlos, fix und fertig geklärten Probleme." [117)]

Er sei, gibt Böll zu bedenken, darauf angewiesen und dazu angeleitet, "einer Bürokratie, die sich nicht nur vernünftig gibt, sogar vernünftig ist", blind zu vertrauen und fragt: "Darf ich nicht erwarten, dass man der Vernunft der Poesie nicht nur vertraut, sondern sie bestärkt, nicht dass man sie in Ruhe lasse, sondern ein wenig von ihrer Ruhe annehme und von dem Stolz ihrer Demut, die immer nur Demut nach unten, nie Demut nach oben sein kann. Respekt verbergen sich in ihr, Höflichkeit und Gerechtigkeit und der Wunsch, zu erkennen und erkannt zu werden." [118)]

In einer Linie mit dem "Sprachimperialismus" der Kolonialherren [119)] sieht Böll "die diesmal nicht imperialistischen, sondern scheinbar anti-imperialistischen Versuche, die Poesie, die Sinnlichkeit der Sprache, ihre Verkörperung und die Vorstellungskraft - denn Sprache und Vorstellungskraft sind eins - zu denunzieren und die falsche Alternative Information oder Poesie als eine neue Erscheinungsform des d i v i d e   e t   i m p e r a einzuführen. Es ist die nagelneue, fast schon wieder internationale Arroganz einer Neu-Vernunft, die Poesie der Indianer als gegenherrschaftliche Kraft möglicherweise zuzulassen, den Klassen im eigenen Land, die man befreien möchte, die eigene aber vorzuenthalten." [120)]

Da nach Bölls Ansicht Poesie kein Klassenprivileg ist und nie eins war, und da man die Kraft der Mitteilung nicht von der Kraft des Ausdrucks trennen kann, den diese Mitteilung findet, sieht er "viel Pfäffisches" im Versuch, nun auch die Poesie auf

den Abfallhaufen zu verweisen. [121] Man möge getrost über den
Begriff der Schönheit streiten, neue Ästhetiken entwickeln, sie
seien überfällig, aber sie dürften nicht mit Vorenthaltungen beginnen, und sie dürften eins nicht ausschliessen: "die Möglichkeit der Versetzung, die die Literatur bietet: sie versetzt nach
Süd- oder Nordamerika, nach Schweden, Indien, Afrika. Sie kann
versetzen, auch in eine andere Klasse, andere Zeit, andere Religion und andere Rasse. Es ist - sogar in ihrer bürgerlichen
Form - niemals ihr Ziel gewesen, Fremdheit zu schaffen, sondern
diese aufzuheben. Und mag man die Klasse, aus der sie bisher zum
grössten Teil gekommen ist, für überfällig halten, als Produkt
dieser Klasse war sie in den meisten Fällen auch ein Versteck
des Widerstandes gegen sie." [122]
Es müsse auch die "Internationalität des Widerstandes" bewahrt
bleiben. Sie - und nicht etwa "die Neutralisierung der Richtungen" - sei die "Stärke der ungeteilten Literatur". Und zu diesem
Widerstand gehöre die Poesie, die Verkörperung, die Sinnlichkeit, die Vorstellungskraft und die Schönheit. Kein Fluch, keine
Bitterkeit, nicht einmal die Information über den verzweifelten
Zustand einer Klasse ist nach Bölls Ansicht ohne Poesie möglich
Der Verzicht auf Kunst und Literatur müsse freiwillig sein,
sonst werde er pfäffische Vorschrift wie ein neuer Katechismus.
Nicht aus Spielerei hätten Kunst und Literatur immer wieder ihre
Formen gewandelt, im Experiment neue entdeckt. "Sie haben auch
in diesen Formen etwas verkörpert, und es war fast nie die Bestätigung des Vorhandenen und Vorgefundenen, und wenn man sie
ausmerzt, begibt man sich einer weiteren Möglichkeit: der List.
Immer noch ist die Kunst ein gutes Versteck: nicht für Dynamit,
sondern für geistigen Explosivstoff und gesellschaftliche Spät-
zünder. Warum wohl sonst hätte es die verschiedenen Indices gegeben? Und gerade in ihrer verachteten und manchmal sogar verächtlichen Schönheit und Undurchsichtigkeit ist sie das beste
Versteck für den Widerhaken, der den plötzlichen Ruck oder die
plötzliche Erkenntnis bringt." [123]
Am Schluss der Vorlesung warnt Böll noch einmal vor der Zer-

störung der Poesie und zwar - wie er betont - gerade weil er "die internationale Bewegung nach einer klassenlosen, oder nicht mehr klassenbedingten Literatur, die Entdeckung ganzer Provinzen von Gedemütigten, für menschlichen Abfall Erklärten, für die wichtigste literarische Wendung" hält. [124]

4. Erörterung

4.1. Politisierung im engeren Sinne

Mit dem direkten politischen Engagement hängt Bölls Einstellung
zur SPD eng zusammen. Meint Böll noch im Jahre 1962, die SPD sei
keine echte Alternative zu den Unionsparteien[125], so glaubt er
zehn Jahre später, durch eine Wahlniederlage der Sozialdemokraten stünde "der Übergang von einer Unternehmer- zu einer Arbeit-
nehmer-, von einer von Vorurteilen bestimmten zu einer aufge-
klärten Gesellschaft" auf dem Spiel. [126]
Diese Annäherung vollzog sich nicht geradlinig: Im Interview von
Marcel Reich-Ranicki stellt Böll fest: "Im Jahre 1965 konnte einer noch, was er heute beim besten Willen nicht mehr kann: auf
die SPD hoffen." [127] Dies, obwohl er in eben diesem Jahr 1965
findet, es sei selbstmörderisch von der Gruppe 47, sich einer
Partei (der SPD) anzunähern, "die in puncto 'Notstandsgesetze'
offensichtlich bereit ist, sich nicht jetzt, aber später zu ar-
rangieren; die in puncto 'Wiederaufrüstung' päpstlicher ist als
alle Päpste miteinander; die ihren Parteitag mit Transparenten
schmückt 'Die Grenzen von 1937' ... die aus Opportunismus die
erste und einzige Antiatombewegung in der Bundesrepublik verraten hat; die keinen Hehl draus macht, dass sie auf die grosse
Koalition aus ist - die grosse Koalition wäre genau das, was uns
noch gefehlt hat: absolute politische Promiskuität." [128]
1968 (im Zusammenhang mit der Diskussion um die Notstandsgesetze) hofft Böll wieder auf die SPD. Seine Hoffnung wird im Mai
1968 enttäuscht [129], und dennoch engagiert sich Böll vier Jahre später in vorderster Front in der sozialdemokratischen Wähler-
initiative. [130] Es ist zunächst einmal nach den Beweggründen zu
fragen, die zur Annäherung an die SPD und gleichzeitig zur intensiven Auseinandersetzung mit dem Staat führten. Dabei ist aus-
zugehen von der grundsätzlichen Ablehnung jeder Form von Organisation, die aus Bölls Werdegang verständlich ist: Im 'Vorwort zu
Schalom' spricht er von der "Inhumanität jeglichen Parteiappa-
rats" [131] und an anderer Stelle schreibt er:"Man müsste den im-

144

manenten, demokratischen, im Proporz gefestigten Faschismus der Apparate erkennen.[132)]

Das Individuum steht im Vordergrund von Bölls Interesse; was ihn von jeher stärker beschäftigt als Staat und Parteien, ist die Zeitgenossenschaft. Und dennoch ist die Annäherung an die SPD nicht ohne Logik und Konsequenz.

Ein Stück weit ist die konstante Ablehnung der Unionsparteien und die Annäherung an die SPD begründet in der unterschiedlichen Wertschätzung der beiden Spitzenpolitiker Konrad Adenauer und Willy Brandt: der erstere stiess ihn ebensosehr ab, wie ihn der letztere anzog: "ich bin interessiert ... an der Stabilisierung der SPD, weil sie Willy Brandt hat - nur deshalb", betont Böll 1971.[133)]

Bölls Haltung erscheint auch etwas weniger widersprüchlich, wenn man das Interview mit C.H.Casdorff und R.Rohlinger berücksichtigt: Darauf angesprochen, dass er früher einmal die SPD eine Leiche genannt hatte, und gefragt, ob er also einen Machtwechsel für einen Toten gewollt habe [134)], antwortet Böll: "Ich glaube, dass die SPD mit Brandt ... das Bestmögliche war im Jahre 1969. Wobei ich auch wieder gerne streiten würde über den Begriff 'Sozialdemokraten'. ... ich nehme die als eine mehr oder weniger liberale Volkspartei, als die sie sich ja auch deklariert, und habe sie für die beste Möglichkeit in diesem Augenblick, in diesem geschichtlichen Augenblickgehalten. Als sozialistische Partei ... ist sie immer noch das, was ich gesagt habe."[135)]

Ein weiterer, wichtiger Impuls für die Wandlung ist sicher die Parteinahme für das "Fussvolk" gegen die "Herren" und "Herrscher".[136)] Zwar hatte sich Böll schon immer auf diese Seite gestellt, nur scheint sich mit der Zeit die Erkenntnis durchgesetzt zu haben, dass als "politische Einzelkämpfer" [137)] gegen die strukturelle Gewalt der profitorientierten Wirtschaft und der Pressekonzerne nichts auszurichten sei, und dass in diesem Kampf die SPD im Moment der beste Verbündete sei.

Im Regierungswechsel gründet wiederum Bölls gewandeltes Verhält-

nis zum Staat, denn ein "Gesetz ist ... so gut oder so schlecht
wie die Regierung oder das Parlament, von denen es angewendet
wird" [138].

In der dritten Wuppertaler Rede (Die Freiheit der Kunst, 1966)
vertrat Böll die Ansicht, einer, der mit Kunst zu tun habe,
brauche keinen Staat, was er brauche, sei eine "gewisse provinzielle Administration", die Laternenanzünder und die Müllab-
fuhr. [139] Demgegenüber will er sechs Jahre später den Staat auf
das Grundgesetz verpflichten, damit die Würde des Menschen ge-
schützt wird. [140] Auch vom Staat erhofft sich Böll wieder einen
Schutz des (schwachen)Einzelnen. Die provozierenden Bemerkungen
der Wuppertaler Rede von 1966 ("ich erblicke den Staat im Augenblick nicht ... Dort, wo der Staat gewesen sein könnte oder sein
sollte, erblicke ich nur einige verfaulende Reste von Macht, und
diese offenbar kostbaren Rudimente von Fäulnis werden mit rattenhafter Wut verteidigt" [141]) kommentiert er später mit dem Hinweis, der Staat solle auch heute noch die Schwachen schützen. [142]
Damit greift Böll - allerdings nicht explizit - die Gedanken des
Gesprächs mit Warnach wieder auf. [143] In einem Interview von
1969 noch einmal auf den gleichen Passus der Rede von 1966 angesprochen, meint Böll: "Ich erblicke den Staat schon - wieder."[144]
Einen bezeichnenden Ausdruck findet das gewandelte Bewusstsein
in seinem Eintreten für Planung: "Um alle möglichen Katastrophen
... zu verhindern, muss es also Raumordnung, Städteplanung, Ver-
kehrsplanung, Gesundheitsdienste, Bildungsreformen, Umweltschutz
geben. ... Es erscheint schon nicht mehr bloss wie nackter Unsinn, sondern wie selbstmörderischer Zynismus, wenn angesichts
der hier nur angedeuteten Probleme, eine Wort wie Plan, von einer Partei wie der CDU/CSU denunziert wird, die sich anbietet,
innen- und aussenpolitische Probleme zu lösen. Wie sollen wohl
diese Probleme gelöst werden, wenn nicht geplant wird? Das Gegenteil von Plan braucht nicht Freiheit zu heissen, es kann auch
Planlosigkeit heissen, und die Folgen einer planlosen, rück-
sichtslosen Industrialisierung sehen wir ja.
Atemluft, Trinkwasser dürfen nicht zum Besitz einer privilegier-

ten Schicht werden ..." [145] Dieses Eintreten für Planung ist
- vergegenwärtigt man sich Bölls Aversion gegen Verwaltung, Bürokratie und alles, was damit zusammenhängt - erstaunlich, und
es ist einsichtig, dass es sich nur um ein Mittel zum Zweck
(Schutz des Humanen) handeln kann. [146]
Das direkte politische Engagement Bölls hatte sich bereits in
den Frankfurter Vorlesungen angekündigt, und schon früher hatte
er die Berührungspunkte mit der Politik bezeichnet: Dass seine
(Wuppertaler) Rede (von 1958) nur "düstere politische Prognosen"
zu enthalten scheine, komme aus dem Wissen, dass Politik mit
Worten gemacht werde, dass sich Meinungsbildung und Stimmungsmache immer des Wortes bedienten. [147] In den Frankfurter Vorlesungen heisst es dann: "Wenn Politiker leere Worte aussprechen,
unerträglich hohle Begriffe schaffen, wird jedes Wort, das eine
Spur Wahrheit enthalten mag, hochpolitisch." [148] Es gehe darum,
die gespenstische Diskrepanz zwischen Literatur und Gesellschaft
nicht zu "schliessen", auch nicht zu "überbrücken", sondern
"langsam aufzuschütten", sagt Böll ebenfalls dort. [149] Da aber
nicht das humane Engagement dem politischen Taktieren geopfert
werden soll, sondern im Gegenteil Politik und Gesellschaft humaner werden müssen, besteht hier durchaus Kontinuität mit dem
ursprünglichen Anliegen. Der Umstand, dass Böll sich nun von
Organisationen und von Planung etwas verspricht, hat seine geistige Voraussetzung darin, dass Böll "die alte, bürgerliche Alternative Solidarität oder Individualismus" nicht mehr akzeptiert. Erst in diesem Augenblick, so könnte man sein eigenes Wort
auf ihn selbst anwenden, ist Böll "auch politisch vorhanden". [150]
Da dieser Vorgang nichts anderes bedeutet, als dass Böll das
"trinitarische" Denken nun auch auf diesen Bereich anwendet, besteht hier ebenfalls Kontinuität mit dem ursprünglichen denkerischen Ansatz.
Diese neuen Erkenntnisse und Aktivitäten implizieren keineswegs
Kritiklosigkeit dem Staat, den Organisationen oder der Gesellschaft gegenüber: In seiner Rede auf dem Parteitag der SPD in
Dortmund versprach er der zweiten sozial-liberalen Koalition, sie

werde "von Kritik, auch von unserer" nicht verschont bleiben.[151]
Und in einem Aufsatz aus eben diesem Jahr 1972 betont Böll das
Schweigen Christi vor Gericht: "Es ist das Schweigen am Ende einer Mission, die tödliche Verachtung gegenüber der kirchlichen
und weltlichen Justiz." [152] Es ist auch kein Zufall, dass Bölls
neueste Satire 'Berichte zur Gesinnungslage der Nation' sich
kritisch mit der Tätigkeit einer staatlichen Organisation (der
Geheimdienste) auseinandersetzt. [153] Und schliesslich liegt
seiner Auffassung vom Abfall als dem eigentlich Humanen eine
Werthaltung zugrunde, die der in der Gesellschaft üblichen diametral entgegengesetzt ist.
Das Gesagte impliziert nicht, Bölls Vorliebe gelte nicht mehr
dem Individuum. Im Interview mit Dieter Wellershoff über 'Gruppenbild mit Dame' sagt Böll: "Die Idee zu diesem Buch hat mich
schon sehr lange beschäftigt, wahrscheinlich schon bei den meisten Romanen und Erzählungen, die ich bisher geschrieben habe.
Ich habe versucht, das Schicksal einer deutschen Frau von etwa
Ende vierzig zu beschreiben oder zu schreiben, die die ganze
Last dieser Geschichte zwischen 1922 und 1970 mit und auf sich
genommen hat." [154]
Dass Böll den Graben zwischen Literatur und Gesellschaft aufzuschütten versucht, gleichzeitig aber immer noch eine Präferenz
für das strategische (literarische) Wirken hat, das freilich
nicht mehr in ausschliessendem Gegensatz zum taktischen Vorgehen steht, führt zu einem etwas widersprüchlichen Selbstverständnis in dieser Zeit. Auf das grosse, überwiegend negative Echo
angesprochen, welches das Wort "Scheissdreck" [155] gefunden hatte, meint Böll: "Jeder, der ein bisschen von Sprachrhythmus versteht, muss begreifen, dass an dieser Stelle eine Übertreibung
oder eine Steigerung nötig ist. Ich habe in einigen Sätzen davor
geschrieben: 'Es geht Sie einen Dreck an' - die Steigerung von
Dreck ist Scheissdreck, wie die Steigerung von Mist Saumist ist.
Auf die Frage, ob er sein Pamphlet als eine literarische Gattung
verstehe, meint Böll: "Ja, selbstverständlich. In diesem Falle
ist das ausgesprochen pamphletistisch gemeint ..." [156]

Das Selbstverständnis als strategisch wirkender Schriftstel-ler [157] dominiert immer noch so stark, dass Böll Ende August 1969 in einem Interview sagen kann: "Ich glaube, dass fast alles, was ich geschrieben habe - ganz gewiss das Ausserliterarische an Publizistik, an Reden, an Artikeln -, ein klares politisches En-gagement ist, allerdings niemals für eine Partei. Das ist für mich unmöglich. Ich respektiere das, was Grass tut, ich bewun-dere es sogar. Aber ich habe einfach nicht die Naivität. Ich glaube, dazu gehört eine aufopfernde Naivität." [158] Dies be-hauptet Böll von sich, nachdem er in seinem 'Offenen Brief an eine deutsche Frau' versucht hatte, seine Leserinnen davon abzu-halten, CDU/CSU zu wählen. [159]

Böll fordert im Laufe der Auseinandersetzung um den 'Spiegel'-Artikel zu Ulrike Meinhof auch wiederholt, dass ein "Mensch", der seine Äusserungen "verantwortlich kommentiert", auch andere "Wörtlichkeiten" von ihm kenne und "nicht eine solche Äusserung isoliert" sehe [160], auch besteht er darauf, dass für einen Schriftsteller die Worte eine andere Dimension haben als für ei-nen Juristen, Polizeibeamten oder Pfarrer [161]: "Ich fühle mich nicht als Teil der Exekutive. Ich bin Schriftsteller, und ver-schiedene Wortbereiche und verschiedene Wörtlichkeiten, die der Rechtsprechung, der Gesetzgebung, der Exekutive, der Theologie reiben sich natürlich dauernd mit der des Autors. Diese Reibung ist normal, dabei klärt sich einiges, aber die Klärung muss her-gestellt werden. Es kann nicht immer nur von der Ebene der ver-schiedenen Wörtlichkeit her polemisiert werden. Ein Begriff wie 'freiheitlich-demokratische Grundordnung', den ich gar nicht verhöhnen möchte, ist für mich ein Begriff, den ich messe etwa an der Behandlung des Falls Georg von Rauch. Da entsteht für mich eine ungeheure Differenz und auch an anderen Fällen. Es ist das Recht eines Juristen, eines Verfassungsträgers und Vollzie-hers, diesen Begriff starr dogmatisch zu gebrauchen. Für mich ist er kein Dogma, auch aufgrund meiner streng demokratischen Erziehung nicht." [162]

Wie zentral für Böll das Literarische immer noch ist, zeigt auch der Umstand, dass er auf dem Höhepunkt der politischen Auseinandersetzung um Ulrike Meinhof ein Gedicht publiziert [163]:

Gib Alarm!
Für Ulrich Sonnemann

Gib Alarm
Sammle Deine Freunde
nicht
wenn die Hyänen heulen
nicht
wenn der Schakal Dich umkreist
oder die Haushunde kläffen
...
Gib Alarm
Sammle Deine Freunde
wenn die Karnickel die Zähne blecken
und ihren Blutdurst anmelden
Wenn die Spatzen Sturzflug üben
und zustossen
Gib Alarm.

In einem Interview aus dem Jahre 1969 meint Böll, nachdem ihn die Gesprächspartnerin mit der Meinung konfrontiert hat, Schriftsteller seien in der Politik romantisch: "War der Protest gegen den Krieg in Vietnam romantisch oder war er nicht, wie sich jetzt herausstellt, auf eine fürchterliche Art realistisch? Sind nicht die Politiker eigentlich die Romantiker, die mit ziemlich grossen Worten, Phrasen, heillosen Unsinn anrichten? Auch der Protest gegen die Besetzung der CSSR wird sich eines Tages als realistisch herausstellen: sind nicht die Sowjets auf eine peinliche und brutale Weise in diesem Fall ihrer 'Romantik' erlegen, die von anderen sehr, sehr teuer bezahlt werden muss? Ist die Berlin-Politik der Bundesregierung nicht voller 'Romantik'? Die Politiker haben, nur um ihrer jeweiligen Romantik zu huldigen, sehr realistische Machtmittel: Armeen, Repressalien. Deshalb werden sie scheinbar zu Realisten. Die Nazis waren auf eine fürchterliche Weise Romantiker." [164] Und im Februar 1972 äussert Böll die Ansicht, die Trennung von Politik und Literatur sei so lebensgefährlich wie die Trennung von Religion und Politik. [165]

Trotzdem verspricht Böll nach den Erfahrungen im Fall Defregger und während der Auseinandersetzung um den 'Spiegel'-Artikel, sich - vorläufig - nicht mehr in die Politik einzumischen. [166] Diese Absage an das direkte, politische Engagement bedeutet allerdings keine Entpolitisierung Bölls, im Gegenteil: Er versteht sich als Literat, aber dadurch, dass er nun in "der klassischen Trennung von 'Form und Inhalt', die in der herkömmlichen Ästhetik praktiziert wird" [167], ein "divide et impera" entdeckt [168], tritt in Bölls Literaturtheorie an zentraler Stelle eine gesellschaftspolitische Kategorie auf.

Böll diagnostiziert in der Gesellschaft der BRD pseudofeudalistische, feudalistische und schliesslich faschistische Elemente: "... und es ist eine Art Pseudofeudalismus entstanden, wie es sich deutlich im Pressewesen zeigt. Das beschränkt sich nicht auf Springer. Die Zeitungslizenzen wurden nach dem Krieg wie Herzogtümer im Mittelalter vergeben. Springer ist das klassische Beispiel für den Missbrauch dieses Lehens." [169] Böll erwähnt an anderer Stelle "weitere Privilegien", die bei der Währungsreform verteilt worden seien und meint: "Es herrscht ein schwer nachzuweisender, aber vorhandener Unterstrom von Feudalismus in diesem Land ..." [170] Faschistische Elemente apostrophiert Böll v.a. während der Auseinandersetzung um den Artikel über Ulrike Meinhof; allerdings wehrt er sich entschieden gegen die Unterstellung, er hätte die BRD mit dem Dritten Reich gleichgesetzt. [171]

Böll fürchtet, dass die Menschen in der "im Verbrauch verbrauchten Gesellschaft" [172] an "Leistung kaputtgehen". [173] Diese Gesellschaft sei "weder zu tragen noch zu ertragen", meint er. [174] Da es einen humanen Kapitalismus nicht geben könne , kann sich Böll die Zukunft der Menschheit nur "sozialistisch" (in einem nicht näher bestimmten Sinne) vorstellen. [175]

Angesichts dieser düsteren Tendenzen setzt Böll seine Hoffnung
weiterhin auf die befreiende Wirkung der Literatur - die nun,
wie wir eben gesehen haben, für Böll den Dualismus 'strategisch
taktisch' überwunden hat - und auf die nicht verrechtlichte und
nicht domestizierte christliche Religion: er sieht in der religiösen Mystik "unglaubliche Kräfte" - auch politische. [176]
Das Bekenntnis zur religiösen Mystik impliziert nicht etwa, das
Bölls Verhältnis zur Kirche sich in der Zwischenzeit zum besseren gewandelt hätte. Obwohl er bereits im Jahre 1967 sein Desinteresse am innerdeutschen Katholizismus bekundet hatte [177], beschäftigt er sich im Gespräch mit Heinz Ludwig Arnold nochmals
ausführlich damit.

Böll betont noch einmal, Kirche und Religion müssten völlig getrennt werden und gibt an, er habe eine kritische Einstellung
zur "Amtskirche oder Behördenkirche" schon seit 1933/34.

Statt sich 1945 "mit diesem geschlagenen Volk" zu solidarisiere
und sich sozialistischen Prinzipien zu öffnen, habe die Kirche
eine fortschreitende "Unsolidarität ... mit den ... hungernden
notleidenden Menschen" gezeigt, die immer grösser werde.

Die Schuld der katholischen Kirche in Deutschland habe sich nac
der Währungsreform verstärkt, weil nun die Kirche via Kirchensteuer wie ein Aktionär an der wirtschaftlichen Entwicklung par
tizipiere. Die Unfähigkeit, sich mit der Umwelt zu solidarisieren, entstehe "durch eine nicht persönliche, aber systembedingt
Korrumpierung". Ein Kleriker kenne keine unmittelbaren, materiellen Existenzsorgen (Wohnungs-, Ausbildungssorgen, die aufreibende Notwendigkeit, Geld zu verdienen). Dadurch würden die
Kleriker "unfähig zu begreifen, dass es Menschen gibt, die
nichtmaterielle Motive haben, die Gesellschaft zu verändern, al
so keine persönlichen materiellen Interessen. ... Der Materialismus der christlichen Kirchen ist so stark, dass sie geistige
Vorgänge nicht begreifen können." [178]

Das Verhängnisvolle an der Entwicklung der deutschen Amtskirche
sei dann durch Adenauer gekommen, indem man "die Identifizierun
von Christentum, Katholizismus und CDU bis zum Schwachsinn be-

trieben" habe. [179)

Böll erwähnt in diesem Gespräch auch einen Gedanken, den er später im 'Versuch über die Vernunft der Poesie' weiter entwickeln wird: "...der Roman 'Gruppenbild mit Dame' ist der Versuch, in den Materialismus oder in die Materialität des menschlichen Lebens eine neue Dimension zu bringen, die Sakralität des Materiellen zu erklären, das auch. Man hat das alles idealisiert und hat es abstrahiert und vertrocknet. Und diese Technokratisierung geht ja bei den Kirchen genauso vor sich wie bei der Versicherung, die mir meine Police schickt mit einer unleserlichen Nummer, einer zwölfstelligen Zahl; das ist eine inhumane Entwicklung." [180)

4.2. Ursprüngliche Gedanken neu benannt und weiterentwickelt

Weil Böll seine Hoffnung weiterhin auf die Literatur setzt, diese aber - vereinfacht gesagt - auch in ihrer Theorie politisiert wurde, ist der 'Versuch über die Vernunft der Poesie' (1973) nicht das, was er zunächst zu sein scheint: Obwohl die Konsistenz mit älteren Böllschen Aussagen offensichtlicher ist, als während des direkten politischen Engagements, ist es kein "Rückfall", kein Sich-zurückziehen auf eineapolitische Position, wobei, wie wir gesehen haben, die frühere Position Bölls auch nicht einfach und grundsätzlich apolitisch war.

Es ist ferner kein atheoretischer Ansatz, wie dies der Begriff "Parallelprotokoll" [181) nahelegen könnte. Denn sämtliche Voraussetzungen und Begleitumstände des Schreibens müssten "erklärt" mitgeliefert werden. [182)

Zunächst zur offensichtlichen Kontinuität: Dass das Geld und Währungsprobleme nicht, oder nicht nur, eine rationale Angelegenheit seien, hat Böll schon früher wiederholt beschäftigt, ebenso wie der Umstand, dass das ganze Leben bürokratisiert und verrechtlicht zu werden droht.

Dass Böll jegliche Trennung von Form und Inhalt ablehnt, lässt sich von allem Anfang an nachweisen. Dieses Gegeneinander-Ausspielen von Form und Inhalt lebt in veränderter Terminologie

153

weiter in der "Formel: entweder Information oder Kunst", der
Böll hier zu Leibe rückt. Die Auseinandersetzung verschiebt sich
dann für Böll in einen etwas allgemeineren Rahmen. Es geht nun
um die Alternative rational/irrational, die "auch eine falsche
war". [183)

Dass Böll "die Tradition der Vernunft ... mit den Mitteln eben
dieser Vernunft" anzweifelt, erinnert daran, dass er zu Beginn
seiner "politischen Laufbahn" mit dem Naturrecht, das er schon
damals für "überfällig" hielt, "gegen eine Rechtsauffassung argumentiert, in der es noch gilt". [184)

Ein weiteres Kontinuum: Ist nicht das Eindringen in die Zwischenräume, die "Entwurf" und "Verwirklichung" voneinander trennen,
ein - freilich erweiterter - Versuch, die Mischformen und Mi-
schungsverhältnisse zu ergründen?

Die Bedeutung, die Böll der Vorstellungskraft beimisst, deckt
sich mit älteren Aussagen, ebenso wie die Vorstellung von der
"Geschichte und Phantasiegeschichte, National- und Sozialgeschichte und historischen Relativität", mit der jedes Wort belastet ist [185) oder die Liebe zu den "für menschlichen Abfall
Erklärten". [186)

Bölls Gedanken zur Vernunft der Poesie sind ein - allerdings
weitreichender - Versuch. Mehr hat er nicht versprochen. Lösungen will und kann er (noch) nicht bieten. Es verhält sich ähnlich wie mit der Ästhetik des Humanen in den Frankfurter Vorlesungen. Dass das so ist, liegt an der Materie und an unseren
noch ungenügenden Methoden. Um die einseitige Herrschaft der Vernunft zu kritisieren, sind wir auf eben diese Vernunft zurück-
verwiesen. [187)

ABSCHLIESSENDE ERÖRTERUNG

Die wichtigsten Ergebnisse der vorliegenden Untersuchung sollen hier anhand des eingangs vorgestellten Interaktionsmodells zusammengefasst werden.

1. Die Auseinandersetzung des Autors mit der gesellschaftlichen Wirklichkeit

Bölls Erkenntnisse stammen aus der in jedem Fall neu vollzogenen Verbindung zweier entgegengesetzter Vorgänge, eines induktiven und eines deduktiven. [1] Einen Teil des deduktiven Aspekts bildet

1.1. Der trinitarische Ansatz

der allerdings erst im Laufe der Zeit auf alle Bereiche übertragen wird, wodurch zu einem grossen Teil der Wandel in den Auffassungen zu erklären ist. Zugleich zeigt dieser Vorgang aber auch die Kontinuität des denkerischen Ansatzes.

Die auffälligste Wandlung zeigt sich im Verhältnis zum direkten politischen Engagement, welches für Böll erst dadurch möglich wurde, dass er das Dritte auch in diesem Bereich suchte und also die Alternative Individualismus-Solidarität nicht mehr akzeptierte. [2] Gleichzeitig führte dies bei der immer noch vorhandenen Präferenz für das literarisch-strategische Vorgehen [3] zu einem widersprüchlichen Selbstverständnis auf dem Höhepunkt der politischen Auseinandersetzung um den Spiegel-Artikel zu Ulrike Meinhof.

Christoph Burgauner formuliert den Widerspruch folgendermassen: "Böll selbst hat zu diesem Punkt am 7. Februar 1972 eine Erklärung abgegeben, die zu beweisen scheint, dass er sich ganz uneingeschränkt als politischer Autor versteht: 'Die Trennung von Politik und Literatur ist so lebensgefährlich wie die Trennung von Religion und Politik'. Eine Woche zuvor aber hatte er nicht weniger entschieden eine Trennungslinie zwischen diesen Bereichen gezogen: 'Ein Autor, ein Schriftsteller hat natürlich zu jedem

Wort eine ganz andere Beziehung, und er sieht in jedem Wort ganz
andere Dimensionen als ein Jurist, als ein Beamter ... Ich fühle
mich nicht als Teil der Exekutive. Ich bin Schriftsteller.'" [4]
Burgauner weist darauf hin, "wie wenig diese Trennungslinie für
Böll ein Notbehelf in einer Zwangslage war" und meint: "Von daher ist auch der Widerspruch zu lösen ... Die Lösung ist einfach
Böll geht nicht von einer Gleichrangigkeit des Politischen und
des Religiösen aus, sondern davon, dass die religiös-literari-
sche Bedeutung des Wortes 'Gnade' der juristisch-politischen Bedeutung unzweifelhaft übergeordnet sei. Die ganze Kontroverse
ist vor allem darum so unbefriedigend verlaufen, weil die Kon-
trahenten in diesem Punkt fortwährend aneinander vorbeigeredet
haben: seinen Gegnern war die Gleichrangigkeit des Politischen
eine ebenso selbstverständliche Voraussetzung wie Böll dessen
Untergeordnetheit." [6]
Nach Burgauner ist "der Blick auf das Phänomen verstellt ... von
zwei naheliegenden Irrtümern, nämlich erstens, dass es sich kaum
lohnen dürfte, über Bölls Entwicklung nachzusinnen, weil seine
von Anfang an sehr deutlich erkennbare Gesinnung ganz offensichtlich unverändert geblieben sei; und dass Böll zweitens in
diesem besonderen Fall doch des Guten ein wenig zu viel getan
habe und eben, in seinen eigenen Worten, ein wenig zu weit gegangen sei, - was aber schliesslich jedem einmal passieren könne.
Das genaue Gegenteil ist der Fall: Das Studium von Bölls Entwic-
lung gibt Aufschluss über die Folgerichtigkeit, ja Zwangsläufig
keit, mit der dieser Eclat zustande kam." [7] Soweit bin ich im
grossen ganzen mit Burgauner einig. [8] Fehl geht er meines Er-
achtens jedoch gleich in zweifacher Hinsicht, wenn er glaubt:
"Sein Denken ist in Gefahr, lieber die Antithesen wahrzunehmen
als die Alternativen." [9]
Es ist nun an der Zeit zu fragen, inwiefern sich Bölls Versuch,
die Dialektik zu überwinden, von eben dieser Denkmethode unterscheidet. Es geht ihm darum, "das ständig gepredigte dualistische System von Gut und Böse, von Ehe und Prostitution, von An-

ständigkeit und Unanständigkeit, von Ehrlichkeit und Unehrlichkeit" als "nicht haltbar" darzustellen. [10)]
Nun versteht sich, dass ein dialektischer Ansatz nicht bei den Gegensätzen stehen bleibt, oder gar in statischen Dualismen denkt. Was Böll meint: "... wir könnten nicht ewig dialektisch existieren. Ich kann nicht ewig nur im Reflex reagieren; ich beschränke mich nicht darauf, Herrn Schelsky zu widerlegen aufgrund einer Dialektik, die mir möglicherweise zur Verfügung stände. Sondern ich akzeptiere seine Unruhe über eine Entwicklung, die mich genauso beunruhigt, und ich bin froh, wenn er diese Images zerstört. Das meine ich mit: nicht ewig dialektisch reagieren, also das eine mit dem Widerspruch des anderen widerlegen zu wollen, oder mit seiner eigenen Widersprüchlichkeit, oder mit seiner Widersprüchlichkeit an sich." [11)]
Man könnte weitergehen und formulieren, was Böll meines Wissens nicht getan hat, es gehe darum, die dritte Möglichkeit von allem Anfang an in den denkerischen Ansatz einzubeziehen, sozusagen bevor die Dialektik, wie umfassend und fruchtbar sie auch immer sein mag, ihre "Opfer" gekostet hat. Böll sammelt die Späne, die der dialektische Hobel produziert; wie er schon früh in einem anderen Bereich meinte: "aber ein Schriftsteller ist kein Hobler, schon eher einer, der Späne sammelt; denn der Abfall ist oft interessanter als das glatte Meisterwerk, bei dem er angefallen ist." [12)]

1.2. Die Wertvorstellungen

Zum deduktiven Aspekt seines Denkens gehören auch die Böllschen Wertvorstellungen, die im einzelnen in begrifflichen Kategorien kaum völlig zu erfassen sind. [13)]
Von Carl Améry stammt der Satz, "die deutsche Öffentlichkeit" habe "in Böll einen grossen literarischen Repräsentanten einer sinnvollen konservativen Position vor sich". [14)] Vergegenwärtigt man sich Bölls Traum von urchristlichen Zuständen, sein Stemmen gegen eine unheilvolle Entwicklung, die Vorstellung vom "Unwirklichen der Gegennatur, die sich der Mensch geschaffen hat" [15)],

von der "freiheitmordenden, schöpfungsfeindlichen Maschinenge-
sellschaft", bedenkt man, wie zentral für Böll nach wie vor das
(leidende) Individuum ist, denkt man an seinen Widerstand gegen
die zunehmend bürokratisierte und verrechtlichte Welt und gegen
die Anmassung einer totalen Hygiene, so zeigt sich, dass diese
Bezeichnung weitgehend zutrifft. Dies allerdings nur, wenn man
sie nicht im eingeschränkten Sinn einer politischen Haltung versteht. Gleichzeitig muss man auf den emanzipatorischen, in die
Zukunft gerichteten Aspekt der Böllschen Utopie hinweisen: auf
seine Hoffnung auf den Sozialismus, wie er bisher - im Gegensatz
zur christlichen Idealvorstellung, wie sie Böll versteht [16] -
noch nirgends verwirklicht worden ist. Böll richtet seinen Blick
immer wieder in die Vergangenheit, weil ihm die Zukunft so wichtig ist.

1.3. Böll, der irdisch-metaphysische

Man könne "beinahe deduktiv vorgehen, um Heinrich Bölls Idealis-
mus zu charakterisieren", schreibt Christoph Burgauner. [17] "Der
Kontrast zwischen Ideal und Wirklichkeit gehört zu den Kulturgü-
tern; ihn christlich erlebt zu haben, gehört zu Bölls Erziehung
- er gibt an, katholisch zu sein wie ein Neger schwarz. Und sein
Bildungserlebnis, das war Krieg und Nachkriegszeit. Auch der
Stoff seiner Bücher, die Konfrontation des kleinen Einzelnen mit
der grossen Masse [18] kommt von dort. Die Handlung, die sich da-
raus geradezu zwangsläufig [18] ergibt, ist die Desertion, die
Flucht, die Verweigerung." [19]
Der idealistische, von Ideen ausgehende, ist nur der halbe Böll
Bei der Bestimmung, was Humor sei, fasst er zuerst die humores,
die Körpersäfte, ins Auge, um dann in einem weiteren Schritt dem
Humor metaphysische Qualitäten zuzuordnen. Die Sinnlichkeit, in
einem typisch Böllschen Sinn verstanden als alles, was mit den
Sinnen zu tun hat, spielt eine eminente Rolle. Diese zweite
Hälfte sieht beispielsweise Peter Demetz, der sagt: "Was ihm ei-
gentlich als schriftstellerische Aufgabe vorschwebt, definiert
er in seinem Nachwort zu Lew Kopelews Memoiren als 'neue Sakra-

mentallehre der elementaren Beziehungen der Menschen'." Freilich
übersieht Demetz seinerseits den ersten Aspekt, wenn er fort-
fährt: "... also ein praktisches Christentum ohne Transzendenz,
in dem jede aus Mitleid dargebotene Zigarette für alle Hostien
steht." [20]

1.4. Der induktive Aspekt des Erkenntnisvorgangs

Der wichtigste Strom des induktiven Erkenntnisvorgangs bei Böll
ist seine Sprachkritik, die auf einer hohen sprachlichen Sensi-
bilität beruht, welche Böll auch von skeptischen Beobachtern
(so etwa von Fritz J. Raddatz) attestiert wird. Diese Methode
hat Böll in seinen ausserliterarischen Schriften immer wieder
angewendet. [21] Man könnte vielleicht geneigt sein, diese Versuche als Spielerei abzutun, sollte sich in diesem Fall jedoch
vergegenwärtigen, wie wichtig in der Phase der Theoriebildung
Emotionen, Intuition, Phantasie sind. Schliesslich enthält sogar
die Wissenschaftstheorie etwa des kritischen Rationalisten Karl
R. Popper - wenn auch nicht expressis verbis - dieses spieleri-
sche Element. [22] Böll selbst betont verschiedentlich, wie wichtig Spiel und Spielerisches für ihn sei. Dass diese Methode zu
"präzisen Ergebnissen" führt, zu Formulierungen, die "das beste
Versteck" sind "für den Widerhaken, der den plötzlichen Ruck
oder die plötzliche Erkenntnis bringt", kann man zwar nur vermu-
ten, nicht beweisen. [23] Für das Gegenteil jedenfalls steht der
Beweis auch noch aus. Auch ausserhalb des sprachkritischen Ansatzes geht Böll sehr oft vom konkreten Einzelfall, etwa einem
Erlebnis, aus. Nach Harry Pross führt "der Essay in aller Regel
von einem Detail ins Allgemeine und nicht umgekehrt von einem
allgemeinen Satz auf die Details. Die Unzufriedenheit, die solcher mässigenden Tätigkeit folgt ... ist allseitig, weil der
Essay der 'Kultur des mittleren, unaufgeblasenen Wortes' (T.M.)
zugehört, das Luft ablässt, die andere politisch angestaut haben." [24]

2. Fortschreibung

Der eben beschriebene Erkenntnisvorgang prägt das Verhältnis von
Autor und Werk. Das trinitarische Denken zeigt sich an zentraler
Stelle darin, dass Böll - von der ersten ausserliterarischen
Schrift bis heute - jede Trennung von Form und Inhalt entschie-
den ablehnt. Immer wieder wehrt er sich dagegen, dass man die
Form gegen bestimmte Ansprüche an die Gesinnung - mögen die Ansprüche nun vom christlichen oder einem andern "Lager" kommen -
ebenso wie gegen Schulterklopferei um einer willkommenen Einstel
lung willen. Aus dem gleichen Grunde wendet er sich gegen die
Teilung in "littérature pure" und "engagée" und später, als eine
Kunstfeindlichkeit sich breit macht, gegen die in seinen Augen
falsche Alternative Kunst oder Information.
Dieses trinitarische Denken führt auch dazu, dass in seiner Literaturtheorie an zentraler Stelle eine politische und geschicht
liche Kategorie auftritt (die Ablehnung des Prinzips 'divide et
impera' [25]). Dies geschieht zu der Zeit, als er sich vom direkten politischen Engagement zurückzuziehen wünscht. Dieser Wunsch
leitet folglich keine Entpolitisierung Bölls ein.
Böll verschweigt nicht, dass seine theoretischen "Annäherungsversuche" vielen Beschränkungen unterliegen. Beispielsweise kann
(immer noch) nicht angegeben werden, was Form ist, oder die po-
stulierten Parallelprotokolle zum literarischen Produktionspro-
zess können nicht geführt werden.
Die Arbeit an seinem Gesamtwerk - also auch am hier untersuchten
ausserliterarischen - nennt Böll Fortschreibung. Der Begriff
setzt sich zusammen aus zwei Aspekten, einem beharrenden und einem dynamischen: den Wertvorstellungen und dem human-christli-
chen Engagement, sowie dem trinitarischen Ansatz einerseits und
der Entwicklung andererseits, die dadurch zu erklären ist, dass
er dieses antidualistische Prinzip weiterführt und immer bewuss-
ter verwendet, es nach und nach auf alle Bereiche überträgt.
Der trinitarische Ansatz vermag auch zu erklären, warum Böll,
dessen Theorie in hohem Masse produktionsästhetisch ausgerichtet
ist [26], dennoch gesellschaftlich wirken will. [27]

3. Wirkungsabsicht bei fehlender Rezeptionstheorie

Böll erkennt das Dilemma, das daraus entsteht, dass er Verbindlichkeiten ausserhalb der Kunst akzeptiert, gleichzeitig jedoch die Kongruenz von Form und Inhalt als zentrales Kriterium betrachtet. [28] Folglich äussert er sich sehr zurückhaltend über die Wirkungsmöglichkeiten eines Autors. Abgesehen von der grundsätzlichen (und äusserst allgemeinen) Annahme, alles Geschriebene verändere die Welt, drückt er sich in Bildern aus oder weicht aus auf die "verschiedenen Stufen der Aktualität" im Werk eines Autors. [29]

Die Zurückhaltung gründet in der Überzeugung, dass man Wirkungen nicht kontrollieren kann, auch nicht nachträglich, sowie in der Ansicht, der Böll immer treu geblieben ist, dass man dem Publikum keinen einzigen Schritt entgegenkommen dürfe, und dies einerseits, weil ein Autor nicht unter sein Niveau gehen könne und weil dem Rezipienten etwas zugemutet werden müsse - Kunst sei Zumutung -,andererseits weil er den Rezeptionsprozess nicht für demokratisierbar hält. [30]

Äussert er sich - positiv - also äusserst zurückhaltend, so bekämpft er umgekehrt falsche Rezeptionsvorgänge dennoch sehr entschieden, so die Gleichsetzung von Autor und Hauptfigur oder jene von "literarischer" und "realer" Wirklichkeit.

Man mag sich an dieser Position stossen und sie für unbefriedigend halten, sollte jedoch bedenken: Zwar hat etwa Brecht eine genaue Theorie darüber entwickelt, wie die Literatur zu wirken hat, vgl. etwa "Wenn nichts anderes, so vertreibt der nackte Wunsch, unsere Kunst der Zeit gemäss zu entwickeln, unser Theater des wissenschaftlichen Zeitalters sogleich in die Vorstädte, wo es sich sozusagen türenlos, den breiten Massen der viel Hervorbringenden und schwierig Lebenden zur Verfügung hält, damit sie sich in ihm mit ihren grossen Problemen nützlich unterhalten können. Sie mögen es schwierig finden, unsere Kunst zu bezahlen, und die neue Art der Unterhaltung nicht ohne weiteres begreifen, und in vielem werden wir lernen müssen, herauszufinden, was sie brauchen und wie sie es brauchen, aber wir können ihres Interes-

ses sicher sein. Diese nämlich, die der Naturwissenschaft so
fern zu stehen scheinen, stehen ihr nur fern, weil sie von ihr
ferngehalten werden, und müssen, sie sich anzueignen, zunächst
selber eine neue Gesellschaftswissenschaft entwickeln und praktizieren und sind so die eigentlichen Kinder des wissenschaftlichen Zeitalters, und sein Theater kann nicht in Bewegung kommen,
wenn sie es nicht bewegen." [31]

Das Problem scheint grundsätzlicher Natur zu sein: Eine Rezep-
tionstheorie, bei der auch belegt werden kann, dass sich der Vorgang der Rezeption so abspielt, wie sie es darstellt, scheint
ebenfalls erst ein Kind zu sein, fällt doch auf, wie oft Brecht
– s. auch unser Zitat – Postulate aufstellt oder im Futur und
Potentialis spricht.

4. Schlussbemerkungen: Kontinuität bei aller Veränderung

Der trinitarische denkerische Ansatz bei Böll erklärt, dass bei
aller Entwicklung ein hohes Mass an Kontinuität und Konsistenz
zu beobachten ist. Aus aktuellem Anlass sei den vielen Beispielen, die ich im Laufe der Untersuchung angeführt habe, ein weiteres beigefügt: Während der Schlussredaktion dieser Arbeit (im
Juni und Juli 1978) fällte der Bundesgerichtshof das Urteil in
Sachen Böll gegen Walden.

Böll hatte auf Schmerzensgeld geklagt wegen eines Kommentars,
den Mathias Walden am Tag des Staatsaktes für den ermordeten
Kammergerichtspräsidenten Günter von Drenkmann am 21.11.1974 in
der deutschen Tagesschau gesprochen hatte. In zweiter Instanz
hatte er recht bekommen, verlor nun aber in letzter Instanz.
Laut Tages-Anzeiger (Zürich) war es in dem Prozess "vor allem um
drei Zitate gegangen, die Walden in seinem Kommentar verwendet
hatte. Er hatte Böll unter anderem so zitiert: 'Jahrelang warfen
renommierte Verlage revolutionäre Druckerzeugnisse auf den Bü-
chermarkt. Heinrich Böll bezeichnete den Rechtsstaat, gegen den
die Gewalt sich richtete, als Misthaufen und sagte, er sehe nur
Reste verfaulender Macht, die mit rattenhafter Wut verteidigt
würden. Er beschuldigte diesen Staat, die Terroristen in gnaden-

loser Jagd zu verfolgen.' Die Passage, Böll habe den Rechtsstaat einen Misthaufen genannt, wurde vom Bundesgerichtshof als falsch anerkannt." [32)]

Andererseits hält das Urteil fest, Böll habe "die öffentliche Auseinandersetzung, gerade auch, was die Einstellung zu den Terroristen betraf, gesucht und durch provozierende, zuweilen sogar bösartige Kritik zu Widerspruch herausgefordert." [33)]

Rudolf Augstein kritisiert beides, Bölls Klage auf Schmerzensgeld ebenso wie die Qualifizierung seiner Kritik als "bösartig" durch das Gericht: "Erstens kann er seine Ehre durch politische Anwürfe nicht, wie Katharina Blum, verlieren, und zweitens nicht, wie Lieschen Müller, durch Geld wiederherstellen. Schmerzensgeld stand ihm nicht zu, weil er selbst seinen politischen Gegnern solch politischen Anwurf-Schmerz bereitet, mag er auch zehnfach richtig und Walden zehnfach falsch liegen." Und weiter unten: "Bölls Kritik durfte 'extrem scharf', 'befremdlich in ihrer Schärfe', sie durfte sonstwie, nur nicht 'bösartig' genannt werden. Uns, den Politikern, Journalisten und sonstigen Teilnehmern der öffentlichen Auseinandersetzung, steht solch eine polemische Sprache zu, nicht aber denen, die unserer Polemik als Schiedsrichter Schranken setzen." [34)]

Böll selbst nimmt am 8.12.1974 zum Zitat Waldens Stellung und steht zu dem, was er acht Jahre früher gesagt hatte: "Ich habe 1966 in Wuppertal eine Rede gehalten zur Eröffnung des Theaters. Die ganze bürgerliche Gesellschaft hat mich dazu aufgefordert, angefleht, die Rede zu halten. ... ich habe sie noch einmal gelesen vor ein paar Tagen - notgedrungen -, und ich muss sagen, es ist eine der besten Reden, die ich je gehalten habe. In dieser Rede kommt der Satz vor, der jetzt heute hier zum vierten Mal die Ehre hat, aus sämtlichen Zusammenhängen gerissen zu werden. [35)] Es ist der Satz: 'Dort, wo der Staat gewesen sein könnte oder sein sollte, erblicke ich nur einige verfaulende Reste von Macht.'

Das habe ich gesagt, das kann man nachlesen. Man kann aber auch ausser diesen anderthalb Zeilen die ganze Rede lesen, die aus

hundertfünzig Zeilen besteht, und dann wird man feststellen ...
dass diese Rede eine Verteidigung des Staates ist. Da braucht
man noch nicht mal besonders tief zu gehen; das kann man feststellen. Ich habe den Leuten in dem Wuppertaler Theater nämlich
gesagt - jetzt vergröbert -, lasst euch nicht mit Kunst abfüt-
tern - die machen wir schon, wir Künstler und Schriftsteller -,
guckt auf den Staat, der euch gehört, macht Politik! Das war der
Sinn dieser Rede. Und im übrigen enthält sie einige meditative
Äusserungen über die Fäulnis im Werk von Beckett und dem Werk
der Else Lasker-Schüler, die eine Wuppertalerin war. Und in diesem Zusammenhang habe ich dieses Zitat nicht zu verteidigen, nur
zu erklären." [36)]

Um Bölls Einstellung zum Terrorismus noch einmal zu illustrieren, sei ein Aufsatz aus neuester Zeit mit jenem Spiegel-Artikel
vom 10.1.1972 verglichen, der die gewaltige Konfrontation herauf-
beschworen hatte. Böll äussert sich zur Entführung von Hanns-Mar-
tin Schleyer und schreibt unter dem Titel 'Wer Freude hat, birgt
eine Bombe': "Keine politische Gruppierung, wie immer sie sich
definieren mag, sollte auch nur den geringsten Zweifel mehr lassen, dass die kaltblütig geplante Ermordung und Entführung von
Mitbürgern nicht nur 'kein Mittel im politischen Kampf' ist;
Zwei- oder Vieldeutigkeiten sind nicht mehr am Platz, es ist
nicht die Zeit für Frivolitäten oder Zynismus, und wer da 'klamm-
heimliche Freude' empfindet, sollte wissen, dass er eine Bombe
in sich birgt; und ich setze diese heimliche Freude nicht nur
bei einigen voraus, die sich 'links' definieren, auch bei den
anderen." [37)] Demgegenüber rechnet er im Artikel von 1971 dem Leser vor: "Die Bundesrepublik Deutschland hat 60 000 000 Einwoh-
ner. Die Gruppe um Ulrike Meinhof mag zur Zeit ihrer grössten
Ausdehnung 30 Mitglieder gehabt haben. Das war ein Verhältnis
1 : 2 000 000. Nimmt man an, dass die Gruppe inzwischen auf 6
Mitglieder geschrumpft ist, wird das Verhältnis noch gespenstischer: 1 : 10 000 000.

Das ist tatsächlich eine äusserst bedrohliche Situation für die
Bundesrepublik Deutschland. Es ist Zeit, den nationalen Notstand

auszurufen. Den Notstand des öffentlichen Bewusstseins, der
durch Publikationen wie 'Bild' permanent gesteigert wird." [38)]
Ist Böll also doch eine Windfahne, die nun dem Druck der öffentlichen Meinung nachgegeben hat? Nein. Berücksichtigt man, was
zur Zeit der Niederschrift des Spiegel-Artikels in der Öffentlichkeit über Qualität und Ausmass terroristischer Aktionen als
gesichert bekannt war, berücksichtigt man, dass eine berechtigte
Kritik an den Praktiken der 'Bild-Zeitung' der Polemik die
Stossrichtung gab [39)], bedenkt man ferner, was in der Zwischenzeit geschah und bekannt wurde, sind beide Aussagen verständlich.
Zudem sind wesentliche Argumente des neueren Artikels im ersten
in ähnlicher Form auch schon zu finden: Wichtig ist der Einzelne,
der Verfolgte, heisse er oder sie nun Ulrike Meinhof oder Hanns-
Martin Schleyer ("Der, der da irgendwo sitzt, wartet, um sein
Leben bangt, Herr Schleyer, wird unwirklich, und ist in Gefahr,
zum Vehikel zu werden für die, die sich da heimlich freuen.
Schon gehen manche Kommentare und publizistische Spekulationen
an ihm vorbei, über ihn hinweg, und es ist diese Tatsache, die
mich über das Verbrechen selbst hinaus, verstört."); Konzept und
Methoden der Gruppen, ebenso wie die säuberliche Trennung von
Verbrecher-Kategorien werden abgelehnt.
Beide Artikel sind aus dem selben Geist geschrieben. Heinrich
Böll dreht sich nicht nach dem Wind, auch nicht in dem Sinne,
dass er immer das Gegenteil von dem unternähme, was man von ihm
erwartet. Böll stelle sich in der Tat vor jeden Verfolgten,
schreibt Christoph Burgauner. [40)] Er ist seinem humanen Engagement treu geblieben, und dem liegt das leidende Individuum in
erster Linie am Herzen. Dennoch scheint die Vorstellung von Böll
als Wegbereiter der Gewalt, ja des Terrorismus in der Öffentlichkeit ebenso weitverbreitet und hartnäckig zu sein, wie unter
den Literaturwissenschaftlern und -kritikern jene vom atheoreti-
schen Autor oder jene andere vom dualistischen Weltbild (nicht
nur des frühen Böll). Sie ist freilich genauso falsch.
Das heisst nun andererseits nicht, Böll zu verharmlosen oder
- was die Theorie vom Dritten vielleicht nahelegen könnte - ein-

er Vereinnahmung Bölls durch irgendeine "Mitte" Vorschub zu leisten. "... ich meine auch, ich hätte immer versucht, das Dritte zu sehen und darzustellen. Und nichts wird, man muss schon sagen: von der reaktionären Presse und öffentlichen Meinung so sehr diffamiert wie das Dritte. Wenn Sie sich vorstellen ... dass wir ja als christliche Kultur trinitarisch definiert und, ich sage mal: angetreten sind, dann fehlt da auch noch etwas von der Verwirklichung dieses christlichen Antritts-Modells ... Sowohl zwischengeschlechtlich wie politisch. Nehmen Sie Kapitalismus und Sozialismus: das eine ist nicht mehr rein und das andere auch nicht, und es fällt doch auf, dass die kapitalistischen und die sozialistischen Mächte, da, wo sie systematische Macht haben, nichts so sehr hassen wie das Dritte, ob es nun vage beschrieben wird oder präzise wie Ende der 60er Jahre in der Tschechoslowakei." [41]

Böll fährt fort: "Nein, ich empfinde mich wirklich nicht als Dualist. Wahrscheinlich ist meine philosophische, analytische und systematische Begabung oder auch mein Fleiss zu gering, um das anders als in Form von Romanen und Erzählungen darzustellen ...".

Die vorliegende Arbeit widerlegt, so hoffe ich, diese Vermutung.

ANMERKUNGEN

EINLEITUNG

1) N. Schachtsiek-Freitag, Ein Moralist mischt sich ein, in: Frankfurter Rundschau v. 6.8.1977

2) Drei Tage, S. 81

3) R. Nägele, Heinrich Böll, Einführung in das Werk und in die Forschung, Frankfurt/Main 1976, S. 168

4) Hanno Beth (Hrsg.), Heinrich Böll, Eine Einführung in das Gesamtwerk in Einzelinterpretationen, Kronberg/Ts. 1975, S. VIII

5) R. Nägele, a.a.O., ebd.

6) In krassem Gegensatz dazu wird ihnen auf dem politischen Parkett eine turbulente - und Böll zumindest zeitweise lästige - Aufmerksamkeit zuteil. Darüber könnte vermutlich die leider nicht zugängliche Arbeit Bernd Schlegels weitere Auskunft geben: B. Schlegel, Die Rezeption des politischen Publizisten Heinrich Böll in der Öffentlichkeit der Bundesrepublik Deutschland. Wiss. Arbeit für die Zulassung zur Prüfung für das Lehramt an Gymnasien. Vorgelegt Dr. Dieter Schmidt. Univ. Göttingen o.J. (1975), 125 Bl. 4° (Maschinenschrift). Immerhin dürften die Publizitätswellen oder besser: -fluten, die nach Bölls Äusserungen im "Fall Defregger" und im Anschluss an seinen Spiegel-Artikel ("Will Ulrike Meinhof Gnade oder freies Geleit?") hereinbrachen, noch in Erinnerung sein.

7) Karlheinz Deschner, Talente-Dichter-Dilettanten, Überschätzte und unterschätzte Werke in der deutschen Literatur der Gegenwart, Wiesbaden 1964, S. 45

8) Peter Spycher, Ein Porträt Heinrich Bölls im Spiegel seiner Essays, in: Reformatio, Evangelische Zeitschrift für Kultur und Politik, 16 (1967), S. 12 (Unterstreichung von mir)

9) Ebd.

10) Ebd. S. 106: "Wie Böll selber katholisch ist, so sind es

auch die meisten Hauptpersonen seiner Dichtungen ..."
S. 107: "kein religiöser Zweifler, kein Häretiker, auch kein
Antiklerikaler"
S. 109: "Von einem Katholiken und Schriftsteller wie Böll ."
S. 111: "Dennoch gehen wir, glaube ich, nicht fehl, wenn wir
sein dichterisches Werk als ein vom Geiste eines gläubigen
Christen ... geprägtes erkennen."

11) Ebd., S. 1o9ff.

12) Joachim Fest, Wer will da Gegner sein?, in: Der Spiegel,
Nr. 4 v. 22.1.1968, 22 (1968), S. 98

13) Ebd., S. 97

14) Vgl. dazu Dieter E. Zimmer, der sich mit Bölls Widerwillen,
als "Gewissen der Nation" zu fungieren, sowie mit seinem
(so ernstgemeinten?) Vorschlag auseinandersetzt, eine "Bundesanstalt für Gewissen" zu schaffen: "Dass Böll sich gegen
die ihm und einigen anderen abverlangte Rolle als Wächter,
Weiser, Protestierer sträubt, ist nur zu verständlich."
Bölls Vorschlag hingegen lehnt er ab: "Heinrich Böll und die
anderen, die er meinte, haben sich ihre Autorität nicht
durch irgendwelche Mitgliedschaften erworben und werden sie
dadurch auch nicht los ... Sie können sich dagegen wehren ..
aber sie sind durch keine Bundesanstalt zu ersetzen."
Dieter E. Zimmer, Heinrich Böll rebelliert gegen sein Image,
in: Die Zeit (Hamburg, Nr. 33 v. 8.8., 30 (1975), S. 29

15) "Mancher zwar mag sich fragen, ob der Satz ironisch gemeint
sei. Doch gilt der Einwand, dass so nachlässig nur die un-
bedingte Aufrichtigkeit formuliert." J. Fest, a.a.O., S. 97

16) Böll polemisiert hier gegen einen Vortrag von Dr. Hans Buch-
heim, den die 'Kirchenzeitung für das Erzbistum Köln' abgedruckt hatte, und von dem er sagt: "Eine gute Gelegenheit,
den Kindern zu erklären, was politische Pornographie ist."
Stichworte (1964), 4. Stichwort: Lektüre, AKR I, S. 154

17) Ebd., AKR I, S. 155

18) (die für ihn nicht nur im Falle Bölls eigentliche Hauptsa-

Anmerkungen Einleitung

chen sind); Ludwig Marcuse, Neben den Erzählungen, in: In
Sachen Böll, Ansichten und Einsichten, Hrsg. von Marcel
Reich-Ranicki, München 1968, S. 119f.

19) Ebd., S. 120f.

20) Ebd., S. 121

21) Ebd., S. 124f.

22) Jochen Vogt, Vom armen H.B., der unter die Literaturpädagogen gefallen ist, Eine Stichprobe, in: Text und Kritik (München), Zeitschrift für Literatur, Hrsg. von H.L.Arnold, 33
(Jan. 1972), S. 36f.

23) Wilhelm Johannes Schwarz, Der Erzähler Heinrich Böll, Dritte,
erweiterte Auflage, Bern und München 1973, S. 46

24) Ebd. S. 46f

25) Dies obwohl er sich mit dem Schicksal der Vernunft auseinandersetzt: "Nur vernünftig? Ich weiss, diese Vokabel steht im
Deutschen nicht hoch im Kurs: Sie klingt brav, bieder und
hausbacken, ordentlich und glanzlos. Denn Vernunft versteht
sich in Deutschland von selbst - und ist wahrscheinlich eben
deshalb so selten. Daher gehört es zu den Aufgaben der
Schriftsteller, immer wieder an die Vernunft zu appellieren."
Marcel Reich-Ranicki, Gegen die linken Eiferer, in: Die Zeit
(Hamburg), Nr. 20 vom 11.5.1973, S. 17

26) Rolf Michaelis, Satire auf den Leerlauf der Geheimdienste:
"Berichte zur Gesinnungslage der Nation", Erste Schritte auf
dem Dritten Weg, Heinrich Böll schreibt aktuelle Dunkelmän-
nerbriefe, bestimmt seine poetische und politische Stellung
im Gespräch und wird beliebtes Testobjekt literarhistorischer
Forschung, in: Die Zeit (Hamburg), Nr. 36 v. 29.8., 30 (1975),
S. 38

27) Drei Tage, S. 112. Immerhin betont Böll, dass "der Büffel"
für ihn "eher so eine Art Hindenburg war - also nicht Hitler! - ..." ebd.

28) Marcel Reich-Ranicki, Vom armen H.B., Aus Anlass des Buches
"Drei Tage im März" und der Erzählung "Berichte zur Gesin-

nungslage der Nation", in: Frankfurter Allgemeine Zeitung, Nr. 218 vom 20.9.1975

29) Hermann Glaser, Bölls Aufsätze, Kritiken, Reden - Schnappschussprosa mit Überblende, in: Hanno Beth (Hrsg.), Heinrich Böll, Eine Einführung in das Gesamtwerk in Einzelinterpretationen, Kronberg/Ts. 1975, S. 104

30) Ebd., S. 105. Vgl. "Die Armut dieser Prosa" (S.104) und: "Als Stilist jedoch ist Böll, im Gegensatz zu dem grösseren Teil seiner Dichtung, Traditionalist: verhältnismässig glatt in die gängigen Sprachmuster eingepasst, 'üblich' in den Metaphern. Seinem Stil fehlt die geistige Exorbitanz; es fehlen seiner Prosa die Widerhaken und Stacheln, die ins schlaffe Fleisch der Platitüden einzudringen vermögen." (S.108)

31) Ebd., S. 105. Vgl. "Solche Stellen desavouieren sich nicht dadurch, dass sie falsch, sondern dadurch, dass sie weder in der Erkenntnis noch in der Form neuartig sind." (S. 106)

32) Ebd., S.111. "... werden bei Böll Geschehnisse auf die vordergründige Bosheit weniger reduziert; ein solcher naiver Blick auf das Weltgeschehen trügt zwar nicht; in der Tat ist 'Geschichte' vielfach 'lediglich' Folge politischer Willkür; aber dies ist nicht die ganze Wahrheit." (S.111)

33) Ebd.,S. 103

34) Glaser fährt fort: "Es hat den Anschein, dass früher mehr das Bildhafte überwiegt, später stärker die Abstraktion sich einstellt. Aber 'Abstraktion' ist bei Böll noch recht bildhaft, so dass der Unterschied gering bleibt." (S.103f.) Vgl.: "Sein gesellschaftlicher 'Stellenwert' ist der eines Präzeptors, auch wenn er sich selbst immer wieder gegen jede Stilisierung seiner 'Aufpasser'- und 'Merker'-Rolle verwahrt. Bölls Links-Position erweist sich dabei, seit den ersten Essays, als ziemlich statisch; sie wird z.B. von der Theoriewelle der Protestgeneration kaum erfasst." (S.109)

35) Ebd., S. 109 und 113

36) Ebd., S. 114f.

Anmerkungen Einleitung

37) Léopold Hoffmann, Einmischung erwünscht, Schriften zur Zeit
   - von Heinrich Böll, in: Luxemburger Wort v. 14.5.1977

38) Ebd.

39) Joachim Kaiser, Heinrich Bölls Charme, in: Werner Lengning
   (Hrsg.), Der Schriftsteller Heinrich Böll, Ein biographisch-
   bibliographischer Abriss, Erweiterte Ausgabe, München 1968
   u.ö., S. 76-79

40) Gemeint ist: 'Schwierigkeiten mit der Brüderlichkeit', An-
   sprache zur Eröffnung der Woche der Brüderlichkeit am 8.3.
   1970 im Kölner Gürzenich, welche die Fernsehanstalt der beiden Autoren live übertragen hatte.

41) C.H.Casdorff/R. Rohlinger (Hrsg.), Kreuzfeuer, Interviews von
   Kolle bis Kiesinger, Berlin 1971, S. 60

42) Janko Musulin (Hrsg.), Heinrich Böll u.a., Offene Briefe an
   die Deutschen, Wien-München-Zürich 1969, S. 53

43) L. Hoffmann, Einmischung erwünscht, a.a.O.

44) Vgl.:"Er ist slawophil aus Instinkt, aber wie hilflos in der
   Sphäre der industriellen Demokratien, der extremen Mobili-
   tät, der bedrohten Familien (die neueren Mores nennt er 'Se-
   xualfetischismus'), der politischen Praxis, die sich nicht
   auf ein apokalyptisches Entweder-Oder einlässt; und während
   er uns ... die Leistung der russischen Dissidenten oder ...
   die Freuden des Moskauer Alltags im farbigsten Detail zu
   schildern weiss, setzt er die ganze amerikanische Arbeiterbewegung in Anführungszeichen, weil sie nicht in seinen Sa-
   mowar-Kosmos passt." Und "Als guter Hirte wandelt er mit seinen Lämmern, in der Literatur und in der Politik, durch dick
   und dünn; ich frage mich nur manchmal, und da hilft mir sein
   glühendes Gefühl nicht weiter, wieviel an meinem Mitgefühl
   ein Lamm verwirkt, wenn es (als Femewolf), dreissig Jahre
   nach der Nazidiktatur die Feder mit der Maschinenpistole ver-
   tauscht und dann, jenseits aller Fiktionen, wirkliche Menschen auf ein wirkliches Pflaster niederstürzen, wenn die Ku-
   gel trifft." Peter Demetz, Allzuoft nur Himmel und Hölle,

Anmerkungen Einleitung

Heinrich Bölls "Schriften zur Zeit", in: Frankfurter Allgemeine Zeitung, Nr. 138 v. 18.6.1977, Lit.Beilage, S. 1

45) Ebd.

46) Norbert Schachtsiek-Freitag, a.a.O.

47) Umgekehrt gilt, was hier gegen die Ansicht von den "Theoriedefiziten" gesagt wird, auch für P.Demetz, der behauptet
"Ein theoretischer Kopf war Böll nie ..." P.Demetz, a.a.O.

48) Obwohl Schachtsiek-Freitag von "Theoriedefiziten" und nicht
vom Singular spricht, hat er offenbar dennoch einen allgemeinen Mangel im Auge. Er schliesst folgendermassen: "Böll
scheint sich dieser Zusammenhänge durchaus bewusst zu sein,
denn er hat in einem Gespräch einmal geäussert:'Wahrscheinlich ist meine philosophische, analytische und systematische
Begabung oder auch mein Fleiss zu gering, um das anders als
in Form von Romanen und Erzählungen darzustellen.'. Der neue
Schriftenband bestätigt diese kritische Selbsteinschätzung,
die Respekt verdient." Ebd.

49) Die - gelegentlich - "grosse Wirkung" sei "wohl weniger durc
das Faktum zu erklären, dass Böll den Bekanntheitsgrad, den
er sich als Autor belletristischer Produktionen erworben hat
als Multiplikator in seine private Meinungsäusserung ein-
bringt, sondern wohl eher die ihm zu Recht unterstellte moralische Integrität, die sich Theoriedefizite 'leisten'
kann." Dasselbe gelte für Rezensionen. Ebd.

50) Heinz Ludwig Arnold, Bölls Poetik des Humanen, Die Frankfurter Vorlesungen über Theorien zur Literatur, in: Werner Len-
ning (Hrsg.), Der Schriftsteller Heinrich Böll, Ein biographisch-bibliographischer Abriss, 5., überarb. Auflage, München 1977, S. 95-97
Jürgen P. Wallmann, Böll, der Neinsager, in: Werner Lengnin
(Hrsg.) a.a.O. (1977), S. 116f.

51) James H. Reid, Heinrich Böll, Withdrawal and Re-emergende,
London 1973, 1. Kap.: The State and the Alternative Society
S. 9-25

Léopold Hoffmann, Heinrich Böll, Einführung in Leben und
Werk, 2., erw. Auflage, Luxemburg 1973, Essays, S. 81-97

52) James H. Reid, a.a.O., S. 17

53) Vgl. die Arbeiten von Rudolf Augstein, Dolf Sternberger,
Fritz J. Raddatz, Günter Gaus, Lutz Hermann, Christoph Burgauner, Harry Pross, Peter Schütt, Hanno Beth, sowie Jean
Amery, die alle im Literaturverzeichnis bibliographiert sind.
Zu dieser Gruppe gehört auch das eben zitierte Kapitel des
Buches von James H. Reid. Die Reaktionen auf den Spiegel-Artikel dokumentiert in Auswahl: H.B., Freies Geleit für Ulrike Meinhof, Ein Artikel und seine Folgen, Zusammengestellt
von Frank Grützbach, Köln 1972.

54) Jürgen P. Wallmann, Sein Engagement ist unteilbar, Heinrich
Böll als Publizist - Gesammelte Aufsätze, in: Saarbrücker
Zeitung, Nr. 83 v. 9./10.4.1977

55) Ebd.

56) Dorothea Rapp, 'Flammen sind zu lebendig', Feuerprobe im
künstlerischen Vorgang, in: Die Drei (Stuttgart), H.2 (Febr.)
46 (1976), S. 84-90

57) s. etwa: "Das Schöpfungsfeuer rundet sich um diesen Zärt-
lichkeitsraum, in dessen warmem Ei-Rund die Kunstgestalt zu
einem eigenen Leben heranwächst." Ebd., S. 87 oder: "Stoff
und Form durchlaufen Feuerprozesse. Der S p i e l e n d e
nähert sich dabei esoterischen Quellen, die allem Material
noch von der Urschöpfung her eingegeben sind. Die Schmelze
aus Verbrennung und Läuterung gibt sie wieder in verjüngte
Verfügung frei ..." Ebd., S. 88

58) Drei Tage, S. 59f.

59) Dorothea Rapp, a.a.O. S. 88f.

60) 'Ich gehöre keiner Gruppe an' (1963), AKR II, S. 175-177,
Entfernung von der Truppe (1964)

61) Daran, dass dieser Versuch gefährlich oder zumindest un-
fruchtbar ist, ändert wenig, dass Böll (ganz selten) sich
selbst eine Etikette umbindet. Demetz jedoch stürzt sich auf

die Gelegenheit: "Böll, der sonst allen Etiketten abgeneigt
ist, nennt sich in diesen Aufsätzen selbst einen Linkslibe-
ralen, aber der politische Schriftsteller ist viel eher, Eti
kett gegen Etikett, ein Manichäer ..." P. Demetz, a.a.O.

62) Hanno Beth, Trauer zu dritt und mehreren, in H. Beth (Hrsg.)
a.a.O., S. 140
Günter Gaus dagegen wirft Böll vor, statt "das den Menschen
allein bekömmliche Mittelmass in der Politik" zu suchen, den
"Bedürfnis nach glatten, klaren, fassbaren Kategorien in den
Politik, nach Formeln, gemäss denen man politisch leben kann
nachzugeben. Bölls vermeintlicher "Frontwechsel" ist für ihn
"eine umgekehrte Fahnenflucht: zur Fahne hin."
Günter Gaus, Die politische Vergesslichkeit, in: Marcel
Reich-Ranicki (Hrsg.), In Sachen Böll, Ansichten und Einsichten, München [3]1973, S. 115, 116 und 117

63) H.B., Wie eingebildet sind diese Deutschen?, in: Frankfurter
Allgemeine Zeitung, Nr. 221 v. 2.10.1976, S. 21

64) Der gläubige Ungläubige, , Einm. erw., S. 231-237

65) Damit sei weder Max Frisch (der für die Formulierung, nicht
aber für die Entwicklung verantwortlich ist) ein Vorwurf gemacht, noch ausgeschlossen, dass Brecht selbst sein Teil zu
dieser Entwicklung beigetragen hat.

66) Benjamin Lee Whorf, Sprache-Denken-Wirklichkeit, Rheinbek b
Hamburg 1969, S. 74f.

67) Frankf.Vorl., S. 9f.

68) Horst Bienek, Werkstattgespräche mit Schriftstellern, München 1962, S. 141
Wer glaubt, hier werde Bildung nicht nur als Voraussetzung
des Schreibens, sondern generell abgelehnt, sollte doch bedenken, dass Böll von Bildung in einem bestimmten Sinn
spricht, nicht von Bildung schlechthin.
Bei den umfangreichen und ausgiebig dargestellten Recher-
chierarbeiten eines Erzählers in den neueren literarischen
Werken, etwa des "Verf." in 'Gruppenbild mit Dame', ist der

Aspekt der Ironie nicht zu übersehen. Betont doch Böll gerade im Zusammenhang mit diesem Roman: "Mit dem Schein der Dokumentierung wollte ich im Grunde Gegendokumentar-Literatur schreiben. Das Dogma von der alleinseligmachenden Dokumentarliteratur widerlegen." Lieblingsthema Liebe, in: Kölner Stadt-Anzeiger, Nr. 167 v. 22.7.71, S. 12

69) Peter Spycher, a.a.O., S. 19

70) Ebd., S. 22

71) Ebd., S. 17

72) Joachim Fest, a.a.O., S. 98

73) Fritz J. Raddatz, a.a.O., S. 110. Dazu Hanno Beth: "Man wird Raddatz insoweit recht geben dürfen - freilich nicht, ohne zugleich zu betonen, dass Sprachkritik in keinem Falle mehr zu leisten imstande ist." Gleichzeitig unterstreicht Beth, dass man mit dieser Methode zu "präzisen Ergebnissen" gelangen kann. Hanno Beth, a.a.O., S. 147

74) Ebd., S. 114

75) Ebd.

76) Vgl. dazu auch: "Es muss die wichtigste Voraussetzung unseres Gesprächs sein, dass es sich hier um Annäherungsversuche handelt, ganz gleich, wozu ich mich äussere: zu meinen Büchern, zu mir selbst, zur Welt, zur Umwelt ..." Drei Tage, S. 13

77) Fritz J. Raddatz, a.a.O., S. 109f.

78) Ebd., S. 110

79) Ludwig Marcuse, a.a.O., S. 122

80) Peter Spycher, a.a.O., S. 22

81) Peter Demetz, a.a.O.

82) Frankf. Vorl., S. 83

83) Versuch über die Vernunft der Poesie (1973), Einm. erw.,S.43

84) Drei Tage, S. 103

85) Etwa die minimale ästhetische Empfänglichkeit; s. Frankf. Vorl., S. 12

86) Da dieser ideale Leser und gelegentlich auch der Autor und das Werk (im idealtypischen Sinne) eine wichtige Rolle spie-

len, ist es angebracht, von einem <u>Modell</u> zu sprechen, an dem
sich die wesentlichen Interaktionen zwischen den Polen un-
tersuchen lassen, ohne individuelle Begebenheiten einzubeziehen. Andererseits bietet das Interaktionsviereck auch
eine <u>Systematisierungshilfe</u> für konkrete, individuelle Interaktionen zwischen den Polen.

87) Das Risiko des Schreibens (1956), Hierzulande, S. 152
Vgl. "In einer Ausstellung wirkt jedes, auch das provozie-
rendste Bild, noch wie hinter Glas - es hat eine gewisse Un-
verbindlichkeit. Aber im Schaufenster einer Kunsthandlung,
dem hochverehrten Publikum zum Kauf angeboten - wirkt es
erst revolutionär." Mutter Ey (1960), AKR I, S. 58
S. auch: "... das wahre mündliche Erzählen ist die einzig
wirkliche Form der Demokratie". das wahre Wie, das wahre
Was (1965), AKR I, S. 205 und 207

88) Das Bild erscheint als weniger zweideutig, wenn man - fai-
rerweise - den bei Michaelis ausgelassenen Zwischenteil mit-
zitiert: "... das gesamte Patriarchat als Hobel anzusetzen,
um ihn zurechtzuschreinern, d.h. ihm nachzuweisen, dass er,
weil Mann, Frauen niemals wird gerecht beschreiben können,
das wäre eine feministische Naivität." Karin Huffzky, Die
Hüter und ihr Schrecken vor der Sache, Das Mann-Frau-Bild in
den Romanen von Heinrich Böll, in: Hanno Beth (Hrsg.), a.a.O.
S. 51

89) Harry Pross, Proben auf Fortsetzung, Heinrich Bölls politische Essays, in: Hanno Beth (Hrsg.), a.a.O., S. 117-123

90) Die Gesamtzahl der berücksichtigten Einzelschriften beträgt
somit rund 430.

91) Vgl. Rolf Michaelis: Böll "wird beliebtes Testobjekt literarhistorischer Forschung".

1) Gott sucht die Sünder, in: Neue Literarische Welt (Darmstadt), 3(1952), Nr. 15 v. 10.8.1952, S. 9

2) Die Stimme Wolfgang Borcherts (1955), Hierzulande, S. 138

3) Ich erwähne diese Konzeption dennoch bereits hier, weil sie, wenn auch unausgesprochen, wohl immer mitspielt. Vor diesem Hintergrund erscheint auch die Äusserung verständlich, es liege in der Natur der Kunst, "immer im Stadium des Experiments zu bleiben". (Die Sprache als Hort der Freiheit, 1958, Hierzulande, S. 109)

4) Gesinnung gibt es immer gratis (1963), AKR I, S. 136

5) Ebd.

6) Rose und Dynamit (1958), AKR I, S. 37 (Hervorhebung von mir)

7) "Solange die freien Künste noch die Artes liberales waren und nur im geschlossenen Kreis der Kirche gedeihen konnten, waren alle Künstler notgedrungen christliche Künstler. Ihren Zorn äusserten sie in jenen Zeiten in deutlicher, manchmal recht grober Form. Der Franziskaner Jacopone da Todi schrieb Spottgedichte auf den Papst, Stefan Lochner placierte Päpste und Kardinäle in die Hölle, und an den gotischen Kathedralen wenden manche Wasserspeier unbekleidete rückwärtige Körperteile mit unzweideutiger Absicht dem bischöflichen Palais zu, Jahrhunderte bevor Götz von Berlichingen aussprach, was jene steinernen Figuren nur darzustellen versuchten. Aber damals waren die hohen Herren, weil ihre Macht realer war, noch mit Humor ausgestattet; sie fühlten sich wirklich kompetent, waren es manchmal sogar und nahmen Disziplinüberschreitungen gelassen hin; sie konnten strafen und verzeihen; Kunst und Handwerk galten als identisch, und die hohen Herren vertrauten ihrem mehr oder weniger handfesten ästhetischen Instinkt.
Seitdem ist einiges geschehen, ...: die Artes liberales sind wirklich die freien Künste geworden, zu denen auch die Christen zugelassen sind." Kunst und Religion (1959), Hier-

zulande, S. 47

8) Kunst und Religion (1959), Hierzulande, S. 50

9) Bereits 1957 hatte Böll geschrieben: "... es gibt keine
Theologie der Kunst, und so lange es sie nicht gibt, wird
die Frage der Anstössigkeit, des Verbots von Büchern eine
Polizeifrage bleiben, undifferenzierbar ..." Das weiche Herz
des Arno Schmidt, in: Texte und Zeichen (Berlin), 3 (1957),
H.11, S. 86

9) Kunst und Religion (1959), Hierzulande, S. 49

10) Böll klammert hier allerdings die Künstler aus: "Die Instanz,
die berufen wäre, einem Kraftfahrer, Drogisten, Dekorateur
seine Christlichkeit als solche zu bescheinigen, ist nicht
vorhanden, aber denkbar. Die Instanz, die berufen wäre, einem Künstler seine Christlichkeit als solche zu bescheinigen, ist nicht einmal denkbar." Kunst und Religion (1959),
Hierzulande, S. 47

11) Eine Theologie der Kunst würde manches Urteil revidieren:
"Es gibt keine Theologie der Literatur. Gäbe es sie, sie
würde zu verblüffenden Ergebnissen kommen, würde manchem
Nichtchristen attestieren müssen, dass er 'verkündigt', und
manchen Christen in Bann tun müssen, weil er, indem er um
des Marktes willen die Kunst verletzt, die Ordnung verletzt."
Rose und Dynamit (1958), AKR I, S. 38

12) Kunst und Religion (1959), Hierzulande, S. 48

13) Ebd.

14) Kunst und Religion (1959), Hierzulande, S. 49

15) Briefwechsel Heinrich Böll – HAP Grieshaber, in: labyrinth
(Hommerich/Bez. Köln), 2 (1961), H.5 (Nov. 61), S. 58 f.
Der Brief Bölls datiert vom 12.8.1961

16) Kunst und Religion (1959), Hierzulande, S. 50f.
Die "Last der Freiheit" scheint durch in der Rede 'Die Sprache als Hort der Freiheit'. Symptomatisch ist etwa das überaus häufig verwendete Attribut "frei": "als freier Bürger
von dieser freien Stadt geehrt";"eine Freiheit, deren einzi-

ge Einschränkung innerhalb der Grenzen der Kunst liegt"; die
Institution "des freien Schriftstellers, der nur in einer
freien Gesellschaft möglich ist" etc. Die Sprache als Hort
der Freiheit (1958), Hierzulande, S. 109-115

17) Gesinnung gibt es immer gratis (1963), AKR I, S. 136f.
(Hervorhebung von mir)

18) Ebd., S. 138. Vgl. Bölls Rezension von Luc Estangs 'Das
Glück und das Heil': "..., die Betroffenen (im Falle Luc
Estangs die Christen) sind in der glücklichen Lage, keine
Ästhetik zu haben, die mit ihrer Theologie kongruent wäre,
und sie haben eine flüssige Geschicklichkeit entwickelt,
Form und Inhalt gegeneinander auszuspielen: passt eins von
beiden nicht, stösst man mit dem zum Messer verwandelten anderen unbarmherzig in die Blösse, ..." Das Glück und das
Heil (1963), AKR II, S. 44
In der 'Verteidigung der Waschküchen' konstatiert Böll mit
Bitterkeit, dass einem Autor angekreidet werden könne, Armut
zum Gegenstand seiner Arbeiten gewählt zu haben, "ohne dass
man sich die Mühe machen muss, festzustellen, ob eine Kongruenz von Form und Inhalt hergestellt sei." Zur Verteidigung der Waschküchen (1959), Hierzulande,. S. 123. S. auch
die(in milderer Form gehaltene) Forderung an Marcel Reich-
Ranicki, eine "Art Modellkritik" vorzulegen.
Zu Reich-Rankikis 'Deutsche Literatur in West und Ost' (1963),
AKR II, S. 47

19) Zur Verteidigung der Waschküchen (1959), Hierzulande, S.123
und 126 f.

20) "...wo sind die der Literatur würdigen Orte, wo muss Literatur, wie man so hübsch unklar zu sagen pflegt, angesiedelt
sein? Siedle, wer da siedeln mag, mit Hilfe einer Bauspar-
kasse, unter Ausnützung aller Steuervorteile," Ebd., S. 123

21) Gesinnung gibt es immer gratis (1963), AKR I, S. 136

22) Offener Brief (an Pfarrer von Meyenn), in: Frankfurter Hefte,
8 (1953) H.2, S. 166

23) Bekenntnis zur Trümmerliteratur (1952), Hierzulande, S. 130
Wie Schriftsteller sich der gesellschaftlichen Realität gegenüber nicht verhalten sollten, illustriert Böll mit den Autoren der Schäferromane und -spiele, die sich durch ihr "Blindekuh-Spielen" daran schuldig gemacht hatten, dass für den grössten Teil des französischen Adels die Revolution mit der Plötzlichkeit eines Gewitters ausbrach. (Ebd., S. 129)

24) Rose und Dynamit (1958), A R I, S. 37

25) "... die Sprache ist etwas zu Gewaltiges, zu Kostbares, als dass sie zu blossem Zierrat dienen sollte , sie ist des Menschen wertvollster natürlicher Besitz: Regen und Wind, Waffe und Geliebte, Sonne und Nacht, Rose und Dynamit; aber niemals nur eins von diesen: sie ist nie ungefährlich, weil sie von allem etwas enthält: Brot und Zärtlichkeit, Hass, und in jedem, jedem winzigen Wort ist etwas immer enthalten, wenn auch unsichtbar, unhörbar, unnahbar: Tod. Denn alles Geschriebene ist gegen den Tod angeschrieben."
Vorsicht! Bücher!, in: Die Kultur (München), 7 (1959), H.128 v. 15.3.1959

26) Ebd.

27) Bücher verändern die Welt, in: Neue Ruhrzeitung (Essen) v. 19.11.1960. Daher ist die "berüchtigte, bei öffentlichen Diskussionen so beliebte Frage, ob Bücher die Welt verändern sollten, ... eine rhetorische Frage, man stellt sie hin und wieder, damit das Geplauder nicht abbreche, ..."

28) Briefwechsel Heinrich Böll-HAP Grieshaber, a.a.O., S. 59

29) Bücher verändern die Welt, a.a.O.

30) Wir können diesen Begriff nur verwenden, wenn wir gleichzeitig daran erinnern, wie wichtig, ja geradezu zentral für Böll die Übereinstimmung von Form und Inhalt ist.

31) Kunst und Religion (1959), Hierzulande, S. 51

32) Zwischen Gefängnis und Museum (1961), Hierzulande, S. 53f.

33) Ebd., S. 54f.

34) Ebd., S. 56

Anmerkungen Erster Teil

35) Über den Roman (1960), Hierzulande, S. 121f.

36) Horst Bienek, Werkstattgespräche mit Schriftstellern, München 1962, S. 149

37) Ebd., S. 148

38) Bücher verändern die Welt, a.a.0.

39) Rose und Dynamit (1958), AKR I, S. 37f. Böll nennt gleich selbst Ausnahmen: "Es gibt Glücksfälle, wo einer zugleich ein Genie und ein Heiliger war: der Sonnengesang des hl. Franz, die Gedichte des hl. Johannes vom Kreuz, Literatur, die von Christen gemacht wurde und doch christliche Literatur ist, aber sowohl Heiligkeit wie Genie entziehen sich der Analyse."

40) S. Zwischen Gefängnis und Museum (1961), Hierzulande, S. 55

41) Kunst und Religion (1959), Hierzulande, S. 51

42) Ebd., S. 51 f.

43) Bekenntnis zur Trümmerliteratur (1952), Hierzulande, S. 135

44) Die Stimme Wolfgang Borcherts (1955), Hierzulande, S. 140

45) Wo ist dein Bruder?, in: Geist und Tat (Frankfurt/M.), 11 (1956), Nr. 6 (Juni), S. 167

46) Das Risiko des Schreibens (1956), Hierzulande, S. 152

47) Die Sprache als Hort der Freiheit (1958), S. 111 und 115

48) Kunst und Religion (1959), Hierzulande, S. 51

49) Zweite Wuppertaler Rede (1960), AKR II, S. 204

50) Ein Interview mit Studenten, in: H.B., Novellen, Erzählungen, Heiter-satirische Prosa, Irisches Tagebuch, Aufsätze, Zürich o.J. (Berechtigte Lizenzausgabe für den Buchclub Ex Libris Zürich), S. 391

51) Briefwechsel Heinrich Böll-HAP Grieshaber, a.a.0., S. 58

52) Horst Bienek, a.a.0., S. 148f.

53) Mein Bild, in: Die Zeit (Hamburg), 17 (1962), Nr. 4 v. 26.1.62, S. 11

54) Vgl. Die Sprache als Hort der Freiheit (1958), Hierzulande, S. 109-115. S. auch den schon zitierten Passus aus 'Kunst und Religion' (1959), Hierzulande, S. 51: "Solange das Ge-

heimnis der Kunst nicht entziffert ist, bleibt dem Christen
nur ein Instrument: sein Gewissen; aber er hat ein Gewissen
als Christ und eins als Künstler, und diese beiden Gewissen
sind nicht immer in Übereinstimmung."
Bereits die Aufspaltung des Gewissens ist Ausdruck des Dilemmas, in dem sich Böll bewegt.

55) Briefwechsel Heinrich Böll-HAP Grieshaber, a.a.O., S. 59
56) Gesinnung gibt es immer gratis (1963), AKR I, S. 139
57) Verstehen wir uns?, in: Kölner Stadt-Anzeiger v. 8.6.1957
58) Die Sprache als Hort der Freiheit (1958), Hierzulande, S. 110
59) Ebd., S. 111
60) Ebd., S. 112
61) Die vorliegende Rede hielt Böll anlässlich der Entgegennah-
me des Eduard-von-der-Heydt-Preises der Stadt Wuppertal.
62) Ebd., S. 113f. Wer den möglichen Irrtum als "einen ständigen
Freibrief in der Tasche" trüge, wäre in einer "verzweifelt
unaufrichtigen Lage, wie einer, der,bevor er sündigt, schon
weiss, was er bei der Beichte sagen wird". Da nütze auch der
"dialektische Trick der sogenannten Selbstkritik nichts, die
sich dem ständig wechselnden Beichtspiegel unterwirft". Damit verglichen sei sogar ein Hofnarr eine menschenwürdige
Existenz.
63) Ebd., S. 114
64) Im Laufe der Geschichte seien – zum Teil mit dem Anspruch
der Ausschliesslichkeit – für literaturfähig gehalten worden
Der Adlige, der Kaufmann, der Arbeiter; ich habe den Passus
bereits in 1.1. zitiert.
65) Zur Verteidigung der Waschküchen (1958), Hierzulande, S.123f
66) Zwischen Gefängnis und Museum (1961), Hierzulande, S. 57f.
67) Rose und Dynamit (1958), AKR I, S. 37
68) Das Risiko des Schreibens (1956), Hierzulande, S. 150
69) Ebd., S. 152
70) R. Matthaei (Hrsg.), Die subversive Madonna, Ein Schlüssel
zum Werk Heinrich Bölls, Herausgegeben und mit einem Vorwort

von R.M., Köln 1975, S. 8

71) Diese kann - will man sich, wie dies hier der Fall ist, auf Bölls theoretisches Werk beschränken - nur aus späteren Schriften rekonstruiert werden.

72) In der Bundesrepublik leben? (1963), AKR I, S. 119

73) Über mich selbst (1958), Hierzulande, S. 7

74) Ebd., S. 8

75) An einen Bischof, einen General und einen Minister des Jahrgangs 1917 (1966), AKR I, S. 241

76) Ist diese Erinnerung zeitlich möglich?

77) Über mich selbst (1958), Hierzulande, S. 8f. Die Erinnerung an die Gerüche in der väterlichen Werkstatt ist bezeichnend für Bölls Sinnlichkeit (im Böllschen Sinn). Vgl.: "... denn ich h a b e nicht etwa, sondern b i n ein guter Riecher, und eine geruchlose Welt gefällt mir weniger als eine, die noch Gerüche hatte." Dreizehn Jahre später (1966), AKR I, S. 249

78) Raderberg, Raderthal (1965), AKR I, S. 170

79) Ebd., S. 171

80 Ebd., S. 173

81) Ebd., S. 175 und Die'Stimme Wolfgang Borcherts (1955), Hierzulande, S. 137 f.

82) Über mich selbst (1958), Hierzulande, S. 9

83) Der Zeitungsverkäufer (1959), Hierzulande, S. 98

84) Über mich selbst (1958), Hierzulande, S. 9

85) Zu Reich-Ranickis Deutsche Literatur in West und Ost (1963), AKR II, S. 49

86) Brief an einen jungen Katholiken (1958), Hierzulande, S. 25

87) Major Sch. hielt einen der Vorträge am Einkehrtag für angehende Rekruten, den M. (an den sich der Brief an einen jungen Katholiken richtet) besucht hatte.

88) Brief an einen jungen Katholiken (1958), Hierzulande, S. 34

89) Ebd., S. 34

90) Ebd., S. 35

91) Ebd., S. 28; s. auch S. 30: "... sittliche Gefahr? Sie bestand in der fast vollkommenen Sinnlosigkeit dieser Existen.
monatelang, jahrelang den stumpfsinnigen Trott mitzutrotten
..." Böll empfand es da als wohltuend, "etwas so Positives"
zu tun wie: "Stühle stapeln, Aschenbecher säubern, Wasser
holen, noch dazu für eine so hübsche junge Frau" (Die Rei-
nigungsfrau in einer "Liebeskaserne", wo Böll von Angehörigen der Wehrmacht liegengelassene Gegenstände abholen musste).

92) Ebd., S. 30

93) Ebd., S. 32f.

94) Ebd., S. 31. Böll gab den geliebten Leon Bloy preis, weil
er dessen Hass auf "ganz Deutschland" nicht "verzeihen,
nicht verstehen, nicht vollziehen" konnte, "den Hass eines
alten Mannes". Vgl. auch: Die Feindseligkeit der französischen Bevölkerung wirkte mörderisch, "weil sie kollektiv angewendet wurde". Ebd. S. 31f.
"... aber wenn auch nur ein einziger Deutsche nicht schuldig war - und es waren einige mehr -, trifft die Kollektivschuld nicht zu. Und doch gibt es keine Kollektivunschuld."
Geduldet oder gleichberechtigt, Zwei Gespräche zur gegenwärtigen Situation der Juden in Deutschland, in: Germania Judaica, Kölner Bibliothek zur Geschichte des deutschen Judentums, Schriftenreihe, H.2 (Okt. 1960), S. 43

95) An einen Bischof, einen General und einen Minister des Jahrgangs 1917 (1966), AKR I, S. 243f.

96) Ebd., S. 238f.

97) Stichworte (1964), AKR I, S. 157f.

98) Rede zur Verleihung des Nobelpreises (1972), NplS, S. 281

99) Ebd.; Vgl.: "Schreiben wollte ich immer, versuchte es schon
früh, fand aber die Worte erst später." Über mich selbst
(1958), Hierzulande, S. 7, und "Beruf und Tätigkeit standen
für mich schon seit dem siebzehnten Lebensjahr fest: Schriftsteller". Stichworte (1964), AKR I, S. 159

100) Auch hier geht es mir um die Zeit bis zu den ersten Publikationen. Die herangezogenen Texte stammen selbstverständlich alle aus späterer Zeit, zudem sind sie im Gegensatz
zu jenen aus dem vorangehenden Abschnitt keine Rückblicke
auf Kindheit, Jugend und Kriegszeit. Weil aber die religiöse Grundhaltung beim Zeitpunkt der ersten Publikationen
vorauszusetzen und die gesellschaftliche Einstellung ohne
diese Voraussetzung nicht darstellbar ist, trage ich diese
Aussagen bereits hier zusammen.

101) Walter Weymann-Weyhe/Heinrich Böll, Das Brot von dem wir
leben, Briefwechsel über den 'Brief an einen jungen Katholiken', in: Werkhefte für katholische Laienarbeit (München),
12 (1958), H.11, S. 283

102) Kunst und Religion (1959), Hierzulande, S. 46; auffällig,
dass sich Böll dennoch ein Urteil erlaubt: "Ein Bekenntnis
zu einer Religion ist ein Versprechen, das nur selten gehalten wird." Ebd.

103) Ebd., S. 47. Vgl.: "Die Frage nach der Konfession ist ja
eigentlich ein Steuergeheimnis, also eine peinliche Sache;
aber gut, wenn es unbedingt sein muss, dann will ich es bekennen: Ich zahle katholische Kirchensteuer. Alles weitere
gehört in das Gebiet der Schnüffelei." Interview von Dr. A.
Rummel (1964), AKR II, S. 214f.
"Ob jemand je begreifen wird, dass einer katholisch sein
kann wie ein Neger Neger ist? Da nützen Fragen und Erklä-
rungen wenig. Das geht nicht mehr von der Haut und nicht
mehr aus der Wäsche. Wozu da Fragen stellen:'Warum glauben
Sie?' oder Fragen beantworten. 'Warum ich glaube.' Das ist
nicht einmal eine Gewissensantwort. Es ist glaubwürdig oder
nicht." Mauriac zum achtzigsten Geburtstag (1965), AKR I,
S. 208. Glauben hat "immer eine mystische, Unglauben meistens eine rationale Qualität." Das Zeug zu einer Äbtissin
(1966), AKR II, S. 87
Im 'Brief an einen jungen Katholiken' bedauert Böll jedoch

offensichtlich, dass die Frage, ob jemand wirklich gläubig
sei, zu einem gesellschaftlichen Faux-pas, die Frage, ob
jemand mit seiner öffentlich verkündeten Meinung identifi-
zierbar sei, zu einer kindlichen Torheit werde. Hierzuland«
S. 38

104) Kunst und Religion (1959), Hierzulande, S. 46

105) Karlheinz Deschner (Hrsg.), Was halten Sie vom Christentum«
18 Antworten auf eine Umfrage, München 1957, S. 21-24

106) Ebd., S. 22 und 24

"Mich haben nie so sehr die Christen überzeugt und getrö-
stet als die anderen, ausserhalb der Kirche Stehenden, die
von der christlichen Liturgie angezogen wurden: Atheisten,
in deren Gesichtern ich eine adventistische Sehnsucht sah,
die mich mehr überzeugten als die oft so schreckliche Übe:
zeugtheit der Christen, die so sicher sind, 'ihren Gott zu
haben'. Ein Ungläubiger, der 'Tauet Himmel den Gerechten .
sang, während die Christen mit routinierter Gleichgültigkeit exakt ihre Liturgie vollzogen, erschien mir wie einer
der Weisen aus dem Morgenland, die schliesslich als Unge-
taufte Christus anbeteten, ungetauft wieder davonzogen."
Ebd., S. 24

107) "Das Christentum reicht von jenem baptistischen Neger, der
in einer Wellblechbaracke in Louisiana zum Preise Gottes
Spirituals singt, bis zu einem christlich-demokratischen
Bundestagsabgeordneten, der vielleicht die Interessen der
Eisenindustrie vertritt und dem das Wort Abendland wie Ho-
nig von den Lippen fliesst, wie dem baptistischen Neger
sein Spitirual." Ebd., S. 21f.

108) Ebd., S. 22

109) Ebd., S. 22f.

110) Böll-Warnach, Die unverlierbare Geschichte, Ein Gespräch,
in: labyrinth (Stuttgart), 2(1961), H.3/4 (Juni 61), S.49f
Vgl.: "Kommen wir auf diese Weise nicht doch zu einem Null
punkt? Am Ende dieses Weges der Geschichte, den ein Volk

500, 600, 700 Jahre hindurch einfach weitergegangen ist, ist alles verlorengegangen wie Gepäck - Gepäck jetzt im Sinne von Last wie im Sinne von Besitz." (B) Ebd., S. 56

111) Ebd., S. 54

112) Die unverlierbare Geschichte, a.a.O., S. 57

113) Ebd., S. 54

114) Ebd., S. 58

115) Ebd. Darum ist die Reaktion, "dass man bei dem Wort 'Reich' an Nationalsozialismus denkt ... die dümmste der möglichen Assoziationen" (B).

116) Ebd., S. 59

117) Ebd., S. 59f.

118) Ebd., S. 61. Zur Frage, ob die Kirche heute nicht in vielen Fällen statt des Schutzes zu bedürfen, Schutz verleihe, vgl. S. 56

119) Ebd., S. 61 f.

120) Ebd., S. 62f.

121) Ebd., S. 63 f.

122) Ebd., S. 65   .

123) "Mir ist selbst nicht wohl bei diesem Gedanken", fügt Böll gleich hinzu.
Beide Gesprächspartner stimmen darin überein, dass sie "in der Ratlosigkeit, in die uns ein jahrtausendealtes Verhängnis gestossen hat", nicht "so ins Allgemeine denken" oder "gar aus unserer politischen Lage eine konkrete Hoffnung für das Allgemeine schöpfen" können. Ebd., S. 68

124) Ebd., S. 68

125) Ebd., S. 64f. "Wenn man in der deutschen Sprache schreibt, so hat das irgendwas mit Deutsch und Deutschland zu tun, und ich möchte wissen, ob es wirklich nur irgendwas ist, ich möchte wissen, was es ist, und ich glaube, dass jeder, der in einer Sprache schreibt, eine Vorstellung haben müsste, wo diese Sprache eine geschichtliche oder politische Heimat hat. Das ist eine sehr wichtige Frage, die auch mit

der Tradition zusammenhängt." Ebd., S. 51

126) Warnach und Böll glauben ja auch, dass der Abfall vom Reichsauftrag bereits vor mehreren Jahrhunderten erfolgte und dass "in den letzten vierhundert Jahren unserer Geschichte eine Steigerung dieses Frevels stattgefunden [hat], zum Ende hin mit grösserer Geschwindigkeit". Ebd., S. 57f.

127) Wo ist dein Bruder?, Rede gehalten anlässlich der'Woche der Brüderlichkeit' (1956), in: Geist und Tat (Frankfurt/M. 11 (1956), Nr. 6 (Juni), S. 168f.

128) Ebd., S. 165f.

129) Komma angebracht?

130) Heldengedenktag (1957), AKR II, S. 197
Vgl.: Wo ist dein Bruder?, a.a.O., S. 166: "... die dumpfe Trägheit ..., die der beste Vorbereitungsboden für den neuen Mord ist". Vgl. auch 'Die Stimme Wolfgang Borcherts' (1955), Hierzulande, S. 135-140

131) Wo ist dein Bruder?, a.a.O., S. 166

132) Ebd., S. 166f.

133) Sich diese aktive Nachdenklichkeit zu bewahren, statt der Behaglichkeit und Resignation zu verfallen, ist ein Schritt den man immer von neuem zu vollziehen hat. Er "wird immer schwieriger, je mehr Jahre über einen herfallen mit dem Schutt ihrer Enttäuschungen, preisgegebenen Hoffnungen; Das Gewicht auf dem Nacken, das den Kopf über die Futterkrippe beugt, so dass der Blick für nichts mehr ausserhalb ihrer frei bleibt, dieses Gewicht wird mit den Jahren immer schwerer." Wo ist dein Bruder?, a.a.O., S. 165

134) ".. die Emsigen, allzu Geschäftigen, sie sind, mögen sie sich als Gläubige tarnen, doch nur Taktiker; ihnen, die der blosse Rummel reizen mag, ihnen ziehe ich sogar die Schlafmützen vor." Wo ist dein Bruder?, a.a.O., S. 165
Etwas weiter unten (S.169f.) heisst es: "Was ist aber aus uns geworden, aus uns, die wir weder ganz Kain noch ganz

Abel sind? Wir überlebten.nachdenklich und hungrig kehrten
wir aus dem Kriege heim, richteten uns im Dschungel ein und
warteten ab. Aber je besser wir uns einrichteten, um so
mehr verlor sich unsere Nachdenklichkeit, umso gieriger
stürzten wir uns auf das Neue, das Aktuelle, das ein gutes Alibi für unsere verlorene Nachdenklichkeit war: Brot
mussten wir haben, ein Dach über dem Kopf, und diese Mini-
ma erforderten schon fast die ganze Lebenskraft eines Man-
mes, wenn er sich nicht entschloss, unter die Gangster zu
gehen. Neue politische Konflikte zeigten sich,die es uns
zur Pflicht zu machen schienen, in die Z u k u n f t ,
nicht in die Vergangenheit zu blicken. ... in der Vergangenheit begraben aber blieben unsere Brüder, nach denen wir
nicht mehr fragten. Wir bastelten uns einen gesunden, le-
benskräftigen Zynismus zurecht und nannten ihn Vitalität.
Von dieser fragwürdigen Vokabel lebten und leben wir."
Es gibt einen weiteren (aktiven) Widersacher der Nachdenklichkeit: "Für alles,was der Erinnerung dienen könnte, hat
die Psychologie die Mordwaffe geliefert, die heute jedermann zur Verfügung steht: das Wort Ressentiment; wie ein
Messer wird es jedem in die Brust gestossen, der es wagt,
echte Gefühle zu zeigen. Um dieser Mordwaffe zu entgehen,
treibt man Erinnerungen und Gefühle ab, es ist dieser perma-
nente Abort, der die Gesichter so leer macht, ..." Hierzulande (1960), S. 18. Vgl. Auch : "... die Catcher beherr-
schen das Feld, die Primitivtaktiker, Männer ohne Erinnerungsvermögen, die Vitalen, Gesunden, die nicht 'rückwärts
blicken' und nicht jenem verpönten Laster frönen, das Nachdenken heisst, aber unter dem Namen Morbidität als eine Art
Rauschgift für sogenannte Intellektuelle diffamiert wird .."
Brief an einen jungen Katholiken (1958), Hierzulande, S. 44
135) Wo ist dein Bruder, a.a.O., S. 165
136) Assisi (1961), AKR I, S. 106 f.
137) Bekenntnis zur Trümmerliteratur (1952), Hierzulande, S. 132

138) Befehl und Verantwortung (1961), AKR I, S. 103. Diese Auffassung mag unter marxistischem Einfluss entstanden sein:
Ein Jahr zuvor hatte sich Böll mit dem Marxismus (genauer
und bezeichnenderweise mit Karl Marx) beschäftigt. S. Karl
Marx (1960), AKR I, S. 74-91

139) Heisses Eisen in lauwarmer Hand, in: Die Literatur (Stuttgart), 1 (1952), Nr. 11 v. 15.8.1952, S. 4

140) S. etwa das Beispiel des Grafen Schwerin von Schwanenfeld,
ein "Christ und Offizier, der verbündet war mit Männern, di
ihm seiner Herkunft und seiner politischen Tradition nach
so vollkommen entgegengesetzt waren: mit Marxisten und Ge-
werkschaftern; der Geist dieser Verbrüderung und des Bünd -
nisses hat sich nicht erhalten, ist nicht in die Nachkriegs
politik eingegangen; wir könnten eine Tradition haben, diese, doch es scheint, als wäre es unmöglich, diesen Geist in
die gegenwärtige Politik zu tragen ..." Brief an einen jungen Katholiken (1958), Hierzulande, S. 44

141) "Der einzige Titel, auf den wir alle Anspruch haben, ist:
Überlebende." Der Schriftsteller und Zeitkritiker Kurt Zie-
sel (1960), AKR II, S. 28
Vgl.: "Wir, wir überlebten: Wir entkamen mit knapper Not de
Ermordung in den Vernichtungsstätten, entflohen kurz bevor
die Falle sich schloss - oder retteten unser Leben von eine
Tag zum anderen durch die letzten Kriegsmonate, durch diese
Hölle, die noch nicht beschrieben ist: blindlings aufgelöst
Gefangenenlager, evakuierte Konzentrationslager, Ströme von
Flüchtlingen, evakuierte Stadtbevölkerung, Soldaten, gehetz
von Erschiessungskommandos, ... immer wieder aufgefangen,
willkürlich und sinnlos von Falle zu Falle gestossen ..."
Wo ist dein Bruder? (1956), a.a.O., S. 168

142) Wo ist dein Bruder, a.a.O., S. 167

143) Ebd. S. 171. Vgl.: "... und wer Ohren hat, zu hören, hört
das eisige Schweigen aus den Äckern um Auschwitz und um
Stalingrad". Der Schriftsteller und Zeitkritiker Kurt Zie-

sel (1960), AKR II, S.28. Die Vorstellung vom "Gericht der
Geschichte", das an die Deutschen "von drüben und hier" er-
gehen wird, habe ich bereits in 2.2.1. zitiert.

144) S. etwa: Der Zeitgenosse und die Wirklichkeit (1953), Hierzulande, S.61-67. Vgl. den "unruhigen Rand der Zeitgenossenschaft" in 'Georg Büchners Gegenwärtigkeit' (1967), NplS,
S.9 und 15

145) Bekenntnis zur Trümmerliteratur (1952), Hierzulande, S.128

146) Ebd., S.128. Als beste Definition für Zeitgenossenschaft bezeichnet Böll folgenden Satz aus einer israelischen Erzählung: "Er hatte das Leben seiner Generation in seinem Flei-
sche." Vorwort zu Schalom (1964), AKR I, S.143

147) "...und wütend war ich über soviel verstecktes und offenes
Misstrauen meiner Altersklasse gegenüber, die ich verteidi-
gen möchte." In der Bundesrepublik leben? (1963), AKR I,
S.117

148) Ebd., S.117f. S. auch Nachwort zu Carl Amery 'Die Kapitulation' (1963), AKR I, S. 124

149) Wohl: "die man dann im zweiten Weltkrieg entweder gebrauchen
konnte oder einsperrte ..."

150) Horst Bienek, a.a.O., S.146f. Es ist Böll auch unverständ-
lich, dass sein "Zeit- und Altersgenosse" Reich-Ranicki in
'Deutsche Literatur in West und Ost' (1963) "besonders streng
mit seinen Altersgenossen ins Gericht geht; er müsste doch
wissen, dass deren Ausgangsposition fast hoffnungslos war:
eine geschlagene, fast ausgelöschte Sprache nicht nur
schreibbar, sie auch lesbar zu machen (Luftfotos des zerstörten Warschau, Berlin, Hamburg und Köln würden diese Ausgangsposition gut illustrieren!)" Zu Reich-Ranickis 'Deutsche Literatur in West und Ost' (1963), AKR II, S.47f.

151) S. etwa das Gespräch 'Die unverlierbare Geschichte' a.a.O.

152) Werner von Trott zu Solz (1965), AKR I, S.211
Von Jean-Louis Rambures auf die Schuld der Deutschen angesprochen, meint Böll im Jahre 1973:"Ich glaube nicht, dass

jemand schuldig ist, weil er geboren ist, wo er geboren wurde, aber auch keiner unschuldig, weil er geboren ist, wo er
geboren wurde. Die Schuld der Zeitgenossen tragen wir alle.
... Das ist die Schuld, viele Dinge nicht getan zu haben.
Aber ich bin nicht unglücklich darüber, ein Deutscher zu
sein.
Dass wir Deutsche waren, war für uns zu selbstverständlich,
als dass wir darüber nachgedacht hätten. Dass wir auf eine
unangenehme Weise gezwungen wurden, uns deutsch zu fühlen,
haben wir erst 1933 gemerkt. Für einen Deutschen ist es sehr
schwierig, sich selbst als solchen zu akzeptieren. Aber man
kommt in einen Zwang und empfindet das Deutschsein nach 12
Jahren Naziherrschaft doch schon als einen Fluch. Nur gerät
jeder in eine Geschichte, die er selbst nicht bestimmen kann
Aber dann kam auch für mich eine merkwürdige dialektische
Deutschheit hinein. Weil dieses Volk so verachtet wurde,
wollte ich auch dazugehören. Das mag sehr metaphysisch klingen. Ich war ein Gegner des Naziregimes von Anfang an, aber
das bedeutet überhaupt nichts. Das war mein Privatvergnügen.
Aber dann kamen die kollektiven Beschimpfungen, das Bewerfen
mit Steinen durch Amerikaner, auch von der französischen Bevölkerung oder der belgischen. Die haben mich eigentlich dem
Deutschen wieder nähergebracht. Ich will das gar nicht drama
tisieren. Aber durch das Erlebnis, zu diesen Menschen zu gehören, zu denen ich vorher eine totale Distanz hatte, ent-
stand eine Beziehung zum Deutschen, die ich fast metaphysisc
nennen möchte. Ich hätte auf keinen Fall nicht dazugehören
mögen." "Weil dieses Volk so verachtet wurde, wollte ich
dazu gehören ..." Ein Interview von Jean-Louis Rambures mit
Heinrich Böll, in: Frankfurter Allgemeine Zeitung v.13.12.7?
153) Vgl.: NplS, S.169f., 186, 228f.; Frankf. Vorl., S.95f. u.a.
154) S. die stattliche Reihe von Aufsätzen, die sich mit der en-
geren Umgebung beschäftigen und die Besorgnis über die ge-
fährdete Natur (lange bevor "Umweltschutz" zum modischen

Anmerkungen Erster Teil

Schlagwort wurde): Hierzulande, S.106; AKR I, S.33, 148 u.a.
155) S. Frankf. Vorl.
156) Das Werkstattgespräch mit Horst Bienek (s.oben) fand 1961 statt.
157) Walter Weymann-Weyhe, Das Brot, von dem wir leben, a.a.0., S. 284. S. auch Aufsätze wie: Strassen wie diese, in: Köln. Vierteljahrschrift für die Freunde der Stadt. 1958, H.3
158) Zur Verteidigung der Waschküchen (1959), Hierzulande, S.126
159) Herr M., an den der Brief gerichtet ist, kam gerade von einem dieser Einkehrtage, als Böll, der 1938 ebenfalls an einem Einkehrtag teilgenommen hatte, ihn bei Pfarrer U. kennenlernte.
160) Brief an einen jungen Katholiken (1958), Hierzulande, S.41 und 44
161) Ebd., S.44
162) Ebd., S.37
163) Ebd., S.37
164) Ebd., S.26
165) Ebd., S.24. Das von Theologen in diesem Zusammenhang gern gebrauchte Wort von der "gerechten Verteidigung" findet Böll "so gross und so billig, dass es eigentlich verboten werden müsste". Noch immer stritten sich die Historiker darüber, "wer sich im Jahre 1914 nun im Stande der gerechten Verteidigung befand". Als Beispiele für gerechte Verteidigung in der jüngsten Vergangenheit erwähnt Böll: das bolschewistische Russland beim deutschen Einfall, "Dänemark, Norwegen, Frankreich - nehmen Sie sich eine Europakarte vor und zählen Sie die Länder ab."
166) Ebd., S.38f. Etwas weiter unten meint Böll, flexible Leineneinbände würden Herrn M. beim Nachdenken über die sittlichen Gefahren des Militärdienstes "einen Dreck" nützen, "und vielleicht wird das gute Dünndruckpapier Sie nur noch durch die Tatsache beglücken, dass es sich so gut zum Zigarettendrehen eignet: das wäre immerhin ein Nutzen, denn ich hoffe,

Sie können die paar Gebete, die Ihnen Trost bringen werden,
auswendig." Ebd., S.4o. Etwas weiter oben hatte sich Böll
in milderer Form mit dem Ästhetizismus der deutschen Katholiken auseinandergesetzt: "Die deutschen Katholiken ... haben seit Jahrzehnten kaum andere Sorgen gehabt als die Ver-
vollkommnung der Liturgie und die Hebung des Geschmacks; das
ist höchst lobenswert, doch frage ich mich, ob es als Alibi
für eine oder zwei Generationen ausreicht." Ebd., S..36f.

167) Brief an einen jungen Katholiken (1958), Hierzulande, S.23
"... an dieser einseitigen Interpretation der Moral leidet
der gesamte europäische Katholizismus seit ungefähr hundert
Jahren".

168) Ebd., S.25

169) Ebd., S.27

17o) Ebd., S.39f.

171) Ebd., S.33. Vgl. dazu: Walter Weymann-Weyhe/Heinrich Böll,
Das Brot, von dem wir leben, a.a.O., S.28of. und S.283f.

172) Hast Du was, dann bist Du was (1961), AKR I, S.99f. Zur po-
lemischen Form der Auseinandersetzung vgl. etwa: "Dem HAST
DU WAS,DANN BIST DU WAS kann man's möglicherweise noch verzeihen, möchte man auch ihm und all seinen Hintermännern die
Pest an den Hals oder einen Mühlstein um denselben wünschen,
vielleicht kann man ihm und seinen Hintermännern zugute halten, SIE WISSEN NICHT, WAS SIE TUN. Ein Oberhirte wird wohl
wissen, was er tut ..." Ebd.

173) Ebd., S.1oof.

174) Nachwort zu Carl Amery 'Die Kapitulation' (1963), AKR I,S.12

175) Ebd., S.122f.

176) Ebd., S.123f. "Ich weiss nicht, ob die kirchlichen Behörden
so penibel wären, wenn eine oder einer durch eine kirchlich
nicht existente Ehe automatisch exkommuniziert ist, dem Fi-
nanzamt mitzuteilen, es möge der Sünderin oder des Sünders
Geld zurückweisen?"

177) Amerys kleines Buch, dessen Grundstimmung Melancholie noch

nicht Resignation sei, stehe allein "gegen einen aufgebläh-
ten publizistischen Apparat, wie er dem deutschen Katholizismus zur Verfügung steht"; das Buch sei "unerbittlich, genau in seiner historischen Analyse, aber nicht unversöhnlich,
es ist fair - und steht einem Apparat gegenüber, dem Fairness nicht die vertrauteste Vokabel ist". Ebd., S.122f.

178) Ebd., S.124

179) Ebd., S.124. "Wie langweilig muss das sein, mit lauter Mu-
sterknaben Tag um Tag Musterhaftigkeit zu exerzieren. Da
lohnten sich ja fast mit Katholizismusvokabeln gefütterte
Elektronenhirne, die Fragen und Antworten liefern. Dann
brauchte man nur noch das Denken und Nachdenken als 'zer-
setzenden Intellektualismus', die geschichtliche Erfahrung
als 'Ressentiment' zu diffamieren, und die ersehnte Einheit
ist hergestellt."

18o) Ebd., S.124. Böll erwähnt die Rolle von Papens und Kaas',
sowie das Reichskonkordat. Ebd., S.123. Der deutsche Katholizismus sei in einer geschickten Lage: "Wird er nach seiner
Loyalität gefragt, zeigt er das Konkordat vor, dessen unse-
lige Folgen Carl Amery exakt beschreibt; wird er um seiner
Loyalität willen angegriffen, zeigt er die katholischen Widerstandskämpfer vor, aber ich wiederhole: Widerstand war
Privatsache, der offizielle Status war der des Konkordats.
Freilich hat er die geschickte Lage mit anderen Gruppen gemeinsam. Es ist die Wahl zwischen den unzähligen Namenlosen,
die Widerstand geübt haben, und Franz von Papen, eine Wahl,
die nicht schwerfallen sollte." Ebd., S.124

181) "Der deutsche Katholizismus ist auf eine heillose Weise mit
jener Partei und ihren Interessen verstrickt, die sich als
einzige das C (für christlich) angesteckt hat." Ebd., S.124

182) Ebd., S.125

183) Antwort an Msgr. Erich Klausener (1963), AKR I, S.129 und
133. Klausener hatte offenbar dem Übersetzer Böll "Bordel-
lismus" vorgeworfen, obwohl nach Bölls Angaben in den

Büchern, die er zusammen mit seiner Frau übersetzt hat,
"kein einziges Bordell" vorkomme. (S.133) - Böll wiederum
hält Klauseners offene Anfrage für eine wortreiche und vollkommen überflüssige Belästigung, "weil er die Zuständigkeit
der Kirche und Kirchenmänner in Fragen der Kunst und Literatur immer, in Fragen der Moral nie bestritten habe; dass
man sogar hereinfallen kann, wenn man von letzterer Gebrauch
macht, bewies ihm neulich die Fernseh-Vorschau; er erlaubte
seinen Kindern, eine bayrische Bauernkomödie anzuschauen,
die von der Kirchenzeitung für 14jährige freigegeben war,
aber dann kamen in diesem Stück gleich drei katholische bayrische Bauern vor, die von einer gewissen 'schwarzen Resei'
der Vaterschaft an einem einzigen Kind jener Dame bezichtigt
wurden - und solch ein Thema ist selbst schmutzigen Litera-
ten tabu, und wenn es einer anpacken würde, würde er nicht
im Bühnenbild lauter Kruzifixeund barocke IHS auf Türfüllun-
gen für angebracht halten." (S.129)

*

185) Klauseners Anfrage trug den Untertitel 'Bietet uns der katholische Dichter und Übersetzer "Brot"?' - Vgl. dazu: Walter
Weymann-Weyhe, Das Brot, von dem wir leben, a.a.O., S.285:
"Schliesslich Ihre Frage, ob das Brot, das ich biete, denn
ausreiche. Ich glaube, ich habe mir nicht angemasst, die
Nahrung, die ich vermisse, zu bieten; doch wenn mein Brief
nur ein Gramm Hefe enthielte, das zum Backen des Brotes, zum
Bereiten des Wortes dienen könnte, so wäre er noch gerechtfertigt, denn ich bin durchaus der Meinung, dass jedes Wort,
das über das Vorlesen des Evangeliums hinausgeht, bereitet
werden muss, aus der Sprache, in der wir denken, sprechen
und schreiben."
Im 'Brief an einen jungen Katholiken' hatte Böll immerhin
geschrieben: "Wir werden gezwungen, von Politik zu leben -
und das ist eine fragwürdige Kost, da gibt es, je nach den
Erfordernissen der Taktik, an einem Tag Pralinen, am anderen
eine Suppe aus Dörrgemüse: unser Brot müssen wir selber
*184) R.Augstein,Der Katholik,in:M.Reich-Ranicki (Hrsg.), S.76

backen und das Wort uns selbst bereiten." Hierzulande, S.45

186) Antwort an Msgr. Erich Klausener (1963), AKR I, S.132

187) Ebd., S.133f.

188) S. etwa die Stellen über den Schwachsinn (v.a. den "bösartigen ..., wie er ihn unter Zeitgenossen verbreitet findet, die an verantwortlicher Stelle Unverantwortliches anrichten") und das Mitleid, das er mit Klausener hat - u.a. wegen dessen ästhetischer Erziehung, "die Sie offenbar nur befähigt, Erzeugnisse der Literatur wie Rekruten bei einer Musterung zu beurteilen: 'Tauglich 1,2,3, untauglich usf.'..." (S.127 und 131)

189) Ebd., S.134

19o) Was heute links sein könnte (1962), AKR I, S.113

191) Ebd., S.114f.

192) Ebd., S.114

193) Ebd., S.113f.

194) Ebd., S.114. Gleichzeitig distanziert sich Böll aber vom Gejammer von der Heimatlosigkeit:"Eine Linke, die sich jetzt noch als heimatlos bezeichnet, ist nur noch weinerlich. Das Recht, sich heimatlos zu nennen, hatten die Emigranten, ein teuer erkauftes, bitter erworbenes Recht. Hier, heute, in diesem Land, aus dem niemand zu emigrieren braucht, zum Alibi erhoben, klingt es wie ein aufgewärmter Traum." Ebd.

195) Ebd., S.116

196) Karl Marx (196o) AKR I, S.74

197) Ebd., S. 91

198) Ebd., S. 91

199) Ebd., S. 75. Ob das "Tränklein Verbrauch bekömmlich ist", stehe noch nicht fest. "Es muss einen Unvoreingenommenen schon sehr verwundern, dass man etwas so Hocherfreuliches wie Konjunktur bremsen, so etwas Positives wie Verbrauch, etwas so lange Ersehntes wie Wohlstand regulieren und die Unternehmer öffentlich auffordern muss, 'es mit den Gewinnen nicht zu übertreiben'. Dem Nichtnationalökonomen, dem Nichtmarxisten, Nichtmaterialisten - als all das bekenne ich

mich - tun sich Abgründe auf, und ringsum ist niemand, der
das Ungeheuer, das im Abgrund lauert, beim Namen nennen könnte. Wahrscheinlich könnte Karl Marx es." (Ebd.) "Konjunktur-
bremse, Wohlstandsregulation und das hübsche Wort vom 'nich-
übertreiben mit den Gewinnen' sind so wenig christliche Vo-
kabeln wie das ernste, dunkle Wort Klassenkampf..." Ebd.,
S.77

2oo) Karl Marx (196o), AKR I, S.76

2ol) Ebd., S.76f.

2o2) "... ein Jahrhundert lang haben die Christen Marx damit abgetan, mit Recht abgetan, dass Armut als die mystische Heimat Christi und all seiner Heiligen eine andere als soziale
Bedeutung habe". Ebd., S.77

2o3) Ebd., S.77

2o4) Ebd., S.83f., 86f., 88, 91

2o5) Ebd., S.86f.

2o6) Ebd., S.88

2o7) Ebd., S.89f.

2o8) Wo ist dein Bruder? (1956), a.a.O., S.171. Vgl.: Hierzulande
(196o), wo Böll vom deutschen Emigranten, der ihn besucht,
sagt: "... und auch er, obwohl schon lange kein Deutscher
mehr, zahlt immer noch mit für eine Schuld, die für alt gehalten wird und doch erst so jung ist, dass nur wir Deutsche
selber von ihr wissen können." Hierzulande, S.22

2o9) Wo ist dein Bruder?, a.a.O., S.17o

2lo) Hierzulande (196o), Hierzulande, S.14

211) Ebd., S.15

212) Ebd., S.21f.

213) S.3.4.

214) Nämlich die Aufsätze 'Hierzulande', 'Zwischen Gefängnis und
Museum', 'Hast du was, dann bist du was'; das Theaterstück
'Ein Schluck Erde'; das Gespräch mit Walter Warnach ('Die
unverlierbare Geschichte') sowie den Briefwechsel mit HAP
Grieshaber.

215) Wer die Erklärung verfasst hat, wird nicht angegeben. Der

Anmerkungen Erster Teil

antike Mythos vom Labyrinth dient als Bild für die gegenwärtige gesellschaftliche Situation und zugleich für den Versuch, der mit dieser Zeitschrift unternommen wird. "Die Männer und Frauen, die sich in dieser Zeitschrift versammeln, haben den Untergang nicht überlebt. Sie stehen nicht auf dem Boden Nachkriegsdeutschlands, sie sind nicht auf der Flucht. Sie sind noch nicht über 1945 hinausgekommen. Sie können ohne ihr Vaterland nicht leben. Sie sind mit ihm untergegangen, sie sind eingegangen in seine verlorene Natur und Geschichte: in ihr Labyrinth. Das Reich ist durch Überwältigung der ihm anvertrauten Welt untergegangen, nicht aus Liebe zu ihr. ... Wir Deutschen sind das Nihil der Welt, wenn wir sie nicht lieben. Unserem Vaterland können wir nur in der Liebe zu den uns anvertrauten Völkern begegnen. Wenn wir seinen Untergang aus Liebe zu ihm mitvollziehen, so muss sie auch die Völker umfassen, deren Sklave wir heute noch sind. Die Liebe zu unserem Vaterlande zieht uns in das Labyrinth der Welt, in die Tragödie ihrer Widersprüche, zieht uns an die Grenze unserer Fassungskraft." labyrinth (Stuttgart), 1(196o), H.2 (Dez.6o), S.3

216) labyrinth (Stuttgart), 1(196o), H.2 (Dez.6o), S.3
217) Ebd., S.4. Wenn das Labyrinth die "deutsche Jugend" (nicht die volksdemokratische und bundesrepublikanische) "nicht einfängt, dann ist es nicht einmal Hitler gewachsen". Ebd.
218) labyrinth (Hommerich/Bez. Köln), H.6 (Juni 1962), S.2f. Unter dieser Erklärung steht neben den Namen von Walter Warnach und Werner von Trott zu Solz auch der von Heinrich Böll.
219) Ebd., S.2 und 5f.
22o) Böll-Warnach, Die unverlierbare Geschichte, a.a.O., S.65: "Dass man beide Teile Deutschlands selbstverständlich für deutsch hält, ist das am wenigsten nationalistische Argument. ... Jeder Ausländer, wenn man von Wiedervereinigung spricht - das Wort ist sehr übel, ich habe aber kein anderes dafür - hält einen für einen Nationalisten. Dass ich mich

über diesen Verdacht nun erhaben fühle und trotzdem dafür
bin, das bringt mich in etwa in die Nähe Ihrer Argumentatio
was deutsch und Deutschland betrifft..."

221) Hans Werner Richter (Hrsg.), Die Mauer oder Der 13.August,
Reinbek bei Hamburg 1961, S.123-126

222) Ebd., S.127f.

223) Ebd., S.132f.

224) Ebd., S.133f.

225) Wo ist dein Bruder?, a.a.O., S.169

226) "Bei Romanen wird die Sache geradezu beunruhigend: Nehmen
wir an, das Buch, das herzustellen den Pegasiasten 12o Mark
kostet, würde im Laden 17,8o Mark kosten und es würde nur
jenes Verkaufsminimum erreichen, ... so hat ... dieser
Schriftsteller ... ein 'Sozialprodukt' von fast 3oooo Mark
erzielt ..." Vom Mehrwert bearbeiteten Papiers (1963), AKR
S.178ff.

227) Ebd., S.179f.

228) Heisses Eisen in lauwarmer Hand, in: Die Literatur (Stuttgart), 1(1952), Nr. 11 v. 15.8.1952, S.4

229) Die Offenbarung der Asozialen (196o), AKR II, S.22. Vgl.
Karl Marx (196o), AKR I, S.77: "... das Wort arm hat für si
[die westliche Welt – die sich unter anderem auch als chris
lich deklariert –] keine mystische Bedeutung mehr; es ist
ersetzt worden durch asozial, das – in wechselnden Mischung
verhältnissen – eine Mischung von krank, kriminell, unhygie
nisch ist." S. auch das "Paradoxe der Deplaciertheit":"...
deplaciert sind die anderen, die in ihren Wohnungen hocken,
ihren Häusern, an denen man Schilder wie 'Trautes Heim' ode
'Mein Nest' aufhängen könnte." Weiter unten heisst es: "Das
scheint mir das Thema des Romans zu sein, ein erregendes un
aktuelles Thema: die Rechtfertigung der Deplacierten, der
Bewohner des Wartsaals." Die Deplacierten (1957), AKR II,
S.14f.

23o) Brief an einen jungen Katholiken (1958), Hierzulande, S.29

Anmerkungen Erster Teil

231) Vgl. 'Die Stimme Wolfgang Borcherts' (1955), Hierzulande, S. 138, wo er der Gelassenheit der "Propheten der Müdigkeit", die nicht einmal von der Bitterkeit des Todes gerührt werden, entgegenhält: "Aber Kinder schreien, und es tönt in die Gelassenheit der Weltgeschichte hinein der Todesschrei Jesu Christi..."

232) Bekenntnis zur Trümmerliteratur (1952), Hierzulande, S.133

233) Der Zeitgenosse und die Wirklichkeit (1953), Hierzulande, S.64 und Über den Roman (1960), Hierzulande, S.120

234) Über den Roman (1960), Hierzulande, S.122

235) Horst Bienek, a.a.O., S.141; vgl. dazu:"Schreiben wollte ich immer, versuchte es schon früh, fand aber die Worte erst später." Über mich selbst (1958), Hierzulande, S.9

236) Denn Böll wendet sich - wie in der Einleitung gesagt - gegen die deduktive Produktionsweise, nicht aber gegen den Versuch, die Welt denkerisch zu bewältigen. Vgl. dazu: ERSTER TEIL 3.2

237) Bekenntnis zur Trümmerliteratur (1952), Hierzulande, S.131

238) Der Zeitgenosse und die Wirklichkeit (1953), Hierzulande, S.61-67

239) Ebd., S.64

240) Ebd., S.62f.

241) Ebd., S.63

242) Ebd., S.63 und 65

243) Ebd., S.66

244) Ebd., S.64f.

245) Ebd., S.61

246) Die Stimme Wolfgang Borcherts (1955), Hierzulande, S.139

247) Der Zeitgenosse und die Wirklichkeit (1953), Hierzulande, S.61

248) Was ist aktuell für uns?, in: Bücherei und Bildung (Reutlingen) 6(1954), H.12, S.1195

249) Ebd., S.1193

250) Was ist aktuell für uns?, a.a.O., S.1194

251) Ebd., S.1195

252) Was ist aktuell für uns?, a.a.O., S.1193f.

253) Ebd., S.1194

254) Gesinnung gibt es immer gratis (1963), AKR I, S.137

255) Horst Bienek, a.a.O., S.142

256) Zweite Wuppertaler Rede (1960), AKR II, S.2o1

257) Ebd., S.2o3

258) Die Sprache als Hort der Freiheit (1958), Hierzulande, S.1o

259) Gesinnung gibt es immer gratis (1963), AKR I, S.136

260) Das Risiko des Schreibens (1956), Hierzulande, S.151ff.

261) Horst Bienek, a.a.O., S.143: "Als Versteck ist der Roman
viel geeigneter als die Kurzgeschichte, weil er einfach um-
fangreicher ist." Ebd.

262) Gesinnung gibt es immer gratis (1963), AKR I, S.137f.

263) So war es, in: Allgemeine Sonntagszeitung (Würzburg),
3(1958), Nr. 1, S.14

264) Ebd.

265) Gesinnung gibt es immer gratis (1963), AKR I, S.137

266) Zweite Wuppertaler Rede (1960), AKR II, S.2o1

267) Antwort an Msgr. Erich Klausener (1963), AKR I, S.128

268) Lämmer und Wölfe (1958), AKR II, S.199

269) Ebd., S.2oo

27o) Ebd., S.199; Böll fährt fort: "... es mag der Fall eintrete
dass einer Kunst machte, die den Markt verhöhnt und dann an
eifrigsten auf ihm verbraucht wird; vielleicht mag das eine
Warnung für den Künstler sein, dass es besser wäre, seinen
Zorn in handfesten Ohrfeigen auszudrücken anstatt in markt-
gerechtem Zorn; vielleicht auch eine Mahnung an ihn, einmal
ohne die Absicht der Selbsttäuschung sein Kleid zu betaster
ist er ein Wolf im Lammfell oder ein Lamm im Wolfspelz...?
Ist er Zöllner oder Pharisäer, und ist er nicht in dem Auge
blick, wo er sich für einen Zöllner hält, schon im Begriff,
sich zum Pharisäer zu wandeln?"

271) Ebd., S.2oo

272) Ebd.

273) Böll zitiert Benn: "Der Kulturträger ... seine Welt besteht
aus Humus, Gartenerde, er verarbeitet, pflegt, baut aus
wird hinweisen auf Kunst, sie anbringen, einlaufen lassen,
aber prinzipiell verarbeitet er, verbreitert, lockert, sät,
weitet aus, er ist horizontal gerichtet, Dauerwellen sind
seine Bewegungen, er ist für Kurse, Lehrgänge, glaubt an Geschichte, ist Positivist." - "Der Kunstträger ... ist statistisch asozial, weiss kaum etwas von vor ihm und nach ihm,
lebt nur mit seinem inneren Material, für das sammelt er
Eindrücke in sich hinein, d.h. zieht sie nach innen, so tief
nach innen, bis es sein Material berührt, unruhig macht, zur
Entladung treibt. Er ist ganz uninteressiert an Verbreiter-
ung, Flächenwirkung, Aufnahmesteigerung, an Kultur."
Zweite Wuppertaler Rede (1960), AKR II, S.201

274) "....ich übertreibe, doch Übertreibung ist die Definition
der Kunst; in der Übertreibung findet man die Formel, die
auch die zahlreichen Mischformen zwischen Kunstträger und
Kulturträger noch erklärt." Ebd., S.201

275) Böll - der davon ausgegangen ist, dass das ungelüftete Geheimnis der Kunst eine Gesellschaft, "wo sie sich institutionell mit der Kunst abgibt, in einem mehr oder weniger hohen
Grad der Verlegenheit halten" muss - betont:"Ich wollte Sie
nicht etwa in Verlegenheit s e t z e n , habe nur versucht,
jene Verlegenheiten, die vorhanden sind, zu erklären..."
Zweite Wuppertaler Rede (1960), AKR II, S.201 und 204

276) Ebd., S.202

277) "... ein Fetzen Leinwand, Farbe, Pinsel, ein Stoss Papier,
ein Bleistift, ein Paket Tabak; welche Summen müssen dagegen
aufgebracht werden, wenn es um Kultur geht: ein Plakat für
einen Konzertabend kostet mehr als die Herstellung eines Ge-
dichtbands; vielleicht gehört es zur Tragik der Kultur, dass
die den Aufwand notwendig braucht." Ebd., S.202

278) Ebd., S.203

279) Ebd.

280) Zweite Wuppertaler Rede (1960), AKR II, S.204

281) Ebd.

282) In der Bundesrepublik leben? (1963), AKR I, S.120

283) "Gähnend geht man zur Tagesordnung über,gibt sich der Täuschung hin, die Kräfte, die das Unheil auslösten, hätten aufgehört zu existieren; sie wären durch eine andere Staatsform zu bändigen, durch Kommissionen zu kontrollieren; an einem bestimmten Tag wäre der Keim getötet worden. Eine verhängnisvolle Täuschung." Heldengedenktag (1957), AKR II, S.197

Im Jahre 1960 befasst sich Böll - ausgehend von der Tat einiger Berliner Jugendlicher, die Hakenkreuze auf eine Synagoge gemalt hatten - mit den Reaktionen auf diese "Zeichen an der Wand" und meint, im Funktionieren der Paragraphen zeige sich eine gewisse Heuchelei, "eine abstrakte, von der Person des Richters und Anklägers unabhängige; gewiss gilt das Delikt der Jungen in gewissen Kreisen als Kavaliersdelikt, ihre Bestrafung als Ehre, ihre Busse als Martyrium, und dieser dumpfen und stummen Gefühlswelt wird mit Paragraphen nie beizukommen sein." Dasselbe gelte für die offiziellen Äusserungen, weil der "Scham und Bestürzung" der einzelnen Würdentrager notwendigerweise etwas beigemischt war, "das zur Natur ihres Amtes, nicht zu ihrer Person gehört: ein politisches Interesse: aussenpolitisches, innenpolitisches, handelspolitisches, militärpolitisches Interesse; welchen Schrecken muss es den jüdischen Bürgern der Bundesrepublik einflössen, zum Gegenstand solcher Interessen zu werden."

Böll konstatiert, der Bruch mit der nazistischen Vergangenheit sei nicht vollzogen worden, die Revolution stehe noch aus; "die äussere gescheitert, die innere ist nicht einmal als Formel da, nicht einmal als Möglichkeit; das wird bewiesen durch die Wirkung der Zeichen, die an die Wände geschrieben wurden" und er fordert: "... was in diesem Staat geschehen

muss, muss privat geschehen, auf jeder gesellschaftlichen
Ebene, da, wo man miteinander Kaffee trinkt oder miteinander im Abteil fährt; der Schnitt muss vollzogen werden, und
man muss den Mut haben, Gefühle zu verletzen, die in der
Vergangenheit wurzeln, muss den Mut haben auf Kosten politischer Interessen." Zeichen an der Wand (1960), AKR I,
S.39 und 41f. Vgl. Hierzulande (1960), Hierzulande, S.10

284) " 'In der Welt habt ihr Angst', hat Christus gesagt, 'seid
getrost, ich habe die Welt überwunden' ". Eine Welt ohne
Christus, a.a.O., S.22

285) Ebd.

286) Wo ist dein Bruder?, a.a.O., S.165 (Hervorhebung von mir)

287) Brief an einen jungen Katholiken (1958), Hierzulande, S.29

288) vgl. S. 57 der vorliegenden Arbeit

289) vgl. die Frankf.Vorl.

290) Erinnern wir uns daran, dass nach Bölls Ansicht der Verzicht
auf Macht eine unabdingbare Voraussetzung für die Verwirklichung eines "Reiches" darstellt. s.2.2.1.

291) Karl Marx (1960), AKR I, S.77

292) Verstehen wir uns? (1957), a.a.O.

293) Ebd. "... die Reisenden ohne Gepäck, ohne Besitz sind die
Verdächtigen dieser Erde geworden: kein Wunder, dass sie
nach Gepäck, nach Besitz verlangen, um des Verdachts ledig
zu werden."

294) Vgl. ERSTER TEIL 2.1.2. (Für eine Welt mit Christus)

295) Karl Marx (1960), AKR I, S.77

296) "Sie [die Christen] haben - Heuchler, wie sie gelegentlich
sind - damit auch die Ausbeutung gedeckt, die die Ursache
der Armut war, das mystische Gold in magisches Kleingeld
verwandelt." Ebd., S.77

297) Anekdote zur Senkung der Arbeitsmoral (1963), AKR II, S.
182-184

298) Eine Welt ohne Christus (1957), a.a.O., S.22

299) Ein Interview mit Studenten (1960), a.a.O., S.391

3oo) H.Bienek, a.a.O., S.148

3o1) 'Ich gehöre keiner Gruppe an', Silvesterseite für die
'Deutsche Tagespost' (1963), AKR II, S.175ff. Die Aussage
charakterisiert zunächst Bölls Verhältnis zu den 'offenen'
und den 'geschlossenen' Katholiken, gilt aber auch allgemei

3o2) Es ist kein Zufall, dass die Hauptfigur des Romans, der in
diesem Jahr erscheint (Ansichten eines Clowns), Künstler
und zugleich Sohn einer Industriellenfamilie ist, der er
sich entfremdet hat.

3o3) Das Risiko des Schreibens (1956), Hierzulande, S.152

3o4) Die Sprache als Hort der Freiheit (1958), Hierzulande, S.11

3o5) Lämmer und Wölfe (1959), Hierzulande, S.116f.

3o6) Ebd., S.118

3o7) Interview mit Studenten (196o), a.a.O., S.392

3o8) Rose und Dynamit (1958), AKR I, S.37

3o9) Bücher verändern die Welt (196o), a.a.O.(Hervorhebung von m

31o) Über den Roman (196o), Hierzulande, S.122

311) Die Sprache als Hort der Freiheit (1958), Hierzulande, S.11

312) Ebd., S.11o

313) Vorsicht! Bücher!, a.a.O. (Hervorhebung von mir)

314) Bekenntnis zur Trümmerliteratur (1952), Hierzulande, S.133
Vgl.: "... man sucht für sie [eine Sache, die zur Diskussio
steht] Verbraucher, findet sie, und bald - hier erfüllt sic
die bittere Logik der Sprache - bald ist sie tatsächlich ve
braucht, wie ein Strumpf, den zu reparieren sich nicht mehr
lohnt; sie ist verschlissen." Lämmer und Wölfe (1959), Hier
zulande, S.116

315) Heiliger Sachzwang, in: Konkret (Hamburg), Nr.6 (Juni) 1977
S.6

316) Was ist aktuell für uns? (1954), a.a.O., S.1195 (Hervorhebung von mir)

317) Vgl.1.2. und 2.2.1

318) Befehl und Verantwortung (1961), AKR I, S.1o2-1o5

319) Vgl. 4.1.

32o) Brief an einen jungen Katholiken (1958), Hierzulande, S.44

321) Karl Marx (196o), AKR I, S.91

322) Zum ersteren vgl. etwa: Versuch über die Vernunft der Poesie
(1973), Einm.erw., S.28-43; zum letzteren: Der gläubige Ungläubige (1975), Einm.erw., S.231-234

323) oder die christlichen Widerstandskämpfer gegen das Konkordat

324) Vgl. 1.2.

325) In weiterem Sinne gehört hier auch dazu, dass Böll oft literaturimmanent und gleichzeitig von seinem christlich-humanen Engagement her argumentiert oder dass er sich dagegen
wehrt, dass man in "Lagern" denkt. Böll wendet sich auch immer wieder gegen "Hilfsbezeichnungen" wie etwa "links" oder
"rechts".

326) Die Stimme Wolfgang Borcherts (1955), Hierzulande, S.138

327) Vgl. 2.4.

328) s.3.2.

329) s.3.4.

33o) Vgl. 3.4.

331) Wo ist dein Bruder? (1956), a.a.O., S.167; vgl. damit die
Büffel, Lämmer und Hirten im Roman.

332) vgl. 2.2.1.

333) Renate Matthaei (Hrsg.), a.a.O., S.8

334) Bücher verändern die Welt - der Streit um die engagierte Literatur ist müssig, a.a.O.

335) Ebd.

336) Lämmer und Wölfe (1958), AKR II, S.2oo

337) s. 1.3.

338) Vgl. damit die Stelle, an der sich Böll gegen die "dialektische Spaltung" des Wortes "Brot" wendet (S.42 der vorliegenden Arbeit)

339) Vgl. 2.2.1.

1)   s.ERSTER TEIL, 2.2.1.
2)   s.ERSTER TEIL, 2.2.2.
3)   Vier Vorlesungen, gehalten in der Zeit vom 13.Mai bis 8. Juli 1964
4)   Frankf.Vorl., S.89f. (Hervorhebung von mir) - Vgl. das Gegensatzpaar Gläubiger-Taktiker, ERSTER TEIL, 4.1.
5)   Frankf.Vorl., S.8
6)   Ebd., S.17
7)   Ebd., S.16
8)   Ebd., S.13; "Je mehr Macht, desto nichtssagender wird der Wortschatz, wortreich und nichtssagend..."
9)   Ebd., S.17
1o) Ebd., S.59
11) Ebd., S.58f. Vgl. damit den Gedanken, der Böll im Gespräch mit Warnach sehr wichtig scheint: "Dass Deutschland aus Deutschland vertrieben ist." ERSTER TEIL, 2.2.1.
12) Ebd., S.26f.
13) Ebd., S.81
14) Ebd., S.12f.
15) Ebd., S.96
16) Ebd., S.11o
17) Ebd., S.54
18) Ebd., S.54f.
19) Ebd., S.13
2o) Ebd., S.61
21) Ebd., S.17f.; Vgl.:"Kreise, Kränzchen, geschlossene Gesellschaften, Geheimbünde sind Erscheinungsformen einer totalitären Gesellschaft; sie erinnern mich auf eine fatale Art an die ersten Jahre nach 1933, auch damals Kreise, Gruppen, privat, geheim - meistens waren sie dilettantisch abgesiche - ... rasch drangen Spitzel ein: Verhaftungen, Verhöre, schon wenn einer, ohne organisiert zu sein, mit ein paar Jungen Fussball spielen ging. ... Heute: die geschlossene Macht der Wissenschaft, Geheimbünde, die sich nicht als

Anmerkungen Zweiter Teil

Institute, Universitäten, Verlage, Gruppen, Funkanstalten tarnen, sondern sich um diese herum,in ihnen bilden; lauter vereinzelte, taktische Einheiten, nirgendwo Strategie, oder findet sie im Verborgenen statt? Da gerät die offene Literatur ins Getümmel zwischen den taktischen Einheiten. In ihrer Offenheit wird sie zum Gegenstand einer Erwartung, einer Aufmerksamkeit, die unangemessen ist: sie kann nicht Religion und Sozietät ersetzen." Ebd., S.27f. Und: "Wenn Politiker leere Worte aussprechen, unerträglich hohle Begriffe schaffen, wird jedes Wort, das eine Spur Wahrheit enthalten mag, hochpolitisch." Ebd., S.55

22) Böll stellt hier zunächst einige Voraussetzungen klar:"Obwohl als einzelner schreibend ... habe ich mich nie als einzelnen empfunden, sondern als Gebundenen. Gebunden an Zeit und Zeitgenossenschaft, an das von einer Generation Erlebte, Erfahrene, Gesehene und Gehörte, das autobiographisch nur selten annähernd bezeichnend genug gewesen ist, um in Sprache gefasst zu werden; gebunden an die Ruhe- und Heimatlosigkeit einer Generation, die sich plötzlich ins Grossvateralter versetzt findet und immer noch nicht - wie nennt man das doch - reif geworden ist. Gebunden ... doch ohne Verbündete ... Das ist eine Position der Verletzlichkeit ... Natürlich nicht nur verletzlich, gelegentlich auch verletzend ... Sie sehen, ich spreche, wie ich gar nicht anders kann, persönlich, doch nicht subjektiv, was bedeutet, obwohl gebunden, nicht unterworfen." Frankf.Vorl., S.7ff.

23) Frankf.Vorl., S.33 und 4o; die Wissenschaft hat ihre Herrschaft errungen, obwohl sie in einer "von nun an permanenten Krise" steckt (nämlich, "dass ihr geglaubt wird"). Ebd.,S.32 "Man schuldet ihr Gehorsam, Unterordnung, und wo die Wissenschaft in ihrer Korporation, der Universität, ihre eigene Gesetzlichkeit, eigene Gerichtsbarkeit besitzt, ... kann ihr von aussen keine Gefahr mehr drohen. Eine solche Position in einem Volk, das in seiner Bildung verletzt ist, kommt einer Inthronisation gleich. Damit fällt auch der Wissenschaft die

Rolle der Reaktion zu..." Frankf. Vorl., S.33

"Eine neue Machtergreifung allerdings würde die Universitäten nicht mehr gefährden. Sie sind in ihrer eigenen, im eigentlichen Sinn des Wortes mittelalterlichen Freiheit privilegiert, immun, unangreifbar und ausserdem für den Staat ungefährlich. ... und da sie ausserdem über die Naturwissenschaften, die Medizin und die Sozialwissenschaften nicht nur mit der Industrie verbündet, sondern manchmal fast ein Teil von ihr ist, droht ihr keine Gefahr mehr." Ebd., S.32

Dieser Herrschaft unterwirft sich auch die Kirche:"In diesem Augenblick erst hat Galilei wirklich auch in Deutschland gesiegt, er ist an der Macht, ist an der Reihe zu zeigen, was er damit anfängt. Gewiss sind die Kirchen noch in Machtpositionen, in Gremien, haben Einfluss, erwirken sich gelegentlich neuen - das sind Gefechte, denen vergleichbar, wie sie japanische Soldaten im Dschungel noch zwei, drei und mehr Jahre nach der Kapitulation geführt haben. Der Kampf ist entschieden, es wird noch zu überraschend perversen Frontverwechslungen und -verschiebungen kommen. Die Religion als solche in allen ihren gesellschaftlichen Erscheinungsformen ist nicht mehr im Angriff, nur noch in der Defensive." Ebd., S.33f.

24) wie sie etwa in Wörtern wie Soziologie oder Sozialismus geboten wird - Ebd., S.1o

25) Frankf.Vorl.,S.1o

26) "Es ist ein Wort, das vor Gericht gehört, ein Wort, das ausgelöscht werden sollte." Frankf.Vorl., S.44; vgl.ebd., S.4of.

27) Ebd., S.44

28) Ebd., S.92

29) Ebd., S.91f.

3o) Frankf.Vorl., S.57; vgl.:"Heute mag es an der Zeit sein, die Bürger wieder zu erschrecken - ich bin zu alt dazu, habe auch keine Zeit, weiss nicht einmal, wo bei der Vertreibung auch so viel Bürgerlichkeit vertrieben worden ist, ob ich's tun würde, mögen Jüngere also die Lausbubereien verüben. 1945 war

einer befreit und überlebend, für Sie, die Jüngeren unter Ihnen, ist das anders: sie sind frei und leben, Sie werden sehr
bald - denn die Grossväter sterben sehr plötzlich alle weg und
die Zwischengeneration ist so schwach bestückt - Sie werden
sehr bald diesen Staat tragen. Werden Sie ihn zu einem Staat
machen können, nach dem man Heimweh haben, der als Humanum in
der Literatur erscheinen wird?" Ebd., S.89f., s.auch S.7

31) Ebd., S.26

32) Ebd., S.24f.; Vgl. ebd., S.21:"Die bescheidenste Voraussetzung: dass ein Stück erzählender Prosa ein anderes Interpre-
tationsinstrumentarium erfordert als der Leitartikel eines
Massenblättchens, diese bescheidene Vorraussetzung scheint
noch zu unbescheiden." Böll verdeutlicht dies an einem "bekannten Beispiel": Wenn in einem Hörspiel oder in einem Roman
ein Schornsteinfeger vom Dach fällt, dann "laufen Beschwerden
der Schornsteinfegerinnung ein: ein Schornsteinfeger fällt
eben nicht vom Dach." Solche Proteste und Aufregungen gingen
nie viel tiefer, obwohl der Mann aus "kompositorischen, dra-
maturgischen, also ästhetischen Gründen vom Dach fallen muss".
Ebd., S.21ff.

33) Frankf.Vorl., S.29

34) "Als Autor aber hat er nicht, was die Wissenschaft hat: er
hat keinen Apparat, keine Hilfstruppen, er kann die Voraussetzungen weder kontrollieren noch schaffen." Ebd., S.35
"Es ist nicht Sache eines Autors, Voraussetzungen zu schaffen
- das ist die Sache derer, die sich, in der derselben Sprache
wie er, lehrend, lernend, interpretierend, kritisierend, kurz
gesagt: Voraussetzungen schaffend, mit Geschriebenem befassen."
Ebd.,S.26
"...es [der nationalsozialistische Staat und dessen Gesell-
schaft] war eine Seuche, die nicht als Episode abgetan werden
kann; Denken, Luft, die Worte sind vergiftet, das kann nicht
vor Gerichten allein bereinigt werden. Wenn Humanität wieder
entstehen soll, ist eine mühselige Kleinarbeit zu verrichten,

langweilig, lästig, viel Geduld erfordernd – in den Lese-
büchern beginnend; im Kindergarten. Das ist es, was Ihnen be
vorsteht – eine Ästhetik des Humanen zu bilden, Formen und
Stile zu entwickeln, die der Moral des Zustands entsprechen.
Ebd., S.87

35) Ebd., S.74

36) Frankf.Vorl., S.119f.; Das "oft etwas mühsame Lächeln der Zu
versicht" der Staatsmänner ist "oft nur eine Erscheinungsform der hinter schneeweissen Zähnen gewaltsam zurückgehalte
nen Verzweiflung, der Leere, des Nichts".

37) Ebd., S.49

38) Ebd., S.12o

39) Ebd., S.84

4o) Ebd., S.68f.; vgl. S.51, 66, 73, 1o7f., 111

41) trotz der Einschränkungen (ZWEITER TEIL, 1.1.3.)

42) Ebd., S.121

43) Ebd., S.1o5

44) von H.G.Adler

45) Frankf.Vorl., S.73f., Hervorhebung von mir. Vgl. dazu: Die
Eigendynamik der Sprache, ERSTER TEIL 4.3.

46) Frankf.Vorl., S.15

47) Ebd., S.8of.; "...die Gedichte von Eich, in denen der Abfall
nicht nur lyrisch erfasst ist, sondern sich auch als Wohnung
und des Menschen einzige Gerätschaft darbietet."

48) Vgl. ERSTER TEIL, 2.4.

49) Frankf.Vorl., S.82; "Die hohe technische Intelligenz, die si
darauf eingelassen hat oder sich wird darauf einlassen müsse
für Gebrauchsgegenstände, die unverschleissbar sein könnten,
die Verschleissdauer so genau zu berechnen, dass die Konsum-
wirtschaft nicht ins Wanken gerät – es ist noch nicht heraus
ob diese hohe wissenschaftliche Intelligenz sich nicht darau
eingelassen hat, den Menschen mitzuverschleissen, eine Art g
gantisches Auschwitz zu schaffen, über dessen Tor das Schild
hängen könnte 'Verbrauch macht frei'." Ebd., S.3o

Anmerkungen Zweiter Teil

Böll schreibt, "peinlicherweise" empfinde er "Einschränkungen" wie etwa das "mit einiger Herablassung" verliehene Prädikat "Autor der kleinen Leute" immer als "Schmeichelei". Ebd., S.16

5o) Ebd., S.115; Verhängnisvollerweise habe sich aber nicht Jean Paul - "ein Humaner, der Humor hatte" - , sondern Wilhelm Busch, - "ein Inhumaner, der sich selbst illustrierte" - mit seinem "Humor der Schadenfreude, des Hämischen" durchgesetzt: "Es ist die Spekulation auf das widerwärtige Lachen des Spiessers, dem nichts heilig ist, nichts, und der nicht einmal intelligent genug ist, zu bemerken, dass er in seinem fürchterlichen Lachen sich selbst zu einem Nichts zerlacht. Es ist der Geist der Abfälligkeit. Humor hat man lange Zeit so verstanden: das Erhabene oder das, was sich erhaben gab oder dünkte, von seinen Stelzen zu holen." Frankf.Vorl., S.114f.

51) Frankf.Vorl., S.8o. Da Böll hauptsächlich den Neubeginn nach dem Krieg im Auge hatte, konzentrierte er sich bisher auf die Nachkriegsliteratur, die er "als Ganzes" als "eine Literatur der Sprachfindung" betrachtet. (Frankf.Vorl., S.61); Die "Ausgangsposition" seiner schreibenden "Altersgenossen" war fast "hoffnungslos": "eine geschlagene, fast ausgelöschte Sprache nicht nur schreibbar, sie auch lesbar zu machen ... Es liegen nicht zwölf Jahre zwischen 1933 und 1945, es sind Jahrhunderte eines Interregnums." Zu Reich-Ranickis 'Deutsche Literatur in West und Ost' (1963), AKR II, S.48

52) Frankf.Vorl., S.122; Böll nennt als Themen einer Ästhetik des Humanen: Wohnen, Nachbarschaft, Heimat, Nicht-wohnen-können, Abfall, Reise, Ehe, Familie, Freundschaft, Religion, das Essen, die Kleidung, das Geld, die Arbeit, die Zeit, die Liebe. Frankf.Vorl., S.7 und 95

53) Angst vor der 'Gruppe 47'? (1965), AKR I, S.196: "Das Brachliegen 'strategischer' Mächte und die Virulenz der rein 'taktischen', die typisch für unsere Gesellschaft ist - und einer der Gründe, warum Diskussionen zwischen Autoren und irgendwelchen anderen Vertretern dieser Gesellschaft, Politikern, Klerikern, Funktionären ganz und gar sinnlos sind..."

54) Veränderung. Aber wie?, in: Die Weltwoche (Zürich), Nr.1806
v. 21.Juni 1968, S.25. "Grass hat mich gebeten, für die SPD
am Wahlkampf teilzunehmen, doch ich habe schon damals abgelehnt, weil ich die grosse Koalition für unvermeidlich hielt
Und siehe - das ist eingetroffen." Ebd.

55) Die Studenten sollten in Klausur gehen, in: Kölner Stadt-Anzeiger, Nr. 92 v.19.4.1968, S.6

56) Radikale für Demokratie, NplS, S.17

57) Notstandsnotizen, NplS, S.25. "Auf der Rednertribüne im Bonner Hofgarten unvermeidliche persönliche Erinnerungen:...
und an den Kriegsgefangenen B., der dort im Herbst 1945 aus
der Gefangenschaft (und damit auch der deutschen Wehrmacht)
entlassen wurde: ein Anfang voller Hoffnung.
Und ein Ende dieser Hoffnung im Mai 1968." Ebd., S.23
"Für bescheidene Menschen mag es schmeichelhaft sein, wenn
man sich um ihre Reden 'reisst'; für hochmütige ist es peinlich, wenn einer die Katze kauft, die man selbst noch gar
nicht im Sack hat. ... Natürlich werde ich weiter für irgendwelche Feuilletons schreiben, der Hahn kräht ja auf seinem
Mist, aber erst seit den Bonner Notstandserfahrungen weiss ic
dass ich auf dem M i s t krähe." Ebd., S.25f.

58) Notstandsnotizen, NplS, S.26

59) Ebd., S.27

60) Veränderung. Aber wie?, a.a.O.

61) Böll, der gleichzeitig den russischen Einmarsch aufs schärfst
verurteilt, erwähnt die Nicht-Anerkennung der Oder-Neisse-
Linie und der DDR, sowie die "militante Rolle" Kiesingers bei
den Aufrüstungsdebatten und den Umstand, "dass wir 18 oder
2o Jahre Herrn Seebohm als Minister hatten, wo das tschecho-
slowakisch-deutsche Verhältnis besonders überspitzt in Sonn-
tagsreden dargestellt wurde. Alles dies jetzt rückwärts betrachtet, hat die Bundesregierung nichts getan, um die Lage
der CSSR zu erleichtern." Ändern Dichter die Welt?, in:Kon-
kret (Hamburg), 13(1968), Nr.1o v.1o.9.1968, S.19

Anmerkungen Zweiter Teil

62) Ändern Dichter die Welt?, a.a.O.

63) Ebd., S.17 und 19. Eine Resolution der 'Gruppe 47' hält Böll
"für völlig wirkungslos und zwecklos" - Was die Schriftsteller hier tun könnten, sei schwer zu sagen. "Wir sind in eine
Position manipuliert worden, eigentlich in eine Bürgerlichkeit
gedrängt,weil die Schriftsteller in unserem Land eine bürgerliche Existenz zu führen haben. ... Die Kritik hat auch dabei
mitgemacht, indem sie unsere Publikationen sozusagen in die
ästhetische Spielerei abgedrängt hat, obwohl der Inhalt ganz
deutlich war."

64) Ebd., S.19

65) Blumen für Beate Klarsfeld, in: Die Zeit, 24(1969 , Nr. 2
v. lo.1.1969, S.7

66) B.Klarsfeld, Die Geschichte des PG 2 633 93o Kiesinger, Dokumentation mit einem Vorwort von H.B., Darmstadt 1969, S.7f.

67) Ich sehe keinen Ausweg, in: Abendzeitung (München), Nr.38
v. 15./16. 2. 1969, S.lo

68) vgl. dazu die Bildungsverletzheit des deutschen Volkes in den
Frankfurter Vorlesungen. S. ZWEITER TEIL, 1.1.1.

69) Die Studenten haben den längeren Atem, in: Kölner Stadt-Anzeiger, Nr. 53 v.4.3.1969, S.XII

7o) Der Brief wird - in erweiterter Form - in einen Sammelband
aufgenommen, der im August erscheint, und aus dem hier zitiert
wird: Janko Musulin (Hrsg.), Heinrich Böll u.a., Offene Briefe
an die Deutschen, Wien-München-Zürich 1969, S.13-55

71) Ebd., S.33

72) Ebd., S.34f.

73) Ende der Bescheidenheit (1969), NplS, S.lo5

74) "Ja, ich sagte Ausbeutung, und ich will gleich hinzufügen,
dass ich den Begriff Ausbeutung nicht absolut sondern relativ
gesehen habe. Unter einem Ausgebeuteten stellen wir uns - dieses Klischee ist uns eingehämmert worden - einen elend dahin-
taumelnden Kuli oder südamerikanischen Minenarbeiter vor.
Zweifellos sind das Ausgebeutete. Und doch ist auch ein Star-
boxer, der im Rolls Royce zum Kampf fährt und um eine Kasse

von 1 Million Dollar boxt und, wenn er Glück hat, 2oo ooo davon mit nach Hause nimmt, genauso ein Ausgebeuteter wie sein heruntergekommener Kollege, der sich in muffigen Vorstadtsälen für 3o Mark pro Abend die Fresse einschlagen lässt. System und Problem der Ausbeutung werden durch die Prominierung einiger Weniger verschleiert, durch die ständige Herausstellung von ein paar Namen." Ebd., S.1o5f.

75) Ende der Bescheidenheit (1969), NplS, S.116

76) Ebd., S.1o8

77) Ebd., S.1o7

78) Ebd., S.1o8

79) Ebd., S.1o8ff.

8o) ...in dem es "noch die Rubriken 'Billige und schmackhafte Gerichte für Dienstboten' gab". Ebd., S.116

81) Ebd., S.117

82) Böll findet es "doch merkwürdig, dass die anbetungswürdige Heiligkeit des Privateigentums vom Gesetzgeber nur da aufgehoben wird, wo es um Urheberrechte geht." Ebd., S.113

83) Ebd., S.117

84) Dazu Böll später: "nicht einmal nach dem rüden Kriegsrecht der Nazis waren die Bauern von Filetto Geiseln". Die Kirche nicht um Absolution gebeten, in: Kölner Stadt-Anzeiger v.23./24.8.1969

) wohl: dass

86) Panorama (NDR), Nr.217 vom 11.8.1969

87) H.Kurscheid, Pfarrer in Köln, hatte im Kölner Stadt-Anzeiger geschrieben: "... dass ich Ihre mannigfachen, öffentlichen Kritiken (beispielsweise an Bischof Defregger, den ich nicht verteidigen möchte) noch überzeugender und glaubwürdiger fände, wenn Sie etwa folgendes öffentliche Schuldbekenntnis ablegen würden: 'Ich habe gewusst, dass Hitlers Krieg verbreche isch ist. Dennoch habe ich meiner Einberufung zum Kriegsdiens keinen Widerstand entgegengesetzt, sondern gehorsam meine Knarre durch Europa getragen, ohne zu desertieren. Somit habe ich, wenn auch nur als unbedeutender Einer unter Millionen,

Hitlers Verbrechen mit Leib und Leben gedeckt." Aufforderung zum Schuldbekenntnis, in: Kölner Stadt-Anzeiger v.23./24.8. 1969

88) Die Kirche nicht um Absolution gebeten, a.a.O.

89) Die Zeit literarischer Höflichkeit ist vorbei, in: Kölner Rundschau, Nr.199 v. 29.8.1969, S.3 und 5

9o) z.b. wird der Chef der Kaiserslauterer Kriminalpolizei zitiert: "'Wir haben zwar noch keine konkreten Anhaltspunkte, dass die Baader-Meinhof-Bande für den Überfall verantwortlich ist. Aber wir ermitteln selbstverständlich in dieser Richtung.'" Dazu Böll: "Das klingt schon anders; nüchtern, sachlich, angesichts der Indizien plausibel, legitim, wenn man es schon als legitim ansieht, dass Polizeibeamte für 1373 Mark monatlich ihr Leben riskieren, unter anderem, um Banktresore zu schützen. Ein riskanter, schlechtbezahlter Beruf."Will Ulrike Gnade oder freies Geleit?", in: H.B., Freies Geleit für Ulrike Meinhof, Ein Artikel und seine Folgen, Zusammengestellt von F.Grützbach, Köln 1972, S.27

91) vom 23.12.1971

92) Will Ulrike Gnade oder freies Geleit?, a.a.O., S.29

93) "Wieviel junge Polizeibeamte und Juristen wissen noch, welche Kriegsverbrecher, rechtmässig verurteilt,auf Anraten Konrad Adenauers heimlich aus den Gefängnissen entlassen worden und nie wieder zurückbeordert worden sind? Auch das gehört zu unserer Rechtsgeschichte und lässt Ausdrücke wie Klassenjustiz so gerechtfertigt erscheinen wie eine Theorie des Strafvollzugs der politischen Opportunität." a.a.O., S.31

94) Will Ulrike Gnade oder freies Geleit?, a.a.O., S.31f.

95) Ebd., S.32

96) Ebd., S.32

97) "Es ist ganz klar für jeden, der den Artikel ohne Böswilligkeit liest, dass er versöhnlich gemeint war und dass er entspannen sollte, die ganze, wie ich finde, irrsinnig hysterische Atmosphäre ... und ich gebe zu, dass meine Intention nicht erfüllt worden ist ... Ich habe nicht damit gerechnet, dass

die Fronten sich verhärten würden, sondern dass sie sich möglicherweise lockern würden, habe ich gedacht." H.B., Freies
Geleit für Ulrike Meinhof, a.a.0., S.96

98) Um das Niveau aufzuzeigen, auf dem gelegentlich operiert wurde, nur ein Beispiel: "Aber der Mann, der seit Wochen die
miese Charakterkombination Hass, Lüge, Hetz bietet, möchte
'partiell' auch als Schriftsteller gesehen werden. Kann er
haben.
Ich traf neulich die Dame, über die der Clown in seinen Ansichten öffentlich gesprochen hat. Sie fragte mich, ob ich
diese Ansichten glaubwürdig fände. Ob ich es für möglich hiel
te, dass im 2o. Jahrhundert eine Frau ihren Mann verlässt,
weil ein Pfarrer das wünscht. Ob mir nicht aufgefallen sei,
dass da etwas fehle. Natürlich habe sie den Clown verlassen,
weil er als Mann nichts getaugt habe.
Als ich sie fragte, warum sie sich nicht öffentlich gewehrt
habe, sagte sie, das hätte ihr nichts genützt. 'Wenn ein
Clown mit einem abrechnet, ist man erledigt. Einem Clown
glaubt man alles. Er steht mit der Wahrheit auf du. Er hat
den tiefen Blick. Er rührt die Leute. Und die Leute wollen
gerührt werden. Sie brauchen gehobene Schnulzen. Und er liefert sie ihnen. Er ist die Courths-Mahler der zweiten Jahr-
hunderthälfte. Aber das weiss nur ich.'
Ich protestierte. Sie ist nicht die einzige, die das weiss."
So Rudolf Krämer-Badoni in der 'Welt' vom 16.12.1972 zit.nach
H.B., Freies Geleit für Ulrike Meinhof, a.a.0., S.188

99) Böll hatte am 29.12.71 (also vor dem 'Spiegel'-Artikel) gegen
die Entlassung des Literaturredakteurs des Saarländischen
Rundfunks, Arnfried Astel, protestiert und angekündigt, der
Fall werde den deutschen und auch den internationalen PEN-
Club "sehr intensiv beschäftigen". Die Entlassung eines PEN-
Mitgliedes auf Grund einer literarischen Äusserung sei ein
alarmierender Fakt. Dieses Interview wurde erst jetzt in der
Zeitungen veröffentlicht.

loo) "Der rheinische Poet dem Kirche und Unionsparteien seit eh und je bevorzugte Zielscheiben seiner Schelte sind, hat sich als opportunistischer Heuchler decouvriert. Während er in Augsteins 'Spiegel' warmherzig und beredt um Verständnis für Ulrike Meinhof und ihre Bande warb und dabei gleichzeitig die 'gnadenlose Gesellschaft' der Bundesrepublik heftig attakierte, weigerte sich der gleiche Böll auf dem Bildschirm, als Kollege und als Präsident des internationalen PEN-Zentrums die jüngste brutale Verfolgung oppositioneller Schriftsteller in der Sowjetunion mit einem Wort des Protestes oder auch nur einer Äusserung des Abscheus zu bedenken. Gnadenlos ist für Heinrich Böll zwar die Gesellschaft der Bundesrepublik, wenn sie sich mit aller Kraft gegen verbrecherische Elemente wendet, die Mord und Raub nicht nur zum theoretischen Prinzip erheben, sondern beides praktizieren. Dem kommunistischen Regime der Sowjetunion, das jede freiheitliche Regung mit Gewalt erstickt und mit der Verurteilung des Schriftstellers Bukowski zu wölf Jahren Gefängnis einen neuen Markierungspunkt ihrer terroristischen Praktiken gesetzt hat, mag Herr Böll jedoch das Attribut 'gnadenlos' nicht geben.
Im Gegenteil: Heinrich Böll schämt sich nicht, mit fadenscheinigen Kompetenz-Erläuterungen zu begründen, warum er als Vorsitzender einer weltumspannenden Schriftstellervereinigung nichts zu den unrechtmässigen Verfolgungen und Verurteilungen sowjetischer Kollegen sagen könne... Das dies... der wahre Grund für das peinliche Böllsche Schweigen sein könnte, werden wohl nicht einmal die engagiertesten Anhänger des Kölner Moral-Schiedsrichters zu glauben vermögen. Vielleicht - und dies wäre fatal - kann ein Hinweis auf die Tatsache weiterführen, dass Bölls Bücher in der Sowjetunion in Millionenauflage verkauft wurden und werden..." So Wilfried Scharnagel im 'Bayern-Kurier' (Zit. nach H.B., Freies Geleit für Ulrike Meinhof, a.a.O., S.51), während Klaus Happrecht im Zweiten Deutschen Fernsehen kommentiert: "... es ist fatal, seine unmissverständliche Härte in der Affäre Baader-

Meinhof und seine missverständliche Zurückhaltung im Fall
Bukowski zu vermengen ... Bölls Reserve erklärt sich aus de
Tatsache, dass er entschiedener und vermutlich erfolgreiche
für die Freiheit der Schriftsteller in Osteuropa und der
Sowjetunion gewirkt hat als irgendeiner seiner Kollegen. Mi
sehr hohem persönlichem Mut. Darüber kann, darüber soll er
nicht reden. Er muss es hinnehmen, dass ihm der arme Günter
Zehm in der 'Welt' an den Kopf wirft, es gehe ihm nicht meh
'um eine effektive Hilfe für Bukowski... Böll und den west-
lichen Intellektuellen seien die östlichen Dissidenten' in
Wahrheit 'lästig und unangenehm'.
In solchen Formulierungen bleibt jeder Rest von Fairness au
der Strecke. Und mit ihr die Vernunft, ohne die jede Mensch
lichkeit ungeschützt ist. Auch die herbe Hu[m]anität Heinri
Bölls und die ofenwarme Sentimentalität der Bildzeitung."
Zit. nach H.B., Freies Geleit für Ulrike Meinhof, a.a.O.,
S.112

lol) Versuch über die Vernunft der Poesie (1973), Einm.erw., S.:
lo2) Ebd., S.29
lo3) Ebd.
lo4) Ebd., S.3o
lo5) Ebd., S.3o
lo6) Ebd., S.31
lo7) Ebd., S.31f.
lo8) Ebd., S.32
lo9) Ebd., S.32f.
11o) Ebd., S.33
111) Ebd., S.33
112) Ebd., S.34
113) Ebd., S.35. Böll nennt als Beispiel "die kürzlich abgelauf
höchst verwegene Dollarattacke ... Mir tumbem Laien fiel d
etwas auf, das niemand beim Namen nannte: dass zwei Staate
am heftigsten betroffen waren und am nachdrücklichsten zu
etwas so Merkwürdigem - nimmt man an, dass das Wort Freihe
nicht bloss eine Fiktion ist - wie Stützungskäufen gezwung

das heisst doch zur Kasse gebeten wurden, die historisch etwas gemeinsam haben: sie haben den Zweiten Weltkrieg verloren, und man sagt ihnen noch etwas als gemeinsam nach: ihre
Tüchtigkeit und ihren Fleiss. Kann man da dem, den's angeht,
der mit seinem Kleingeld in der Tasche klimpert oder mit
seinen Scheinchen wedelt, die mit denkwürdigen Symbolen be-
druckt sind, nicht klarmachen, warum er, obwohl er keineswegs weniger dafür arbeitet, diese ihm weniger Brot, Milch,
Kaffee, Taxikilometer einbringen?" Ebd., S.34

114) "Dreizehn Ziffern auch auf meiner Telefonrechnung, einige auf
jeder meiner soundsovielen Policen, dazu noch meine Steuer-,
meine Auto- und Telefonnummer - ... Multiplizieren wir die
32 Ziffern und die Chiffren auf meinem Scheck getrost mit
sechs, oder geben wir Rabatt und multiplizieren wir mit vier,
fügen wir noch die Geburtsdaten hinzu, ein paar Abkürzungen
für Konfession, Familienstand - haben wir dann endlich das
Abendland in der Addition und Integration seiner Vernunft?"
Versuch über die Vernunft der Poesie (1973), Einm.erw., S.35f.

115) Ebd., S.36

116) Ebd., S.36f.

117) Ebd., S.38

118) Ebd., S.39

119) "Sprachimperialismus ... das heisst ... Verbreitung der eigenen, Unterdrückung der Sprache der Beherrschten."Ebd., S.39

12o) Ebd., S.4o

121) Ebd.

122) Ebd., S.41

123) Ebd., S.42

124) Ebd., S.43. Böll räumt ein, dass eine Schwäche seiner "Andeutungen und Ausführungen" unvermeidlicherweise darin liege,
dass er die Tradition der Vernunft mit den Mitteln eben dieser Vernunft anzweifle. Es wäre wohl mehr als ungerecht, diese Vernunft in allen ihren Dimensionen zu denunzieren. "Offenbar ist es ihr - dieser Vernunft - immerhin gelungen, den

Zweifel an ihrem Totalanspruch, an dem, was ich ihre Arrogar
genannt habe, mitzuliefern und auch die Erfahrung mit und di
Erinnerung an das zu erhalten, was ich die Vernunft der Poes
genannt habe, die ich nicht für eine privilegierte, nicht fi
eine bürgerliche Instanz halte. Sie ist mitteilbar, und gerade weil sie in ihrer Wörtlichkeit und Verkörperung manchmal befremdend wirkt, kann sie Fremdheit oder Entfremdung
verhindern oder aufheben."

125) Was heute links sein könnte (1962), AKR I, S.113-116

126) Gewalten, die auf der Bank liegen (1972), NplS, S.274

127) Interview von Marcel Reich-Ranicki (1967), AKR II, S.218

128) Angst vor der 'Gruppe 47'? (1965), AKR I, S.198f.

129) s. ZWEITER TEIL, 2.2.

13o) Gewalten, die auf der Bank liegen (1972), NplS, S.271-275

131) Vorwort zu Schalom (1964), AKR I, S.143

132) Angst vor der 'Gruppe 47'? (1965), AKR I, S.198

133) Im Gespräch: H.B. mit Heinz Ludwig Arnold, München 1971,
S.42

134) Bekanntlich sprach sich Böll für einen Machtwechsel in Bonn
aus.

135) C.H.Casdorff/R.Rohlinger (Hrsg.), Kreuzfeuer, Berlin 1971,
S.68f.

136) Über Willy Brandt (1972), NplS, S.251 und 253 und 255

137) s.etwa: L.Hermann, Ein neuer politischer Einzelkämpfer, in:
Süddeutsche Zeitung v.26./27.7.1969. Genauer müsste man sagen: In dem Augenblick, in dem Böll politischer Kämpfer
wird, ist er nicht mehr Einzelkämpfer, weil für ihn nun die
Alternative Individualismus-Solidarität keine Gültigkeit
mehr hat.

138) Radikale für die Demokratie (1968), NplS, S.17

139) Die Freiheit der Kunst (1966), AKR II, S.2o7

14o) Die Würde des Menschen ist unantastbar (1972), NplS, S.26o
und 265f.

141) Die Freiheit der Kunst (1966), AKR II, S.2o6

142) Literatur ist kein Handwerk, in: Sonntagsblatt (Hamburg), 2o(1967), Nr.32 v.6.8.1967, S.23

143) s. ERSTER TEIL, 2.2.1.

144) Heinrich Böll antwortet, in: Deutsche Volkszeitung (Düsseldorf), Nr.4o v.3.1o.1969

145) Luft in Büchsen (1972), NplS, S.278

146) vgl. dazu etwa: "Es ist unsere Pflicht, daran zu erinnern, dass der Mensch nicht nur existiert, um verwaltet zu werden" Bekenntnis zur Trümmerliteratur (1952), Hierzulande, S.134

147) Die Sprache als Hort der Freiheit (1958), Hierzulande, S.112

148) Frankf.Vorl., S.55; s.a. S.34

149) s. ERSTER TEIL, 3.1.

15o) Ende der Bescheidenheit (1969), NplS, S.117

151) Gewalten, die auf der Bank liegen (1972), NplS, S.275

152) Das tägliche Brot der Bomben oder: Law and order (1972), NplS, S.269

153) H.B., Berichte zur Gesinnungslage der Nation, Köln 1975

154) Renate Matthaei (Hrsg.), a.a.O., S.141

155) Im offenen Brief an Pfarrer Kurscheid: Die Kirche nicht um Absolution gebeten, in: Kölner Stadt-Anzeiger v.23./24.8. 1969

156) Die Zeit literarischer Höflichkeit ist vorbei, in: Kölner Rundschau, Nr.199 v.29.8.1969, S.3

157) Vgl. dazu die Äusserungen über die verschiedenen Stufen der Aktualität (ERSTER TEIL,1.2.)

158) "... irgendwo zähle ich mich zur APO!", in: Kölner Rundschau v.31.8.1969 (Hervorhebung von mir)

159) Der Brief war am 25.7.1969 in der 'Zeit' publiziert worden.

16o) H.B., Freies Geleit für Ulrike Meinhof, a.a.O., S.96. Zum Vorwurf, er hätte die Gruppe um Ulrike Meinhof verharmlost, meint Böll: "Zweimal habe ich in meinem Artikel ausdrücklich erklärt, Ulrike Meinhof habe dieser Gesellschaft d e n K r i e g e r k l ä r t. Ich halte Krieg nicht für ein harmloses Wort." Ebd., S.13o. Und an anderer Stelle zum

gleichen Vorwurf: "Ich habe ... in meinem bisherigen Autoren-
dasein ungefähr 2oo ooo Zeilen publiziert. Wenn Sie auch nur
eine halbe Zeile finden, in der ich Gewalt rechtfertige, bin
ich bereit, den Vorwurf zu akzeptieren." Ich kann in diesem
Land nicht arbeiten, in: Kölnische Rundschau v.14.6.1972

161) "... die Worte 'kriminell', 'Gnade', 'verfolgt' haben für
ihn [den Schriftsteller] eine andere Dimension. Für einen
Juristen ist das Wort 'verfolgt' das Wort 'gesucht'. Das ist
ungeheuer kompliziert. Was ich nicht begreife bei der ganzen
Auseinandersetzung ist, dass wirklich intellektuelle Menschen wie etwa Krämer-Badoni - und ich zähle auch Herrn Habe
dazu und andere, die selbst Autoren sind und Phantasie genug
hätten - diesen Unterschied nicht einmal feststellen und von
der gleichen Ebene des Autors mit dem Autor argumentieren,
sondern sich auf einen Beamten-, einen Juristen-, einen Le-
galitätsstandpunkt stellen, den ein Autor nie einnehmen
kann." H.B., Freies Geleit für Ulrike Meinhof, a.a.O.,S.124

162) H.B., Freies Geleit für Ulrike Meinhof, a.a.O., S.124; vgl.
ebd., S.143. "Im übrigen halte ich die reine Trennung von
politisch und kriminell sowieso für einen Irrtum, auch für
intellektuell unredlich. Man kann sogar soweit gehen, dass
ein Mensch, der, um seinen Lebensunterhalt zu verdienen oder
nicht zu verhungern, stehlen muss in einer Gesellschaft, natürlich auch ein politisch krimineller ist nach meiner Definition; die Definition eines Autors, nicht eines Juristen.
Ebd., S.125

163) In: Süddeutsche Zeitung v. 3.2.1972, zit. nach H.B., Freies
Geleit für Ulrike Meinhof, a.a.O., S.158

164) Politiker sind Romantiker, in: ZW-Sonntags-Journal, Nr.39 v.
27./28.9.1969, S.22

165) Leserbrief von H.B. an die Süddeutsche Zeitung, 7.2.1972,
zit. nach H.B., Freies Geleit für Ulrike Meinhof, a.a.O., S.
172

166) "Nach meinen bisherigen Erfahrungen - vor allem im Falle
Defregger - verspreche ich allen Politikern, mich vorläufig

in nichts mehr einzumischen, zu nichts mehr zu äussern, jedenfalls solange nicht, bis ich mir selber klar darüber geworden bin, wo sich in diesem Falle die Grenze der vielge-
priesenen Liberalität gezeigt hat."H.B., Freies Geleit für
Ulrike Meinhof, a.a.O., S.144

167) und die Böll von allem Anfang an ablehnte, s. ERSTER TEIL 1.1.

168) Manès Sperber, Wir und Dostojewskij, Eine Debatte mit H.B.
u.a., geführt von M.Sperber, Hamburg 1972, S.69.Böll sieht
auch anderswo Beispiele des Prinzips des 'divide et impera',
z.b. in der Dichotomie Leib-Seele oder in der Auffassung des
Geldes (Ebd., S.69 und 71), sowie in der Alternative von engagierter und nichtengagierter Literatur, eine Alternative,
die Böll "nie wahr- und nie für wahr genommen" hat. (Schriftsteller heute, G.-A.-Gespräch mit H.B. und Paul Hubrich, in:
General-Anzeiger [Bonn] v.5.2.197o, S.12) Vgl. dazu:"Denn die
Trennung in littérature pure und engagée hat sich ja umgewan-
delt eigentlich in ein divide et impera der Gesellschaft gegenüber den Autoren. Man kann diese dann sehr gut einteilen,
man kann sagen, also du bist ein Engagierter, du bist ein
Reiner, was im Grunde heisst: du bist der Bessere und du
bist der Schlechtere. Ich denke mir, dass wir Autoren diese
Teilung nicht mehr akzeptieren sollten. Was einer sagen will,
was einer schreiben will, soll er so schreiben, dass er auch
als Literat 'pure' gelten kann." Von und über Heinrich Böll,
in: Deutsche Bücher (Amsterdam), 5(1975), H.3 (Herbst), S.163

169) Veränderung. Aber wie?, in: Die Weltwoche (Zürich), Nr.18o6
v.21.6.1968, S.25

17o) Radikale für Demokratie, NplS, S.18

171) s.ZWEITER TEIL, 2.2.
H.B., Freies Geleit für Ulrike Meinhof, a.a.O., S.172

172) Untergrund im Widerstand, in: Westdeutsche Allgemeine Zeitung (Essen) v.29.11.1969

173) Für Sachkunde und für Phantasie, in: Die Zeit (Hamburg),
26(1971), Nr.32v.6.8.1971, S.1o

174) Hinweis auf Josef W.Janker, in: Kürbiskern, Literatur und

Kritik (München) 1967, H.2, S.5

175) Ändern Dichter die Welt?, in: Konkret (Hamburg), 13(1968),
Nr.1o v.1o.9.1968, S.18; Heinrich Böll antwortet, in: Deut-
sche Volkszeitung, Nr.4o v.3.1o.1969; Tag der Menschenrechte
Deutsche Welle, 9.12.197o

176) Lieblingsthema Liebe, in: Kölner Stadtanzeiger, Nr.167 v.
22.7.1971, S.12; zu den Domestizierungsversuchen der Kirche
s. H.B./Johannes Poethen: Literatur und Religion, in:D.Sölle
u.a. (Hrsg.), Almanach 4 für Literatur und Theologie, Wupper
tal-Barmen 197o, S.96

177) "Die Probleme des innerdeutschen Katholizismus interessieren
mich nicht mehr. ... im Grunde interessieren mich als Autor
nur zwei Themen: Die Liebe und die Religion. Für beide Themen ist im innerdeutschen Katholizismus kein Platz." Interview von Marcel Reich-Ranicki (1967), AKR II, S.226
Vgl. Im Gespräch, S.22:"Meine Radikalität [der Amtskirche
gegenüber] ist gemindert, weil es mich fast nicht mehr inter
essiert."

178) Böll sieht hier enge Parallelen zur Bürokratie in der Sowjet
union:"Es ist sogar so, dass ich in dem bürokratischen Model
des sowjetischen Kommunismus und des dort dogmatisierten Sozialismus den Klerikalismus wiedererkenne..." Im Gespräch,
S.24

179) Im Gespräch, S.21-28

18o) Ebd., S.59

181) Einm.erw., S.3o

182) Ebd.

183) Ebd., S.43

184) Ende der Bescheidenheit (1969), Npl$ S.117; auf gleiche Wei
se operiert er mit dem Begriff der Prominenz. Ebd.

185) s. ZWEITER TEIL,3.

186) Ebd.

187) Einm.erw., S.42f.

1) Vgl. EINLEITUNG, s.21f. mit den dort angebrachten Einschränkungen.
2) Vgl. ZWEITER TEIL, S.147
3) das nun ebenfalls nicht mehr in sich ausschliessendem Gegensatz zum taktisch-politischen Vorgehen steht.
4) Christoph Burgauner, Ansichten eines Unpolitischen? Gesinnung und Entwicklung Heinrich Bölls, in: Frankfurter Hefte, 29(1974), S.346
5) Ebd.
6) Ebd., S.349
7) Ebd.
8) Ist die unterschiedliche Auffassung in der Frage der Priorität wirklich der wichtigste Grund dafür, dass die Kontroverse so "unbefriedigend" verlief?
9) Ebd., S.355
lo) Drei Tage, S.113
11) Ebd., S.111
12) Heisses Eisen in lauwarmer Hand, in: Die Literatur (Stuttgart), 1(1952), Nr.11 v. 15.8.1952, S.4
13) Vgl. EINLEITUNG, S.22
14) Carl Amery, Eine christliche Position, in: Reich-Ranicki (Hrsg.), a.a.O., S.99
15) Die Formulierung in dieser Form stammt vermutlich nicht von Böll, sie ist jedoch in der von ihm mitunterzeichneten Erklärung der Herausgeber zu finden. Labyrinth (Hommerich/Bez.Köln), 1962, H.6 (Juni)
16) "Bölls gesellschaftlicher Point de vue ist archaisch, in einem bestimmten Sinn konservativ. Sein Zorn klagt bestehende Strukturen an, ordnungsstiftende Einfachheit zu gefährden beziehungsweise zu zerstören. Insofern ist er natürlich auch Revolutionär - katholischer Revolutionär...: die Wurzel des Wortes 'Revolution' ist konservativ, irgendwann einmal.... proklamierte das Wort den Wunsch, Dinge 'wiederherzustellen', alten Ordnungen gegen frevelnde Obrigkeit neuen Glanz zu geben. Der

deutsche Bauernaufstand forderte alte Rechte...Aber spätestens seit der Französischen Revolution ist es nicht mehr erlaubt, das Wort in seinem archaischen Sinn zu gebrauchen." C.Amery, a.a.O., S.94

17) Ch.Burgauner, a.a.O., S.349

18) ? - Ch.Burgauner, a.a.O., S.349

19) Den beiden ersten sei noch ein weiteres Fragezeichen beigefügt: Was erwartet man von einem Schriftsteller, wenn man, nachdem Böll mehrmals entschieden in politische Auseinandersetzungen eingegriffen hat, 1974 vom "tatenarmen und gedankenreichen Anarchismus" und seiner Problematik spricht? Das Bombenlegen? Wohl kaum. Was dann? Burgauner: "Wer den Büffeln und den Schwätzern dieser Welt wenig mehr entgegensetzt als das grosse Schweigen, die Gesten der Empörung und die verschiedenen Formen der Desertion, der überlässt ihnen ziemlich kampflos das Feld." a.a.O., S.355

2o) Peter Demetz, a.a.O.

21) Vgl. das Beispiel aus neuerer Zeit, ERSTER TEIL, S.111

22) Vgl. etwa: Karl R.Popper, Die Logik der Sozialwissenschaften, in: Th.W.Adorno u.a., Der Positivismusstreit in der deutschen Soziologie, Neuwied und Berlin 1972, S.1o3-123, besonders die sechste These, S.1o5f.

23) Vgl. Hanno Beth, Trauer zu dritt und mehreren, a.a.O., S.147 Versuch über die Vernunft der Poesie (1973), Einm.erw., S.42

24) Harry Pross, Proben auf Fortsetzung, a.a.O., S.122. Pross zitiert hier Thomas Mann.

25) s.ZWEITER TEIL, S. 151

26) vgl. etwa ERSTER TEIL, 4.2.

27) Oder umgekehrt formuliert:..., warum Böll, der doch gesellschaftlich wirken möchte, eine ausgesprochen produktionsästhetische Theorie entwickelt.

28) Vgl. ERSTER TEIL, 1.2.

29) Ebd.

3o) Zum letzteren s. Drei Tage, S.23f.

Anmerkungen Abschliessende Erörterung

31) B.Brecht, Kleines Organon für das Theater, in: werkausgabe
    edition suhrkamp, B.B., Gesammelte Werke in 2o Bänden, Frank-
    furt am Main 1967, Bd. 16, S.671f.

32) Böll war als geistig mitschuldig am Terror bezeichnet worden,
    in: Tages-Anzeiger (Zürich) v.31.5.1978, S.2

33) Ebd.

34) Rudolf Augstein, "Bösartig?", in: Der Spiegel, Nr.23 v.5.6.78

35) Walden hatte das Zitat nicht nur gebracht, "ohne es, was man
    bei einem Zitat zu tun hat, zu datieren und zu plazieren"
    (Böll), er hatte es auch noch mit einer Interpretation des
    Spiegel-Artikels v.1o.1.1972 verkoppelt: "Er beschuldigte die-
    sen Staat, die Terroristen in gnadenloser Jagd zu verfolgen."

36) Ich habe die Nase voll (8.12.1974), Einm.erw., S.184f.

37) Wer Freude hat, birgt eine Bombe, in: Die Zeit, Nr.39 v.16.9.
    1977, S.41

38) Will Ulrike Gnade oder freies Geleit?, in: Frank Grützbach
    (Hrsg.), a.a.O., S.3o

39) Diether Posser, Minister in Nordrhein-Westfalen, der Bölls
    Artikel im übrigen kritisiert, teilt Bölls Ansicht über die
    Praktiken der 'Bild'-Zeitung. Vgl.Frank Grützbach (Hrsg.),
    a.a.O., S.81

4o) Ch.Burgauner, a.a.O., S.347

41) Drei Tage, S.114

Literaturverzeichnis

Das Verzeichnis umfasst die Schriften, die mir zur Verfügung
standen. Weitere Titel enthalten die beiden Bibliographien von
Werner Lengning und Werner Martin.

A Sammelbände und in Buchform erschienene Gespräche

1. H.B. , Hierzulande, Aufsätze zur Zeit, München 1963 u.ö.
     (= dtv sr 11)
2. H.B. , Aufsätze-Kritiken-Reden (Bd. I und II), München 1969
     u.ö. (= dtv 616 und 617)
3. H.B./H.L. Arnold, Im Gespräch: Böll mit Heinz Ludwig Arnold,
     München 1971
4. H.B. , Freies Geleit für Ulrike Meinhof, Ein Artikel und sei-
     ne Folgen, Zusammengestellt von Frank Grützbach, Köln
     1972
5. H.B. , Neue politische und literarische Schriften, Zürich
     1975 (= ungekürzte Lizenzausgabe für den Buchclub Ex
     Libris)
6. H.B./Christian Linder, Drei Tage im März, Ein Gespräch, Köln
     1975
7. H.B. , Einmischung erwünscht, Schriften zur Zeit, Köln 1977
8. Viktor Böll und Renate Matthaei (Hrsg.), Querschnitte, Aus
     Interviews, Aufsätzen und Reden von Heinrich Böll,
     Köln 1977

B Weitere Aufsätze, Interviews, Reden etc.

1952

9.   Sie lachen, in: Frankfurter Hefte, 7 (1952), H.4, S. 283
10. Gott sucht die Sünder, in: Neue literarische Welt, 3 (1952),
     Nr. 15 v. 10.8.1952, S. 9
11. Heisses Eisen in lauwarmer Hand, in: Die Literatur (Stutt-
     gart), 1(1952), Nr. 11 v. 15.8.1952, S.4
12. Der Wüstenfuchs in der Falle, in: Die Literatur (Stuttgart),
     1(1952), Nr. 13 v. 15.9.1952, S. 8

13. Ein religiöser Film, in: Die Literatur (Stuttgart), 1(1952), Nr. 15 v. 15.10.1952, S.8

14. "... das Korn, in das man sie wirft", in: Welt der Arbeit (Köln) v. 28.11.1952

1953

15. Offener Brief an Pfarrer von Meyenn, in: Frankfurter Hefte, 8 (1953), H.2, S. 166-167

16. Présentation d'un jeune auteur par lui-même, H.B., Classe 1937, in: Allemagne d'aujourd'hui, Paris, 1(1953), Nr. 7, S. 833-835

17. Rendezvous in Paris, in: Dokumente, 9(1953), H.3 (Mai/Juni), S. 239-241

18. Verführtes Denken, in: Deutsches Volksblatt (Stuttgart) v. 9.9.1953

19. Ein skythischer Knabe, in: Frankfurter Hefte, 8(1953), H.9, S. 706

1954

20. Der Schrei nach Schinken und Pralinen, in: Die Zeit (Hamburg), 9(1954), Nr.38 v. 23.9.1954, S. 8

21. Neue italienische Romane und Novellen, in: Dokumente, 10(1954), H.6, S. 527-529

22. Was ist aktuell für uns?, in: Bücherei und Bildung (Reutlingen), 6(1954), H.12, S. 1193-1195

1955

23. Ein Steinbeck und einige Steinbeckchen, in: Dokumente, (Köln), 11(1955), H.2, S. 170-172

24. Seit zwölf Tagen steht "Mord" an der Tür, in: Frankfurter Allgemeine Zeitung v. 10.12.1955, S. 17

25. Les "Innocents" et les "Conscients", in:Documents (Paris), 10(1955), Nr. 2, S. 184-187

1956

26. Literatur ohne Grenzen, in: Hamburger Echo v. 28.1.1956

27. Masken, in: Köln. Vierteljahrschrift für die Freunde der Stadt, 1956, H.1

28. Wo liegt Paris?, in: Köln. Vierteljahrschrift für die Freunde der Stadt, 1956, H.2 (April/Juni), S. 45-52

29. Noch Plätze frei im Raritätenkabinett, in: Akzente (München) 3(1956), H.3 (Juni) S. 268-272

30. Wo ist dein Bruder?, in: Geist und Tat (Frankfurt/Main), 11(1956), Nr.6 (Juni), S. 165-171

31. Amerika zwischen den beiden Kriegen, in: Kölnische Rundschau vom 21.10.1956

32. Zum Aufstand der Ungarn, in: Die Kultur (München), 5(1956), H.73 v. 1.12.1956, S. 17

33. Köln eine Stadt - nebenbei eine Gross-Stadt, in: F.E. Meinecke (Hrsg.), Köln, Impressionen und Profile. Stimmen der Gegenwart. Eine Anthologie. Honnef 1956, S. 188-191

1957

34. Das weiche Herz des Arno Schmidt, in: Texte und Zeichen (Berlin), 3(1957), H.11 (Jan.), S. 85-87

35. Neues Instrument aus Amerika, in: Kölner Stadt-Anzeiger v. 9.3.1957

36. Die Trauer, die recht behielt, in: Deutsche Rundschau (Stuttgart), 83(1957), H.3, S. 274-278

37. Verstehen wir uns?, in: Kölner Stadt-Anzeiger v. 8.6.1957

38. Eine Welt ohne Christus, in: Karlheinz Deschner (Hrsg.), Was halten Sie vom Christentum?, 18 Antworten auf eine Umfrage, München 1957, S. 21-24

1958

39. So war es, in: Allgemeine Sonntagszeitung (Würzburg), 3(1958), Nr. 1, S. 14

40. Auch dies ist Amerika, in: Neue deutsche Hefte (Gütersloh), 4(1957/58), H.43 (Febr. 58), S. 1034-1035

41. Strassen wie diese, in: Köln. Vierteljahrschrift für die Freunde der Stadt. H.3, 1958

42. Ein 47er wurde 50: Hans Werner Richter, in: Die Kultur (München), 7(1958), Nr. 120 v. 15.11.1958

43. Walter Weymann-Weyhe/H.B., Das Brot, von dem wir leben, in: Werkhefte für katholische Laienarbeit (München), 12(1958), H.11, S. 280-286

1959

44. Vorsicht! Bücher!, in: Die Kultur (München), 7(1959), H. 128 v. 15.3.1959

1960

45. Autoren und Schicksale, in: Germania Judaica, Bulletin der Kölner Bibliothek zur Geschichte des deutschen Judentums, 1(1960/61), Nr.1, S. 16f.

46. Ein Haus für Ungezählte ..., in: Germania Judaica, Bulletin der Kölner Bibliothek zur Geschichte des deutschen Judentums, 1(1960/61), Nr. 1, S. 17

47. Nachwort, in: Germania Judaica, Kölner Bibliothek zur Geschichte des deutschen Judentums, 1(1960/61), H.1

48. Register-Demokratie, in: Frankfurter Hefte, 15(1960), H.5 (Mai), S. 367-368

49. Geduldet oder Gleichberechtigt?, Zwei Gespräche, in: Germania Judaica. Kölner Bibliothek zur Geschichte des deutschen Judentums. Schriftenreihe. H.2 (Okt. 1960), 49 S.

50. Bücher verändern die Welt, in: Neue Ruhrzeitung (Essen) v. 19.11.1960

51. Vorwort, in: labyrinth (Stuttgart), 1(1960), H.2 (Dez.1960), S. 3f.

52. Insgesamt eine Abwärtsentwicklung, in: Freiburger Studentenzeitung v. 10(1960), Nr. 7 (Dez.)

53. Interview mit Gymnasiasten, in: Steinbart-Blätter, Schülerzeitung des Steinbart-Gynmasiums Duisburg v. Dez. 1960

54. Ein Interview mit Studenten, in: H.B., Novellen, Erzählungen, Heiter-satirische Prosa, Irisches Tagebuch, Aufsätze, Zürich o.J. (Berechtigte Lizenzausgabe für den Buchclub Ex Libris Zürich), S. 391-393

1961

55. H.B./W.Warnach, Die unverlierbare Geschichte, in: labyrinth (Stuttgart), 2(1961), H.3/4 (Juni 1961), S. 48-68
56. Zwischen allen Feuern, in: Frankfurter Hefte, 16(1961), H.7 (Juli), S. 494-495
57. Seismograph für die Probleme der Zeit, in: Neue Zeit (Berlin), 17(1961), Nr. 184 v. 10.8.1961
58. Briefwechsel H.B. - HAP Grieshaber, in: labyrinth (Hommerich, Bez. Köln), 2(1961), H.5 (Nov.), S. 58-61
59. Antwort an Georg Ramseger, in: H.W.Richter (Hrsg.), Die Mauer oder Der 13. August, Reinbek b. Hamburg 1961, S. 132-134

1962

60. Mein Bild, in: Die Zeit (Hamburg), 17(1962), Nr. 4 v. 26.1.1962, S. 11
61. Gesamtdeutsches Jägerlatein, in: Die Zeit (Hamburg), 17 (1962), Nr. 9 v. 2.3.1962
62. Erklärung der Herausgeber, in: labyrinth (Hommerich, Bez. Köln), 3(1962), H.6 (Juni), S. 2-7
63. Werkstattgespräch, in: Horst Bienek, Werkstattgespräche mit Schriftstellern, München 1962, S. 139-151

1963

64. Vorbemerkung zur 'Anekdote zur Senkung der Arbeitsmoral', in: Radio Bremen am 1. Mai 1963

1964

65. Des survivants qui passent ..., Un entretien de Jean Tailleur avec H.B., in: Les lettres françaises (Paris) Nr. 1032 V. 4.-10. Juni 1964

1965

66. Geduld und Ungeduld mit der deutschen Sprache, in: Die Welt, Hamburg, 2(1965), Nr. 22 v. 28.10.1965
67. Zu: Marcel Reich-Ranicki, Der Dichter ist kein Zuckersack, in: Die Zeit (Hamburg), 20 (1965), Nr. 51 v. 17.12.1965,S.17

<u>1966</u>

68. Warum ich kurze Prosa wie Jacob Maria Hermes und Heinrich Knecht schreibe, in: Neue Rundschau (Frankfurt/Main), 77 (1966), H.1, S. 64-69

69. Eine ganze Provinz besetzt, in: Börsenblatt für den deutschen Buchhandel (Frankfurter Ausgabe), 22(1966), Nr. 56 v. 15.7.1966, S. 1439-1441

<u>1967</u>

70. Joseph Caspar Witsch, in: Die Zeit (Hamburg), 22(1967), Nr. 18 v. 5.5.1967, S. 16

71. Hinweis auf Josef W.Janker, in: Kürbiskern, Literatur und Kritik (München) 1967, H.2, S. 4-7

72. Literatur ist kein Handwerk, Geno Hartlaub sprach mit Heinrich Böll, in: Sonntagsblatt (Hamburg), 20(1967), Nr. 32 v. 6.8.1967, S. 23

73. Gespräch mit Heinrich Böll von Hans Vetter, in: Kölner Stadt-Anzeiger, Nr. 296 v. 21.12,1967, S. 3-4

<u>1968</u>

74. Die Studenten sollten in Klausur gehen, in: Kölner Stadt-Anzeiger, Nr. 92 v. 19.4.1968, S.6

75. Belonging and not belonging, Heinrich Böll interviewed by Susan Short, in: The Guardian (London) v. 3.6.1968, S. 6

76. Der Spiegel befragte prominente Bundesbürger nach ihrer Erinnerung an die Zeit der Geldumstellung, in: Der Spiegel (Hamburg), 22(1968), Nr. 25 v. 17.6.1968, S. 68

77. Veränderung. Aber wie?, in: Die Weltwoche (Zürich), Nr. 1806 v. 21.6.1968, S. 25

78. Mörderisch und selbstmörderisch, in: Der Spiegel (Hamburg) 22(1968), Nr. 36 v. 2.9.1968, S. 77

79. Mit Heinrich Böll im Kölner Grüngürtel, "Ich muss unter Druck arbeiten" von Ben Witter, in: Die Zeit (Hamburg), 23 (1968), Nr. 36 v. 6.9.1968, S. 51

80. Ändern Dichter die Welt?, Interview von Klaus Rainer Röhl, in: Konkret(Hamburg), 13(1968), Nr.10 v. 10.9.1968, S.17-19

81. Die jungen und die alten Menschen, Aus einem Interview Satish Kumars mit Heinrich Böll, in: Gemeinschaft und Politik (Bellnhausen über Gladenbach, Hess.), 16(1968), H.5-6 (Sept./Dez.), S. 260-264

82. Gespräch mit dem Zauberer, in: Alexander Adrion, Zauberei, Zauberei, Olten 1968, S. 7-41

83. Ein paar Stichworte. Personen und Situationen. Ein Gespräch mit H.B. von Werner Koch, in: Werner Lengning (Hrsg.), Der Schriftsteller H.B., Ein biographisch-bibliographischer Abriss, München ³1972, S. 99-110

84. Brief von H.B., in: Tschechoslowakei 1968. Die Reden von Peter Bichsel, Friedrich Dürrenmatt, Max Frisch, Kurt Marti und ein Brief von H.B., Zürich 1968, S. 8-10

1969

85. Blumen für Beate Klarsfeld, in: Die Zeit, 24 (1969), Nr.2 v. 10.1.1969, S. 7

86. Ich schreibe deutsch - aber nicht für Deutschland! (Interview von Dr. Olaf Ihlau), in: Neue Ruhrzeitung v. 9.2.1969

87. Die Studenten haben den längeren Atem, in: Kölner Stadt-Anzeiger, Nr. 53 v. 4.3.1969, S. XII

88. Kirche muss"dritten Weg" gehen, in: Kolping Blatt (Köln), 69(1969), Nr. 4 (April), S.3

89. Interview von Dr. Kronzucker mit H.B. innerhalb der Apollosendung (im Westdeutschen Fernsehen am 21.7.1969)

90. Offener Brief an eine deutsche Frau, in: Die Zeit (Hamburg), 24 (1969), Nr. 30 v. 25.7.1969, S. 13

91. Nachtrag zum Fall Defregger (NDR Panorama Nr. 217 am 11.8. 1969)

92. Die Kirche nicht um Absolution gebeten, in: Kölner Stadt-Anzeiger v. 23./24.8.1969

93. Antwort an einige deutsche Frauen, in: Die Zeit (Hamburg), 24(1969), Nr. 35 v. 29.8.1969

94. Die Zeit literarischer Höflichkeit ist vorbei, in: Kölner Stadt-Anzeiger, Nr. 199 v. 29.8.1969, S. 3

95. "...irgendwo zähle ich mich zur APO!", Interview von Norbert Iserlohe, in: Kölner Rundschau v. 31.8.1969

96. Chancen der Begegnung zwischen jüdischen und nichtjüdischen Schriftstellern, Interview von Pater Eckert, in: Emuna. Blätter für christlich-jüdische Zusammenarbeit, Frankfurt/M., 4(1969), H.4, S. 261-265

97. Gespräch mit H.B. über sein neues Stück "Aussatz", in: Theater heute, 10(1969), Sonderheft (Herbst 1969), S.65-68

98. Perspektiven, Menschen, Dinge und Verhältnisse im Blickfeld von Heinrich Böll (Sender Freies Berlin - 11.9.1969)

99. Politiker sind Romantiker ..., in: Zürcher Woche-Sonntags-Journal, Nr. 39 v. 27./28.9.1969, S. 22

100. H.B. antwortet, Interview von H.E. Völker, in: Deutsche Volkszeitung (Düsseldorf), Nr. 40 v. 3.10.1969

101. Redakteure austauschen, H.B. sprach mit Hans Kirchmann, in: Kölner Stadt-Anzeiger, Jubiläumsausgabe v. 29.10.1969, S.18

102. H.B. - Im Gespräch, Interview von D.-O. Schmalstieg, in: Internationale Dialogzeitschrift (Wien, Freiburg, Basel), 2 (1969), Nr. 4, S. 291-295

103. Kritiklos untertan, in: Akzente (München), 16(1969), H.5 (Okt.), S. 403

104. Untergrund im Widerstand, in: Westdeutsche Allgemeine Zeitung (Essen) v. 29.11.1969

105. Johannes Poethen/H.B., Gespräch über Weihnachten, in: Die Tat (Zürich), 37(1972), Nr. 301 v. 23.12.1972, S. 29-30, (Das Gespräch wurde am 24.12.1969 im Süddeutschen Rundfunk gesendet.)

106. Ohne Leine, Gespräch mit H.B., in: Neutralität. Kritische Schweizer Zeitschrift für Politik und Kultur (Bern), 7(1969) Nr. 12(Dez.), S. 12-18

107. Vorwort zu: Beate Klarsfeld, Die Geschichte des PG 2 633 930 Kiesinger, Dokumentation, mit einem Vorwort von H.B., Darmstadt 1969, S. 7f.

108. An eine deutsche Frau,in:Janko Musulin(Hrsg.),H.B. u.a.,Offene Briefe an die Deutschen,Wien-München-Zürich 1969,S.13-55

109. H.B. an die Mitglieder des "Politischen Nachtgebets", in: Politisches Nachtgebet in Köln, Hrsg. von Dorothee Sölle u. F. Steffensky, Bd. 1, Mainz 1969

1970

110. Schriftstellerschule der Nation, in: Die Zeit (Hamburg), 25 (1970), Nr. 2. v. 9.1.1970, S. 38

1lo. Wo ist Opas Griechenland?, in: Neues Forum (Wien), 17(1970) H.197, S. 495-496

112. Entfernung von der Prosa, in: Programmheft des Düsseldorfer Schauspielhauses zur Uraufführung von 'Der Clown' von H.B. v. 23.1.1970

113. Schriftsteller heute, Interview von Paul Hubrich, in: General-Anzeiger (Bonn) v. 5.2.1970, S. 12

114. Ich werde regieren, in: Kölner Stadt-Anzeiger, Nr. 92 v. 21.4.1970, S.8

115. Heinrich Böll bekommt einen Brief von der Polizei, in: Die Welt (Hamburg), Nr. 104 v. 5./6.5.1970, S. 12

116. Die einzige Hoffnung sind die Mütter, in: Konkret Nr. 12 v. 4.6.1970,

117. Die Stunde Dostojewskijs, in: Die Weltwoche (Zürich), Nr. 3 33 v. 14.8.1970, S. 27

118. Wir dürfen kein Veteranenclub sein, in: Westdeutsche Allgemeine Zeitung (Essen) v. 26.9.1970

119. Zur Verleihung des Nobelpreises an A. Solschenizyn, in: Kölner Stadt-Anzeiger v. 9.10.1970

120. Für die Befreiung des Menschen, Interview von W. Unger, in: Kölner Stadt-Anzeiger, Nr. 236 v. 10./11.10.1970, S. 37

121. Dem Publikum mehr zumuten, in: Saarbrücker Zeitung v. 16.10 1970, S. 20

122. H.B. über Solschenizyn, in: Süddeutsche Zeitung (München) v 17.10.1970

123. Ein Autor der Passion, in: Zürcher Woche, Nr. 42 v. 17./18. lo.1970, S. 27

124. Interview mit H.B. von H.H.Fischer, in: Bamberger Theaterblätter (1970/71), H.9, S. 211-215

125. Gefangener einer Anekdote, in: Metall. Zeitung der IG Metall für die Bundesrepublik Deutschland, 22(1970), Nr. 25/26 v. 8.12.1970, S. 13

126. Tag der Menschenrecht, Interview von Hans Vetter (Deutsche Welle 9.12.1970)

127. H.B./Johannes Poethen:Literatur und Religion, Ein Rundfunkgespräch, in: D. Sölle, u.a. (Hrsg.), Almanach 4 für Literatur und Theologie, Wuppertal-Barmen 1970, S. 95-102

128. Abschied von Onkel Tom, in: Anne Moody, Erwachen in Mississipi, Frankfurt 1970, S. VII-X

1971

129. Überholtes Pathos, in: Kölner Stadt-Anzeiger, Nr. 1 v. 2./3. 1.1971, S. 9

130. Reist H.B. für Deutschland? (Interview), in: Stuttgarter Zeitung Nr. 95 v. 26.4.1971, S. 13

131. Lieblingsthema Liebe, in: Kölner Stadt-Anzeiger, Nr. 167 v. 22.7.1971, S. 12

132. Manche Sachbücher sind erfundener als mancher Roman, in: Frankfurter Rundschau, Nr. 171 v. 28. 7.1971, S. 8

133. Für Sachkunde und für Phantasie, in: Die Zeit (Hamburg), 26 (1971), Nr. 32 v. 6.8.1971, S. 9-10

134. Meine Heldin soll kein Image haben, in: Publik (Frankfurt/M.), 4(1971), Nr. 33 v. 13.8.1971, S. 27

135. Neuer Präsident des Internationalen PEN: Heinrich Böll (Interview), in: Die Welt (Hamburg), Nr. 213 v. 14.9.1971, S. 25

136. Die internationale Nation, in: Frankfurter Allgemeine Zeitung, Nr. 225 v. 29.9.1971, S. 32

137. Die Internationale der Nestbeschmutzer, in: Die Zeit (Hamburg), 26(1971), Nr. 51 v. 17.12.1971, S. 20

138. Sprache der kirchlichen Würdenträger (Westdeutsches Fernsehen 29.12.1971)

139. H.B./Dieter Wellershoff, Gruppenbild mit Dame, Ein Tonband-Interview, in: R. Matthaei (Hrsg.), Die subversive Madonna, Ein Schlüssel zum Werk Heinrich Bölls, Köln 1975,S.141-155

140. Gespräch über 'Heimat', in: A. Mitscherlich/G. Kalow,
Hauptworte - Hauptsachen, Zwei Gespräche, Heimat, Nation,
München 1971, S. 13-56

141. Gespräch über 'Nation', in: A. Mitscherlich/G. Kalow, a.a.O.
S. 71-113

142. Interview von Rudolf Rohlinger und Claus Hinrich Casdorff,
in: C.H.Casdorff/R. Rohlinger (Hrsg.), Kreuzfeuer, Interviews von Kolle bis Kiesinger, Berlin 1971, S. 61-71

1972

143. Ich kann in diesem Land nicht arbeiten, in: Kölnische Rundschau v. 14.6.1972

144. Debatte über Dostojewskij, in: Manès Sperber, Wir und Dostojewskij, Eine Debatte mit H.B. u.a., geführt von Manès
Sperber, Hamburg 1972, S. 61-72

145. Über die Familie, in: A.Mitscherlich /G.Kalow (Hrsg.), Über
Treue und Familie, Zwei Gespräche, München 1972, S.53-83

1973

146. Protest - laut oder leise?, in: Die Zeit, Nr.4 v. 19.1.1973,
S. 9

147. The Success Ethic Is Murderous, in: Newsweek v. 22.1.1973,
S. 56

148. Extracts from a Press Interview with Heinrich Böll, in: The
American PEN (New York), Vol. V, Nr. 1, Frühjahr 1973,S.1-8

149. Wir können auf keinen Fall Stillschweigen bieten, in: Frankfurter Rundschau, Nr. 159 v. 12.7.1973, S. 8

150. Es ist Zeit öffentlich energisch zu werden, in: Der Spiegel,
Nr. 29 vom 16.7.1973

151. Ich bin kein Ministrant, in: Konkret (Hamburg), Nr. 34 v.
16.8.1973

152. Bundesregierung ist falsch beraten, in: Frankfurter Rundschau, Nr. 207 v. 6.9.1973, S. 4

153. Interview der Woche im Deutschlandfunk mit dem Schriftsteller H.B. (23.9.1973)

154. "Cette plaie ouverte qui risque d'empoisonner l'esprit européen", in:Le Figaro Littéraire, Nr. 1435 v. 17.11.1973 S. I und V

155. Weil dieses Volk so verachtet wurde, wollte ich dazu gehören, in: Frankfurter Allgemeine Zeitung v. 13.12.1973

156. Dunkel ist deine Stätte unter dem Rasen, Eine Meditation zum Totensonntag, in: H.B. u.a., Politische Meditationen zu Glück und Vergänglichkeit, Darmstadt und Neuwied 1973, S. 10-73

1974

157. Er wird sehr,sehr unter Heimweh leiden, Spiegel-Interview mit H.B. über Alexander Solschenizyns Ausweisung, in: Der Spiegel (Hamburg), 28(1974), Nr. 8 v. 18.2.1974, S. 74-78

158. Raubtier, nicht Raubtier oder Karnickel?, in: Die Zeit, Nr. 17 v. 19.4.1974, S. 7

159. Gegen Abtreibung aber für Fristenlösung, in: Frankfurter Rundschau v. 24.4.1974

160. Böll sieht die Schuld bei Genscher, Nollau, Wessel, in: Frankfurter Rundschau, Nr. 107 v. 9.5.1974, S. 5

161. H.B. zum PEN-Kongress, in: Die Tat (Zürich), 39(1974), Nr. 109 v. 11.5.1974, S. 26

162. Meinen Swift habe ich gelesen ..., in: Pariser Kurier, 22 (1974), Nr.806 v. 1.10.1974

163. Grösste Gefahr: Resignation, in: Frankfurter Rundschau v. 14.11.1974

164. Muss das grosse Schisma fortgesetzt werden?, in: Frankfurter Rundschau, Nr. 272 v. 23.11.1974, S. III

165. Moralist gilt hier noch als Schimpfwort, in: Frankfurter Rundschau v. 6.12.1974

1975

166. Welche Bundesrepublik repräsentiere ich?, in: Frankfurter Allgemeine Zeitung v. 11.1.1975

167. Wie feige wird man werden?, in: Die Zeit, Nr. 5 v. 24.1. 1975, S. 13-14

168. Auf Dauer hat Protest Erfolg, in: Kölner Stadt-Anzeiger v. 19.2.1975

169. The European Idea, Interview von Piers Paul Read (30.4. 1975), in: Sunday Times, Weekly Review v. 25.5.1975

170. Alles ist Gewalt, in: Konkret Nr. 5, 1975, S. 36

171. Rotmolche auf Radikalen-Jagd, in: Kölner Stadt-Anzeiger, Nr. 198/7 v. 28.8.1975

172. Von und über Heinrich Böll, in: Deutsche Bücher (Amsterdam), 5(1975), H.3 (Herbst), S. 163-168

173. Heinrich Bölls Mahnung, in: Frankfurter Rundschau v. 11.10. 1975, S. 2

174. Wie man eine Sache hochspielen kann, in: Ingeborg Karst (Hrsg.), Der Fall Staeck oder Wie politisch darf die Kunst sein? Eine Dokumentation mit Beiträgen von H.B. u.a., Göttingen 1975, S. 9-11

175. Tendenzwende ist ja nur ein hübsches Wort für Rechtsruck, Interview von Jürgen Kritz, in: Ingeborg Karst (Hrsg.), a.a.O. (s. 174.)

1976

176. Es zittern die jungen Lehrer, in: Frankfurter Allgemeine Zeitung, Nr. 39D v. 16.2.1976, S. 7

177. Alle reden vom Volk, in: Frankfurter Rundschau, Nr. 62 v. 13.3.1976, S. III

178. Die Frauen sind viel rebellischer, in: Abendzeitung (München) v. 15./16.5.1976, S. 22

179. Edvard Kocbek, in: Frankfurter Allgemeine Zeitung, Nr. 139 v. 29.6.1976, S. 9

180. Antwort nach Prag, in: Frankfurter Allgemeine Zeitung, Nr. 198 v. 6.9.1976, S. 19

181. Wie eingebildet sind diese Deutschen? in: Frankfurter Allgemeine Zeitung, Nr. 221 v. 2.10.1976, S. 21

182. "La jeunesse allemande est soumise à la question", in: Le quotidien de Paris, Okt. 1976

183. Biermann ein Opfer von Heimatvertreibung, in: Frankfurter Rundschau, Nr. 261 v. 19.11.1976, S.5
184. "Hier muss er leben, dort gehört er hin", in: Stern (Hamburg), 28(1976), Nr. 49 v. 25.11.1976, S. 26
185. In Sachen Michael Stern, in: Frankfurter Allgemeine Zeitung, Nr. 270 v. 30.11.1976, S. 21
186. Zur Erheiterung, in: Der Spiegel (Hamburg), 30(1976), Nr. 52 v. 20.12.1976, S. 12
187. Brokdorf und Wyhl, in: Frankfurter Allgemeine Zeitung, Nr. 291 v. 24.12.1976, Beilage Bilder und Zeiten, S.2
188. H.B./Heinrich Vormweg, Solschenizyn und der Westen, in: L 76 Nr. 1, 1976, S. 173-191
189. Über den Begriff "Mord", in: H.B. u.a., Die Erschiessung des Georg v. Rauch, Eine Dokumentation anlässlich der Prozesse gegen Klaus Wagenbach, Berlin 1976, S. 72-74
190. Ich tendiere nur zu dem scheinbar Unpolitischen. Gespräch mit Manfred Durzak, in: M. Durzak, Gespräche über den Roman mit J. Breitbach u.a., Formbestimmungen und Analysen, Frankfurt/Main 1976, S. 128-153
191. Wie Brüderlichkeit anfängt. Ein Gespräch mit Hans Jürgen Schultz, in: H.J. Schultz (Hrsg.), Brüderlichkeit, die vergessene Parole, Stuttgart 1976, S. 9-17

1977

192. "Une sorte de communion d'idées devient sensible dans les deux Allemagnes", in: Le Monde v. 13.1.1977, S. 1 und 5
193. "Es kann einem bange werden", in: Der Spiegel (Hamburg), 31 (1977), Nr. 7 v. 7.2.1977, S. 24-26
194. Blank wie ein Stachel, in: Die Weltwoche (Zürich), Nr. 11 v. 16.3.1977, S. 29
195. H.B./Günther Nenning, Kunst ist Anarchie, in: Neues Forum (Wien), 24 (1977), Nr. 279 (März), S. 51-56
196. "Einer von uns", in: Stern (Hamburg), Nr. 18 v. 21.4.1977, S. 200-202
197. Helsinki war keine Falle, in: Die Zeit (Hamburg), 32(1977), Nr. 22 v. 20.5.1977, S. 33-34

198. Nicht Brüderlichkeit, nicht Solidarität, doch Nächstenliebe, in: Frankfurter Allgemeine Zeitung, Nr. 123 v. 28.5.
1977, Lit.Beilage

199. Heiliger Sachzwang, in: Konkret (Hamburg), Nr. 6 (Juni)
1977, S. 6

200. Wer Freude hat, birgt eine Bombe, in: Die Zeit (Hamburg),
32 (1977), Nr. 39 v. 16.9.1977, S. 41 und 42

201. Ein Jahrhundert wird besichtigt, Die dreissigjährigen Kriege: gestern und heute, in: Die Zeit (Hamburg), 32 (1977),
Nr. 43 v. 14.10.1977, Lit.Beilage, S. 25 und 26

202. Kronzeuge einer Reformation. Zu Jiri Pelikans Prager Erinnerungen, in: L 76, Nr. 4, 1977, S. 198-202

203. H.B./Hans-Peter Riese, Schriftsteller in dieser Republik.
Gespräch über Selbstverständlichkeiten, in: L 76, Nr. 6,
1977, S. 5-37

204. Drei Briefe aus den Jahren 1955-1964 an J.C.Witsch, in:
K.Witsch (Hrsg.), Joseph Caspar Witsch, Briefe 1948-1967,
Mit einem Vorwort von Manès Sperber, Köln 1977, S. 68;
175-178; 247-250

205. Briefwechsel mit Hans Maier, in: Hans Maier, Sprache und Politik, Essay über aktuelle Tendenzen - Briefwechsel mit H.B.
Zürich 1977, S. 29-43

206. "Ich habe nichts über den Krieg aufgeschrieben", Ein Gespräch mit Nicolas Born, Jürgen Manthey und Hermann Lenz,
in: N.Born und J.Manthey (Hrsg.), Literaturmagazin 7, Nachkriegsliteratur, Reinbek b. Hamburg 1977, S. 30-75

1978
207. Alles wahrnehmbar machen, in: L 76, Nr.7, 1978, S.174-179

C   Sekundärliteratur

Bibliographien
208. Lengning, Werner (Hrsg.), Der Schriftsteller Heinrich Böll,
Ein biographisch-bibliographischer Abriss, München, ^{3}1972
und ^{5}1977 (dtv 530)

209. Martin, Werner, Heinrich Böll, Eine Bibliographie seiner
Werke, Hildesheim/New York 1975
210. Nägele, Rainer, Heinrich Böll, Einführung in das Werk und
in die Forschung, Frankfurt/Main 1976

Sammelbände

211. Reich-Ranicki, Marcel (Hrsg.), In Sachen Böll, Ansichten
und Einsichten, München ^{3}1973
212. Beth, Hanno (Hrsg.), Heinrich Böll, Eine Einführung in das
Gesamtwerk in Einzelinterpretationen, Kronberg/Ts. 1975
213. Lengning, Werner (Hrsg.), Der Schriftsteller Heinrich Böll,
Ein biographisch-bibliographischer Abriss, München ^{5}1977

Einzelne Schriften (In alphabetischer Ordnung)

214. Amery, Carl, Eine christliche Position, in: M. Reich-Ranicki (Hrsg.), s. Nr. 211.
215. Améry, Jean, Die öffentliche Sache, Nobelpreis für H.B.,
in: W. Lengning (Hrsg.), s. Nr. 213.
216. Arnold, Heinz Ludwig, Bölls Poetik des Humanen, in: W.
Lengning (Hrsg.), s. Nr. 213.
217. Augstein, Rudolf, Der Katholik, in: M. Reich-Ranicki (Hrsg.)
s. Nr. 211.
218. Beth, Hanno, Trauer dzu dritt und mehreren, Notizen zum politischen Publizisten Heinrich Böll, in: H.Beth (Hrsg.),
s. Nr. 212.
219. Burgauner, Christoph, Ansichten eines Unpolitischen? Gesinnung und Entwicklung Heinrich Bölls, in: Frankfurter Hefte,
29 (1974), S. 345-355
220. Demetz, Peter, Allzuoft nur Himmel und Hölle, Heinrich Bölls
'Schriften zur Zeit', in: Frankfurter Allgemeine Zeitung,
Nr. 138 v. 18.6.1977, Lit.Beilage, S. 1
221. Deschner, Karlheinz, Talente, Dichter, Dilettanten, Wiesbaden 1964 (Über Bölls Essays S. 45)
222. Fest, Joachim, Wer will da Gegner sein?, in: Der Spiegel
(Hamburg), 22 (1968), Nr. 4 v. 22.1.1968, S. 97f.

223. Gaus, Günter, Die politische Vergesslichkeit, in: M. Reich-Ranicki (Hrsg.), s. Nr. 211.
224. Glaser, Hermann, Bölls Aufsätze, Kritiken, Reden - Schnappschussprosa mit Überblende, in: H. Beth (Hrsg.), s. Nr. 212.
225. Hermann, Lutz, Ein neuer politischer Einzelkämpfer, Heinrich Böll rüstet zum Wahlkampf, in: Süddetusche Zeitung, Nr. 178 v. 26./27.7.1969, S. 10
226. Hoffmann, Léopold, Heinrich Böll, Einführung in Leben und Werk, Luxemburg, 2. erw. Aufl. 1973, Essays S. 81-97
227. Hoffmann, Léopold, Einmischung erwünscht, Schriften zur Zeit - Von H.B., in: Luxemburger Wort v. 14.5.1977
228. Kurz, Paul K., Der verletzte Aufklärer, Einmischung als Ärgernis und moralische Instanz, in: Deutsche Zeitung/Christ und Welt (Stuttgart), Nr. 17 v. 15.4.1977, S. 12
229. Labroisse, G., H.B./Chr. Linder, Drei Tage im März, in: Deutsche Bücher (Amsterdam), 5 (1975), H.3 (Herbst), S. 169-172
230. Marcuse, Ludwig, Neben den Erzählungen, in: M. Reich-Ranicki (Hrsg.), s. Nr. 211.
231. Michaelis, Rolf, Erste Schritte auf dem Dritten Weg, in: Die Zeit (Hamburg), 30 (1975), Nr. 36 v. 29.8.1975, S. 38
232. Plavius, Heinz, Bölls Ästhetik des Humanen, in: Sonntag (Berlin-Ost) v. 25.12.1966
233. Pross, Harry, Proben auf Fortsetzung, Heinrich Bölls politische Essays, in: H. Beth (Hrsg.), s. Nr. 212.
234. Raddatz, Fritz J., Elf Thesen über den politischen Publizisten, in: M. Reich-Ranicki (Hrsg.), s. Nr. 211.
235. Rapp, Dorothea, "Flammen sind zu lebendig", Feuerprobe im künstlerischen Vorgang, in: Die Drei (Stuttgart), 46 (1976), H.2 (Febr.), S. 84-90
236. Reich-Ranicki, Marcel, Gegen die linken Eiferer, Bölls Stockholmer Rede, in: Die Zeit (Hamburg), Nr. 20 v. 11.5. 1973, S. 17
237. Reich-Ranicki, Marcel, Vom armen H.B., Aus Anlass des Buches 'Drei Tage im März' und der Erzählung 'Berichte zur

Gesinnungslage der Nation', in: Frankfurter Allgemeine Zeitung, Nr. 218 v. 20.9.1975, Beilage

238. Reid, James H., Heinrich Böll, Withdrawal and Re-emergence, London 1973, Chapter 1: The State and the Alternative Society, S. 9-25

239. Schachtsiek-Freitag, N., Ein Moralist mischt sich ein, in: Frankfurter Rundschau v. 6.8.1977

240. Schütt, Peter, Ich habe eine Hoffnung, eine hartnäckige Hoffnung, Anmerkungen zur politischen Publizistik H. Bölls, in: H. Beth (Hrsg.), s. Nr. 212.

241. Schwarz, Wilhelm Johannes, Der Erzähler Heinrich Böll, Bern ^{3}1973 (Über Bölls Essays S. 46f.)

242. Spycher, Peter, Ein Porträt Heinrich Bölls im Spiegel seiner Essays, in: Reformatio 16 (1967), S. 11-24 und S. 106-122

243. Sternberger, Dolf, Der Künstler und der Staat, in: M. Reich-Ranicki (Hrsg.), s. Nr. 211.

244. Vogt, Jochen, Vom armen H.B., der unter die Literaturpädagogen gefallen ist, in: Text und Kritik 33 (1972), S. 33-41

245. Wallmann, Jürgen P., Böll, der Neinsager, in: W. Lengning (Hrsg.), s. Nr. 213.

246. Wallmann, Jürger P., Sein Engagement ist unteilbar, in: Saarbrücker Zeitung, Nr. 83 v. 9./10.4.1977

247. Windfuhr, Manfred, Die unzulängliche Gesellschaft, Rheinische Sozialkritik von Spee bis Böll, Stuttgart 1971

248. Zimmer, Dieter E., H.B. rebelliert gegen sein Image, Bundesanstalt für Gewissen?, in: Die Zeit (Hamburg), Nr. 33 v. 8.8.1975, S. 29